Omslag &
Binnenwerk: Buronazessen - concept & vormgeving

Drukwerk: Hooiberg Haasbeek, Meppel

ISBN 978-90-8660-116-5


Postbus 30227
6803 AE Arnhem
www.ellessy.nl

MARY MORGAN

# ONDERSTROOM

**misdaadroman**

# EEN

Hayley was iemand die van de ene bizarre gebeurtenis in de andere rolde. Toen ze me dan ook in het holst van de nacht belde, was ik niet verbaasd, alleen slaperig, weggerukt uit een ongrijpbare droom. Voor geen speciale reden had ik de gewoonte mijn mobiele telefoon op mijn nachtkastje te leggen. Het apparaatje vibreerde op het houten blad; het licht van het schermpje flitste door de slaapkamer alsof er pal naast ons huis een politiewagen met een blauw zwaailicht stond. Naast me begon Graham onrustig te bewegen. Zijn lichte gesnurk was overgegaan in zwaar zuchten en af en toe mompelde hij iets onverstaanbaars. Zijn hand kwam onder het dekbed vandaan en hij krabbelde wild aan zijn gezicht, zijn wenkbrauwen vertrokken in een geïrriteerde frons.

Voorzichtig strekte ik mijn arm uit en trok ik mijn mobieltje onder het dekbed. Het leek wel alsof er een schijnwerper van een voetbalstadion werd aangedaan.

Graham draaide zich om en stak werktuiglijk een arm naar me uit. Zijn warme vingers gleden zoekend over mijn bovenarm. Toen ik behoedzaam bij hem vandaan schoof, viel zijn hand met een doffe plof tussen ons op de matras. Met ingehouden adem wachtte ik tot hij wakker zou worden. Hij slaakte echter een lange diepe zucht en zijn ogen bleven gesloten.

Ik besloot het er op te wagen. Met het mobieltje tegen mijn borst gedrukt zwaaide ik mijn benen over de rand van het bed. Het was nog donker. Het oranje licht van een lantaarnpaal filterde door het matglazen raam van de badkamer naar binnen. Vage schaduwen bewogen mee met het ritme van de hoge coniferen aan de rand van de tuin. Ik durfde geen licht aan te doen. Als Graham wakker werd zou hij willen weten wat er aan de hand was. Wie mij belde. En waarom. Niemand anders dan Hayley had de euvele moed mij midden in de nacht te bellen. Zodra Graham dat wist zou hij erop staan dat ik mijn mobieltje uitschakelde. Hij had net zo'n hekel aan Hayley als zij aan hem.

In de donkere badkamer ging ik op de wc zitten. Ik drukte het mobieltje tegen mijn oor en zei zo luid als ik durfde: 'Hallo?'

Een hoge stem. Hayley, in paniek. 'O, gelukkig! Je bent het toch, Sian?'

Ik probeerde geruststellend te klinken. 'Ja, natuurlijk ben ik het. Jij belt mij toch?'

Ze gromde iets diep in haar keel. Ze kon er de humor niet van inzien.

'Wat is er, Hayley?' Ik tuurde naar de wijzers van mijn horloge en probeerde tegelijkertijd wijs te worden uit een reeks zwakke geluiden op de achtergrond. 'Het is vier uur geweest. Wat ben je in hemelsnaam aan het doen?'

'Je moet me helpen, Sian.' Haar stem klonk zacht en zielig tegen een achtergrond van wat ik nu herkende als met enige regelmaat voorbij razende auto's. Ik opende mijn mond om haar eraan te herinneren dat het verboden was vanachter het stuur te bellen. Omdat ze me zou verwijten dat ik net zo bemoeizuchtig en zorgzaam klonk als haar moeder, hield ik mijn mond.

Ik wreef in mijn ogen en zuchtte. 'Oké. Wat is er aan de hand? Wat wil je dat ik doe, Hayley?'

Min of meer bij toeval waren we vriendinnen geworden. Op de eerste dag op de nieuwe middelbare school stonden we allemaal onwennig bij elkaar. Ik kende geen van mijn nieuwe klasgenoten en Hayley ook niet. Onze achternamen kwamen op de alfabetische klassenlijst na elkaar en alsof het de gewoonste zaak van de wereld was, werden we naast elkaar gezet. Hayley, lang en dun en met een enorme bos ontembare rode krullen, keek me lang en onderzoekend aan met ogen die zo mooi blauw waren dat ik er meteen jaloers op werd. 'Hallo Sian Rowe, ik ben Hayley Summers. Leuk dat je mijn buurvrouw wordt.'

Ik voelde de ferme greep van haar dunne vingers en hakkelde onzeker een antwoord en vroeg me onderwijl af wat ze van mij dacht. Klein en mollig, bedeesd en snel blozend, een rond gezicht met een malle mopneus en steil zwart haar: ik was zo ongeveer in alles haar tegenpool.

Ik deed mijn best alleen in de lengte te groeien, maar mijn kruin kwam nooit verder dan haar schouder. Ze was stralend en uitbundig en ze leek altijd wel omringd te zijn door vrienden en vriendinnen. Ik was de meest trouwe en toegewijde vriendin, altijd in haar schaduw, maar ik vond het niet erg zolang ik haar mijn vriendin mocht noemen. Ze was bruidsmeisje bij mijn sprookjeshuwelijk met Billy en ze sloot me in haar armen toen ik vier jaar later als een diep ontgoochelde, bedrogen echtgenote bij haar mijn toevlucht zocht. Op mijn beurt was ik samen met haar broer Michael getuige bij haar impulsieve huwelijk met Ian, dat werd gesloten in een onpersoonlijk kantoortje van de gemeente. Nog geen twee jaar later liep ik stevig gearmd naast haar, toen ze hem op een koude winterdag naar zijn laatste rustplaats bracht.

Hayley was impulsief en onbesuisd en gedurende onze vriendschap deed ik niet anders dan haar op het rechte pad houden en

uit de nesten halen. Zoals nu.
'Wil je me alsjeblieft komen halen, Sian?'
Afwezig tuurde ik naar mijn tenen die koud werden op de betegelde vloer. Ik rilde in mijn dunne nachthemdje, dacht verlangend aan mijn behaaglijke warme bed en zuchtte. 'Waar ben je, Hayley?'
'Ik sta aan de kant van de weg.' Ik had een visioen van haar, ergens met een lekke band aan de kant van een snelweg.
'Wat? Nu? Waar?'
Ze gaf geen verklaring over waarom ze op dit tijdstip niet gewoon thuis in bed lag. 'Ik sta op de vluchtstrook even voorbij Hayle,' antwoordde ze schoorvoetend. Een korte stilte. 'Bij de brug,' voegde ze er toen nauwelijks verstaanbaar aan toe.
Onmiddellijk wist ik wat ze bedoelde. Ik had het eerder moeten begrijpen. Normaal gesproken klonk ze nooit zo zielig of beschaamd. Ze had mijn hulp niet nodig om een band te verwisselen.
Ik rechtte mijn rug en masseerde met mijn vrije hand mijn koude schouder. 'Oké. Ik kom eraan. Aan welke kant sta je?'
'Ik was al op de terugweg.'
Graham had zijn gesnurk hervat. In een bepaald opzicht was het een geruststellend geluid maar bij elke tussenpauze vreesde ik dat hij wakker zou worden.
'Hoe ben je daar gekomen?'
'Gewoon. Gereden natuurlijk.'
'Natuurlijk.' Ik was opgelucht dat ze niet langer zielig klonk en dat haar sarcasme nog niet helemaal was verdwenen. Ze leek aan te voelen dat ze me op zijn minst een soort van verklaring schul-

dig was. 'Luister, Sian. Toen ik van huis ging was het donker. Ik heb niets anders gezien dan de achterlichten van de auto die voor me reed. Voor ik het wist, was ik al over de brug. Snap je?'
'Ja.' Hayley had een fobie voor bruggen over diepe dalen. 'Ben je wel in orde, Hayley? Ja? Weet je het zeker?'
'Afgezien van het feit dat ik mezelf wel voor het hoofd kan slaan, voel ik me prima.'
Ik glimlachte. 'Ik kom er zo gauw mogelijk aan.'
'Je bent geweldig, Sian.'
'Ja. Nou, duim voor me dat Graham niet wakker wordt.'
'Dat heb ik al gedaan voordat ik je belde,' reageerde ze met een sprankje van haar oude opgewektheid. Ik herademde. In elk geval zou ik haar niet in diepste wanhoop op de vluchtstrook van de snelweg aantreffen.

## TWEE

Het was lastiger dan ik had verwacht om op de tast kleren bij elkaar te vinden. Ik kon bijna geen hand voor ogen zien. Omdat onze slaapkamer op het oosten lag, had Graham gestaan op extra dikke gordijnen zodat hij 's zomers niet door een vroege zonsopgang werd gewekt. Juist omdat ik mijn best deed zo geruisloos mogelijk te doen, werden mijn bewegingen houterig en onhandig. Ik kon een uitroep van pijn niet inhouden toen ik mijn grote teen stootte tegen de poot van ons bed. De la waaruit ik automatisch een schoon slipje pakte, duwde ik met een te harde klap dicht en toen ik ze oppakte, rinkelden mijn sleutels alsof er een enorme spiegel aan gruzelementen werd geslagen.
Graham mompelde iets en begon opnieuw fanatiek op zijn hoofd te krabben. Als bevroren stond ik aan het voeteneinde van ons bed, elk moment verwachtend dat hij zich zou omdraaien en op de lege plek naast hem zou tasten. Hij vond het altijd vervelend wanneer ik later in bed kwam dan hij, of eerder opstond. Soms leek het alsof hij een soort zesde zintuig had ontwikkeld en het onmiddellijk merkte wanneer ik 's nachts even uit bed ging. Hij kon er onredelijk lang over mopperen.
Deze keer leek hij dieper in slaap dan anders. Vluchtig vroeg ik mij af of de wijn bij het eten daartoe had bijgedragen. Hij had de fles bijna in zijn eentje soldaat gemaakt. Bij het ontbijt zou hij niet te genieten zijn, en al helemaal niet wanneer hij 's morgens om vier uur wakker werd gemaakt.
Met de rest van mijn kleren op een rolletje onder mijn arm sloop ik naar beneden. In de huiskamer, de meest veilige plek om me

verder aan te kleden omdat die niet direct uitkeek op de weg, rook het nog steeds naar de walgelijke sigaar die Graham zo graag na het avondeten rookte. Ik moest me inhouden niet een van de ramen open te zetten. Ongetwijfeld zou dat me het verwijt opleveren dat ik eventuele inbrekers letterlijk uitnodigde om binnen te komen.

Aan de voorkant van ons huis leidde een pad van witte kiezels naar de oprit. Het was onmogelijk om op die manier geruisloos naar mijn auto te komen. Daarom verliet ik het huis door de achterdeur. Gelukkig waren de oorspronkelijke kiezels van het garagepad vervangen door brede tegels toen Graham de garage had laten verbouwen tot een kleine, zelfstandige woning voor Ella, de moeder van zijn eerste vrouw. Haar slaapkamer was aan de voorkant van het huis, maar ik wist dat ik me over haar geen zorgen hoefde te maken. Ze beklaagde zich er vaak over dat ze slecht sliep, maar ze nam regelmatig slaappillen en zonder haar gehoorapparaat was ze zo goed als doof.

De grote zwarte auto van Graham was het volgende obstakel. Zoals gewoonlijk had hij hem pal achter mijn kleine rode Fiat geparkeerd. Zelfs als ik een zeer kundige chauffeuse was geweest, zou ik niet weg kunnen komen. Het kostte me kostbare seconden om tot het besluit te komen dat er geen tijd was om eerst de auto van Graham aan de kant te parkeren voordat ik in mijn eigen auto weg kon rijden.

Mijn stille aftocht via de achterdeur stelde me in staat via dezelfde weg het huis weer binnen te gaan. De voordeur zat nog op de extra grendel die Graham er had laten aanbrengen toen de buurt werd geteisterd door inbraken. Tot nu toe was ons huis ongemoeid gelaten, wat volgens Ella te danken was aan het feit dat hij te krenterig was om iets aan te schaffen dat een inbraak waard was. Als ze de schilderijen aan de muren in de zitkamer en de eetkamer al had herkend als van de hand van kunstenaars die sindsdien bekend waren geworden, dan had ze zich kennelijk nog nooit gerealiseerd dat de arrogantie van Graham te groot was om het met kopieën te doen. Uit papieren van de verzekeringsmaatschappij had ik opgemaakt dat we ten minste twee kunstwerken hadden die elk een klein fortuin waard waren.

Graham legde zijn sleutelbos altijd op het tafeltje in de hal. Ik klemde hem stevig in mijn hand, zo nerveus dat ik bang was dat ik hem zou laten vallen. Met wild kloppend hart vroeg ik me af of ik wel de moed had zijn auto te nemen. Hij had hem nog geen half jaar geleden nieuw aangeschaft en zoals de meeste mannen deed hij er altijd trots en opschepperig over. Bovendien was hij, met zoveel andere mannen, de mening toegedaan dat vrouwen achter het stuur een gevaar op de weg waren. Zodra ik mijn rijbewijs had gehaald, had hij gauw een kleine tweedehands auto voor me gekocht nadat ik vol bravoure kenbaar had gemaakt dat ik van plan was zijn auto te nemen. Zelf geloofde ik niet dat ik ooit de moed zou hebben om achter het stuur van dat grote zwarte monster te gaan zitten, maar nu liet zijn manier van parkeren me weinig keus. Met een onbehaaglijke blik naar de bovenverdieping van ons huis schoof ik achter het stuur. Er brandde nergens licht. Wat een geruststelling was, want Graham had de gewoonte, zelfs wanneer het niet helemaal donker was, alle lichten aan te doen wanneer hij van het ene naar het andere vertrek ging.

De krachtige motor kwam tot leven zodra ik de sleutel in het contact omdraaide. Meteen werd ik overvallen door een adembenemend en ongekend gevoel van macht. De auto was groot en veilig om me heen en ik voelde de adrenaline door mijn lichaam snellen. Met ingehouden adem zette ik de auto in de versnelling en drukte ik het gaspedaal in. Toen ik voorzichtig achteruit reed had ik de grootste moeite het gevaarte in bedwang te houden. Vergeleken met mijn trage karretje was dit een ontembaar wild beest. Uiterst voorzichtig reed ik achteruit het garagepad af, maar toen ik de straat indraaide werd ik opeens overvallen door een onbedwingbare overmoed. Ik keek niet opzij naar ons huis. Ik wilde niet zien dat Graham bij het raam van de logeerkamer stond en als een razende gebaarde dat ik onmiddellijk terug moest komen. Mijn vingers trilden hevig toen ik eindelijk de schakelaar voor de koplampen vond. Ik likte het zweet van mijn bovenlip en drukte mijn voet op het gaspedaal. Met ingehouden adem voelde ik het monster tot leven komen.

# DRIE

Ik genoot van de verboden vruchten van de luxueuze soepelheid van het gevaarte dat over de weg zweefde alsof het vleugels had gekregen. Het zwarte monster was een van Grahams meest geliefde bezittingen en voor het eerst had ik er geen moeite mee te begrijpen waarom hij er zo over dacht. Ondanks de afmetingen en de zwaardere motor was de wagen gemakkelijk te besturen. Ik had dan ook de indruk dat ik Hayley veel sneller bereikte dan wanneer ik met mijn eigen auto was gegaan.

Toen ik voorbij Redruth over de brug reed, die een smal diep dal overspande, zag ik het blauwe autootje van Hayley aan de andere kant van de snelweg op de vluchtstrook staan. Om bij haar te komen, moest ik eerst een eind doorrijden, de eerstvolgende afslag nemen en weer op mijn schreden terugkeren. Ik stelde me voor hoe ze daar ineengedoken zat, ogen groot en paniekerig, haar sproeten donker in haar bleke gezicht, haar handen verkleumd door de nachtelijke kou, maar bovenal beschaamd en ellendig omdat ze geen andere keus had gehad dan mij te hulp te roepen.

Met grote ogen draaide ze haar zijraampje open toen ik achter haar auto stopte en naar haar toeliep.

'Ik had niet verwacht dat je niet met je eigen auto zou komen,' zei ze met een mat lachje. 'Ik was al bang dat je de een of andere engerd was.'

In haar ogen kon ik zien hoe ellendig ze zich voelde.

'Ik ben het maar,' zei ik luchtig.

'Hoe heb je het aangedurfd de auto van Graham te nemen?' vroeg ze met gepast ontzag, even haar eigen probleem vergetend.

Ik haalde mijn schouders op. 'Hij stond achter die van mij geparkeerd.'
Haar blik vertoonde een mengeling van spijt en schaamte. 'Hij zal razend op je zijn als hij erachter komt,' zei ze, bijna op een toon alsof ze zich al verheugde bij het vooruitzicht van de woede van Graham.
'Hopelijk komt hij er niet achter,' antwoordde ik met een overmoed die ik toeschreef aan de waanzinnige nachtelijke rit.
'Ik tol van de slaap,' zei Hayley gapend. 'Zullen we dan maar meteen gaan? Hoe eerder we thuis zijn, hoe beter.'
'Ja.' Ik voelde mijn gezicht verstrakken. Mijn terugkeer was iets waaraan ik liever nog geen gedachten wijdde. Stel dat Graham intussen had gemerkt dat ik weg was met zijn auto en nu razend van woede op me wachtte?
Hayley stapte uit en terwijl ze langs de voorkant van haar auto omliep naar de passagiersplaats, wees ze naar de brug die zich voor ons uitstrekte. Ik veronderstelde dat ze me wilde wijzen op de diepte eronder waar een klein riviertje en een smalle weg door het beboste dal slingerden. Ze opende het portier maar voordat ze instapte, bleef ze even staan, haar hand op het dak van haar auto. Somber keek ze naar het punt waar de reling van de brug begon.
'Ik zou misschien toch eens naar een therapeut moeten gaan,' zei ze bitter. Haar rode haar was gedeeltelijk losgeraakt van de klip bovenop haar hoofd. Spiraalvormige krullen vielen langs haar bleke gezicht dat telkens een paar seconden werd verlicht wanneer er een auto passeerde.
'Dat zou inderdaad geen gek idee zijn,' reageerde ik effen.
Ik ging achter het stuur van haar auto zitten en tastte naar de sleu-

tel. Ze had het eerder gezegd. In feite zei ze het elke keer wanneer ze me met haar probleem confronteerde, maar tot nu toe had ze nog nooit een afspraak gemaakt.
Ze gespte haar veiligheidsriem vast toen ik optrok. Ik moest het gaspedaal diep indrukken omdat haar auto niet zo snel reageerde als die van Graham. Het verbaasde me hoe snel je aan iets gewend kon raken.
'Ik voel me ontzettend bezwaard, Sian,' zei Hayley berouwvol, haar hand op mijn arm.
Ik voelde dat haar vingers trilden en even had ik een visioen van een verschrikkelijk ongeluk, wanneer ze in blinde paniek een ruk zou geven aan mijn arm en we door de vangrail zouden schieten. Het maakte dat ik haar hand wild van me afschudde. Ik wierp een snelle blik opzij. 'Wil je de chauffeur van deze auto niet afleiden, Hayley?' zei ik met een macabere humor die echter niet aan haar besteed was. Ze zag nu nog bleker van schrik.
Terwijl ik haar auto over de brug reed, keek ze strak voor zich uit, haar schouders hoog opgetrokken en haar handen zo stijf in elkaar geklemd dat ik zelfs in het gebrekkige licht kon zien hoe wit haar knokkels waren.
'Je zult me wel ontzettend belachelijk vinden, Sian.'
'Ja,' zei ik vriendelijk.
'Maar ik kan er echt niets aan doen, Sian!'
'Nee.'
Voor de buitenwereld was Hayley iemand die stevig in haar schoenen stond, maar ik was een van de weinige mensen die haar angsten en onzekerheden kende. Ze was altijd een uitstekende chauffeuse geweest, maar om onverklaarbare redenen had ze

plotseling een soort fobie ontwikkeld waardoor het haar onmogelijk was over een grote brug te rijden. Wanneer ze zelf niet reed was er niets aan de hand maar zichzelf vertrouwde ze niet achter het stuur. Ze had de vreemde angst opgevat dat ze zo maar door de verschansing zou rijden en naar beneden zou storten. Om die reden reed ze bijvoorbeeld liever kilometers om dan dat ze bij Plymouth de hoge brug over de rivier de Thamar nam. En daarom ook vermeed ze gewoonlijk het stuk snelweg tussen Redruth en Camborne.

In het donker was er niets aan de hand, maar kennelijk had ze er bij haar terugkeer niet aan gedacht dat het al licht genoeg was om de vallei onder de brug te kunnen zien.

Het was haar in het verleden een paar keer eerder gebeurd dat ze plotseling voor een brug was gestopt. Net als vannacht had ze me toen ook paniekerig gebeld om haar en haar auto naar de overkant van de brug te brengen. Een lichtelijk hachelijke onderneming, want ik moest over de vluchtstrook langs het voorbij razende verkeer teruglopen om mijn eigen auto weer op te halen. Als ik niet had geweten dat haar angst echt was, zou ik er niet over hebben gepiekerd dat voor haar te doen. Laat staan dat ik er midden in de nacht voor uit mijn bed kwam.

Aan de overkant van de vallei stopte ik opnieuw op de vluchtstrook. 'Ziezo. We zijn zonder ongelukken over de brug gekomen.'

Ze reageerde niet op mijn droge humor. 'Ik wist niet wie ik anders moest bellen, Sian.'

Ik zette de motor af. 'Hoe kwam je hier eigenlijk terecht, Hayley? Weet je wel hoe laat het is?'

Ze boog haar hoofd en keek neer op haar handen. Dit was zo ongewoon voor haar dat ik onmiddellijk gealarmeerd was. Ik drong aan. 'Wat deed je hier midden in de nacht, Hayley?'
Ze schudde haar hoofd en maakte aanstalten uit te stappen. 'Ik ben doodmoe, Sian. Zullen we het daar een andere keer over hebben?'
Ik kende haar te goed om te weten dat ze naar een uitvlucht zocht. Wat ze ook had gedaan, ze was niet van plan het me te vertellen, niet nu.
'Vind je niet dat ik op zijn minst een excuus verdien voor het feit dat je me midden in de nacht wakker hebt gebeld en dat ik me voor jou in de auto van Graham heb gewaagd? Alleen om je te redden van je fobie?' vroeg ik op milde toon.
'O Sian! Het spijt me echt! Ik voel me zo ellendig!'
Tot mijn schrik liet ze de deurkruk los en van pure ellende barstte ze in tranen uit. Ook dit was zo ongewoon voor haar, dat ik begreep dat het niet anders kon dan dat ze zich weer eens goed in de nesten had gewerkt. Meestal lachte ze schaapachtig om haar eigen fouten en misvattingen en dan beloofde ze plechtig dat ze de volgende keer zou nadenken voordat ze in actie kwam. Het gebeurde echter maar heel zelden dat ze zo aangedaan was als nu.
'Als je eens bij het begin begon?' stelde ik rustig voor.
Ze wrong haar handen. 'Ik zal het je wel vertellen, Sian, maar niet nu. Ik kan mijn ogen bijna niet open houden en ik heb een barstende hoofdpijn. En mijn baas verwacht me morgen natuurlijk gewoon op tijd op mijn werk.'
'Hayley ...'
'Bovendien moet jij ook terug naar huis. Voordat Graham ont-

dekt dat zijn waardevolle auto weg is. En jij.'
'In die volgorde waarschijnlijk,' flapte ik er met strakke lippen uit.
Ze liet zich maar al te graag afleiden. 'O Sian, dat meen je toch niet? Jullie hebben toch geen problemen? Dat kan ik niet geloven, hoor! Graham draagt je op handen!'
Ik wuifde haar woorden weg. 'Het was maar een grapje. Maar nu over jou, Hayley. Ik besef dat we beter niet te lang aan de kant van de snelweg kunnen blijven staan, maar ik eis wel een volledige verklaring van je.'
'Kom morgenavond maar bij me langs,' gaf ze toe. En met een klein lachje: 'Nou ja, eigenlijk vanavond.'
'Als ik niet tot huisarrest word veroordeeld,' grapte ik.
Ze knikte ernstig. 'Ik had daarnet zeker gelijk? Het botert niet meer zo tussen Graham en jou?'
'Niets onoverkomelijks,' antwoordde ik snel. 'Niets dat niet bij elk huwelijk aan de orde komt.'
Ze keek me schuin aan, maar mijn gezicht moest een vastbeslotenheid uitdrukken die haar vertelde dat het geen zin had verder aan te dringen. In plaats daarvan glimlachte ze me met groeiend optimisme toe. 'Laten we alsjeblieft naar huis gaan, Sian. Vanavond praten we, maar nu kunnen we misschien allebei nog wat slaap pakken.'
Ze omhelsde me toen we uitstapten en ze naar de bestuurderskant liep. 'Ik weet niet wie ik anders had moeten bellen, Sian,' zei ze nog eens. 'Ontzettend bedankt.'
'Ja, nou, zorg er de volgende keer voor dat je de andere weg neemt, hè?' zei ik, gemoedelijk op haar schouder kloppend.

'Zal ik op je wachten tot je weer bij je eigen auto bent?' stelde ze voor, maar ik schudde mijn hoofd, wetend dat ze niet zonder onbehagen en schuld naar me zou kunnen kijken, zeker niet wanneer ik eerst te voet over de brug moest.

'Ga maar gauw naar huis,' zei ik vriendelijk. 'Welterusten, Hayley, ik zie je vanavond.'

Ik keek haar na en realiseerde me dat ik haar te vroeg had weggestuurd. Nu had ik er spijt van dat ik haar niet had gevraagd op me te wachten. Zo nu en dan werd ik verblind door een passerende auto. Ik voelde me hinderlijk blootgesteld aan de blikken van nieuwsgierige, onzichtbare bestuurders. Het was niet zo moeilijk me voor te stellen hoe Hayley zich had gevoeld toen ze in haar auto op me had zitten wachten. Terwijl het geluid van haar auto wegstierf rende ik over de vluchtstrook terug naar Grahams auto. Zo dicht mogelijk liep ik langs de reling van de brug. Ik kon het koude metaal gemakkelijk met mijn vingers aanraken. Onder de brug waren de beboste hellingen van de vallei duidelijk te zien. Tegen het voorzichtig kleurende licht van de zonsopgang tekenden zich de bekende silhouetten af van de schoorstenen van de oude tinmijnen, het erfgoed van Cornwall. Ik was blij toen ik eindelijk bij de auto kwam. Met handen die plotseling niet meer konden ophouden met trillen, startte ik opnieuw het zwarte monster van Graham.

# VIER

Ons huis was nog donker. Ik wist echter maar al te goed dat ik er niet zomaar van uit kon gaan dat Graham nog sliep of dat hij niet had gemerkt dat ik uit bed was gegaan. Of erger, dat hij niet had gezien dat zijn auto van het garagepad was verdwenen. Ik deed de koplampen uit en parkeerde het gevaarte waar ik dacht dat Graham het eerder had achtergelaten en stapte behoedzaam uit. Net op tijd herinnerde ik me dat er tijdens de rit een pakje papieren zakdoekjes uit mijn tas was gevallen. In het donker graaide ik ernaar, maar het was verder onder de passagiersstoel gegleden dan ik had verwacht; ik moest me tussen de twee voorstoelen naar achteren wurmen om het te kunnen pakken. De vloer van de auto was niet, zoals die van mij, bezaaid met zand en kleine steentjes, met parkeerbonnetjes en kassastroken van de supermarkt. Graham liet zijn auto elke week onder handen nemen door twee identieke jongens die hun diensten aanboden in ruil voor aanvulling op hun zakgeld. Mark en Roly voerden hun taken stipt en tot volle tevredenheid van Graham uit. De een deed zijn best zo ongeveer de hele binnenkant te ontsmetten en de ander waste en poetste de buitenkant tot en met de banden en wielkasten die altijd met een laagje stof bedekt waren. Het was ondenkbaar een pakje zakdoekjes op de grond te laten liggen.

Net zoals het niet te geloven was dat er een plastic zak onder de bestuurdersstoel lag. Toch was dat precies wat ik er onder vandaan haalde: een nog niet eens voor de helft gevulde zwarte vuilniszak die aan de bovenkant slordig dicht was geknoopt. In de veronderstelling dat Mark of Roly de zak er per ongeluk had laten liggen en dat er wat voor hen zou zwaaien als Graham het ontdekte, haalde ik hem samen met de zakdoekjes uit de auto vandaan.

Toen ik weer naast de auto stond en naar ons donkere huis keek, raakte ik er opeens van doordrongen dat ik iets onvergeeflijks had gedaan. Mijn nekharen kwamen overeind. Zweet kriebelde tussen mijn schouderbladen. Ik voelde me zo schuldig dat ik het gevoel had dat ik van alle kanten werd bespied door Graham en zijn spionnen. Ik deed er veel te lang over om de auto af te sluiten. Ik stond er niet eens bij stil dat ik alleen maar op een knopje aan de sleutel hoefde te drukken. Zo modern was mijn eigen auto niet. Toen ik iets tegen mijn benen voelde, uitte ik een verschrikte kreet die naar mijn gevoel door de hele straat schalde.

De kat van onze buren miauwde klaaglijk en hij begon om mijn benen heen te draaien.

Graham had een hekel aan huisdieren, aan katten in het bijzonder. Deze leek dat een geweldige uitdaging te vinden, want bij elke gelegenheid probeerde hij ons huis binnen te komen. Sally, onze werkster, had medelijden met het beestje dat altijd honger had. Ik verdacht haar ervan stiekem de lekkerste stukjes vis en kip naar buiten te smokkelen. 'Ga weg!' siste ik tussen mijn tanden door.

Zo geruisloos mogelijk sloop ik om het huis heen om weer via de achterdeur naar binnen te gaan. Ik stond zenuwachtig met de sleutel in het slot te morrelen toen ik me realiseerde dat ik de vuilniszak uit Grahams auto nog in mijn hand had. Ik moest hem kwijt en wel zo snel mogelijk. Als Graham me zo zag, zou hij het naadje van de kous willen weten. Alsnog zou hij de twee-

ling stevig de mantel uitvegen omdat ze hun rommel niet hadden opgeruimd.
Ongelukkig genoeg stond de vuilnisbak niet op zijn plaats bij de achterdeur. Ik herinnerde me dat hij vroeg in de ochtend geleegd zou worden. Graham vond het niet nodig extra vroeg op te staan om hem aan de kant van de straat te zetten, daarom deed hij dat altijd de avond ervoor.
Ergens in de buurt werd een auto gestart en ik raakte bijna in paniek. Ik realiseerde me dat ik me op zijn minst vreemd en verdacht gedroeg. Het begon al licht te worden. Iemand die me zag zou zich natuurlijk afvragen wat ik op dit tijdstip buiten aan het doen was. Ongetwijfeld zou er een golf van roddels door de straat gaan. Om die reden handelde ik voornamelijk in een opwelling. De vuilniszak kon ik niet in de keuken achterlaten. Daarom ging ik weer naar buiten en ik deponeerde hem in de achterbak van mijn auto.
Ik was zo opgelucht dat ik veilig thuis was gekomen, dat ik van louter zenuwen zachtjes begon te grinniken. Het huis was nog in diepe rust. Ik bleef even met mijn rug tegen de achterdeur staan om mijn onregelmatige ademhaling weer rustig te laten worden. Door het raam zag ik de kat beledigd door de tuin sluipen. Hij snuffelde voorzichtig aan iets op de grond en het volgende moment sprong hij van schrik met vier poten tegelijk van de grond. Iets – of iemand - bewoog achter de heg en ik zag dat hij begon te blazen, terwijl hij tegelijkertijd in een sluipende houding achteruit kroop. Zodra hij achter een struikje kwam, zette hij het op een lopen. Moeiteloos sprong hij op de schutting aan de zijkant van onze tuin, en vervolgens was hij verdwenen.

Ik grinnikte om zijn haastige aftocht. De schim die hem had doen schrikken, was iets waarom ik me op dat moment niet druk maakte.
De gedachte aan de volgende etappe van de nachtelijke onderneming, maakte me onrustig. Ik vreesde voor het moment dat ik naast Graham in bed zou stappen en hij me op zijn bekende arrogante afgemeten toon zou vragen wat ik in hemelsnaam uitgevoerd had. Onder geen voorwaarde kon ik hem de waarheid vertellen. Het probleem was echter dat hij het altijd precies wist wanneer ik de waarheid voor hem achterhield.
Ik had mijn nachthemdje in een keukenkastje achtergelaten en snel verwisselde ik mijn kleren. Nerveus bedacht ik dat Graham nog nooit 's morgens een pan uit het kastje had gehaald, maar ik wist dat ik niet voorzichtig genoeg kon zijn. Ik rolde mijn trui in mijn broek en verstopte het bundeltje achter een keurig stapeltje pannen.
Graham lag met zijn rug naar mijn kant van het bed toe. Zijn ademhaling was diep en rustig. Af en toe maakte hij een vreemd puffend geluidje. Hij bewoog zich niet toen ik behoedzaam naast hem onder het dekbed schoof. Hij werd zelfs niet wakker toen ik per ongeluk met een ijskoude voet tegen zijn been stootte. Ik staarde naar het schemerige plafond en wachtte tot mijn razende hart weer tot bedaren was gekomen. Graham lag heerlijk rustig te slapen en ik vroeg me af waarom ik me zo zenuwachtig had gemaakt.

## VIJF

De krant ritselde dreigend toen Graham hem een eindje liet zakken. Over de rand keken zijn lichtblauwe ogen me onderzoekend aan.

'Ben je vannacht uit bed geweest?' In de keuken die plotseling heel stil aanvoelde, bleef ik onbeweeglijk staan en ik wachtte tot hij verderging. Ik proefde iets zuurs, iets misselijkmakends in mijn mond.

'Misschien heb je me gehoord toen ik naar de badkamer ging,' zei ik, terwijl ik me omdraaide om zijn brood uit de broodrooster te pakken.

'Ik heb je niet gehoord maar ik meen me te herinneren dat de plek naast me leeg was.'

Zijn stem klonk rustig en neutraal, maar ik wist dat dat niets te betekenen had. Kort nadat we getrouwd waren, had ik ontdekt hoe geraffineerd hij kon zijn. Hij was een meester in het wekken van een onschuldige indruk terwijl hij zich intussen met nauwkeurige precisie en vastberadenheid klaarmaakte om zijn nietsvermoedende prooi te bespringen.

Ik legde zijn toast op een bord en zette het voor hem neer. 'Ik voelde me vannacht niet zo lekker. Ik was bang dat ik misschien zou moeten overgeven, daarom ben ik misschien wat langer dan normaal in de badkamer gebleven.'

'Ik dacht zelfs dat ik je naar beneden hoorde gaan.'

Ik bukte me om boter en jam uit de koelkast te pakken en om mijn gedachten te ordenen. 'Ik wilde je niet wakker maken.'

Hij liet zijn krant verder zakken, zodat ik zijn glimlach kon zien.

'Je had me juist wel wakker moeten maken, lieverd. Ik ben er toch om je te helpen als je ziek bent?'

Ik staarde in zijn glad geschoren gezicht. Meende hij dat of was hij alleen maar doelbewust bezig mij in het nauw te drijven? Was hij erop uit me op een keiharde leugen te betrappen?

Alsof het onderwerp me niet zo bezighield, haalde ik mijn schouders op. 'Ik was niet echt ziek, Graham, ik had alleen een beetje last van mijn maag. Niets om jou voor wakker te maken.'

Hij zei niets. Hij kneep zijn ogen een beetje samen en begon toen omslachtig de krant open te vouwen.

Graham was een man van orde en principes. Vooral 's morgens waren zijn handelingen een onderdeel van een vast ritueel. Het doorbreken ervan bracht hem meestal uit zijn humeur. Hij zou de krant nu plat op de keukentafel leggen, zijn toast besmeren met boter en aardbeienjam en al lezend zijn ontbijt verorberen. Zo nu en dan zou hij een korte opmerking maken over iets dat hem opviel in het nieuws. Of hij zou ergens ongezouten commentaar op leveren. Hij verwachtte van mij dat ik gedwee naar hem luisterde, maar vooral dat ik me onthield van een reactie. Ik had al snel geleerd dat hij geen instemming van me verwachtte, laat staan dat ik een argument kon uiten dat tegen zijn mening in ging.

Voordat ik me weer naar het aanrecht kon omdraaien, pakte hij mijn hand en drukte hij zachtjes zijn lippen op mijn vingertoppen. 'Je ziet vanochtend een beetje bleek, lieverd. Ik maak me zorgen om je.'

'Misschien ben ik inderdaad een beetje moe. Ik heb slecht geslapen,' antwoordde ik, niet ver bezijden de waarheid.

Hij knikte alsof mijn welzijn niet langer van belang was en hij

liet abrupt mijn hand los. Aandachtig begon hij zijn toast te besmeren. 'Misschien moet je je vandaag een beetje rustig houden, schat.'
Zijn blik gleed van mijn borsten naar beneden en tot mijn ergernis voelde ik een blos naar mijn gezicht stijgen. Ik wist precies waarop hij doelde. Vier maanden geleden hadden we heel kort gedacht dat ik zwanger was. Het had ons allebei overvallen. We waren pas twee jaar getrouwd en we hadden nog geen plannen in die richting gemaakt. Na de eerste schok waren we allebei verheugd geweest en de ongerustheid en bezorgdheid van Graham bereikten bijna de grens van overdrijving. Toen bleek dat het loos alarm was, was hij degene die zich het snelst herstelde. Tot mijn verbijstering had hij me daarna een poos zo koel en onpersoonlijk behandeld dat ik was gaan geloven dat hij het als een persoonlijke belediging opvatte dat ik de zwangerschap niet had kunnen voldragen. Aan hem, had hij met een zweem van verwijt en beschuldiging gezegd, had het in elk geval niet gelegen. Het onderwerp was nooit meer aan de orde gekomen. Tot nu.
'Ik ben niet zwanger, Graham,' zei ik rustig. 'Tenminste, ik kan het nog niet zeker weten, want ...'
'Ik weet het, lieverd,' viel hij me met een klein knikje in de rede en met een mengeling van ongeloof en afschuw begreep ik dat hij de datum van mijn laatste menstruatie net zo duidelijk in zijn hoofd had als ik.
'Blijf vandaag maar thuis,' voegde hij er aan toe. 'Als je wat hebt afgesproken moet je dat maar afzeggen.'
'Ik heb afgesproken vanavond bij Hayley langs te gaan.'
Hij trok zijn wenkbrauwen zo hoog op als maar mogelijk was en

hield even op met kauwen. ‘O? Daar heb je me eerder niets van verteld.’

Ik was blij dat de broodrooster klaar was met mijn eigen toast want het gaf me een gegronde reden hem de rug toe te keren.

‘Sorry, dan heb ik zeker vergeten het tegen je te zeggen, Graham.’

‘Hm. Nu ja, als je je vandaag nog niet helemaal lekker voelt, moet je Hayley maar afzeggen.’

‘Ik kijk nog wel.’ Ik besmeerde mijn sneetje toast royaal met boter en zette mijn tanden er al in voordat ik tegenover hem ging zitten.

Graham was iemand tegen wie je niet gemakkelijk inging en ik had al lang geleerd dat er onderwerpen waren die het niet waard waren om een onenigheid voor te riskeren. Hayley was daar een van. Volgens mij was er geen enkele reden voor zijn afkeer van Hayley. Hij kon gewoon haar type niet uitstaan. Ze was niet op haar mondje gevallen, eerlijk en recht door zee, en ze blaakte van zelfvertrouwen. Ze straalde eenvoudigweg uit dat ze zich uitstekend kon redden zonder man. Graham hield meer van zachte, meegaande vrouwen zoals ik, vrouwen die hij gemakkelijk de baas kon. Hayley maakte er soms een snerende opmerking over dat ik precies door hem in de gewenste vorm werd gekneed. Ik kon niet ontkennen dat ze een beetje gelijk had, maar ik had het nooit als een bezwaar gezien. Heimelijk vond ik het heerlijk dat ik een man had die me zo bemoederde en betuttelde. Dat zijn overheersing soms de perken te buiten ging, nam ik op de koop toe. Na Billy was Graham een verademing. Billy had me vaak als een voetveeg behandeld en ik vond het geweldig dat Graham me adoreerde en in de watten legde. Hayley begreep dat wel, maar

ze vond dat de weegschaal te ver naar de andere kant was doorgeslagen.
Ik ging niet tegen Graham in. Evenmin vertelde ik hem dat ik die avond hoe dan ook naar Hayley zou gaan. Ik was te nieuwsgierig naar wat haar midden in de nacht op de snelweg tussen Hayle en Newquay had doen belanden.

# ZES

Zoals hij dat al jaren gewend was at Graham keurig zijn twee sneetjes toast op en zette hij zijn bord met zijn lege theemok in de gootsteen. Hij trok zijn das recht, ging met zijn vingertop langs de binnenkant van de boord van zijn smetteloze overhemd en bukte zich om zijn lippen op mijn wang te drukken. Zijn hand gleed daarbij bij wijze van liefkozing langs mijn hals en ik werd warm bij het zien van zijn blik die me vertelde dat hij vond dat het weer eens tijd werd dat we vroeg naar bed gingen.
'Vraag je aan Sally of ze de badkamer vandaag een goede beurt geeft, Sian? Er zaten gisteren een paar haren in het putje van de douche en ik wil niet het risico lopen dat de boel verstopt raakt.'
'Ik zal erop letten, Graham,' zei ik gedwee.
Ik had zoveel andere dingen aan mijn hoofd gehad dat ik vergeten was dat onze werkster vandaag zou komen. Sally Davison kwam drie ochtenden in de week om mijn huishoudelijke taken te verlichten, zoals Graham het gewichtig uitdrukte. Inwendig verdacht ik hem er van dat hij het wel interessant vond om aan anderen te kunnen vertellen dat hij zich een hulp in de huishouding kon veroorloven. In het begin van ons huwelijk had ik geprobeerd hem duidelijk te maken dat ik het huishouden gemakkelijk alleen aan kon. Ons huis was van royale afmetingen maar het was ook weer niet zo groot dat ik extra hulp nodig had. Bovendien had ik geen hekel aan huishoudelijk werk. Ik was altijd netjes en ordelijk geweest en ik kon tevreden neerkijken op mijn werk wanneer de ramen helder glansden of de badkamer fris geurde naar schoonmaakmiddelen. Toen ik Graham ontmoette, werkte ik in een mo-

dezaak maar na ons huwelijk had hij erop gestaan dat ik mijn baan opzegde. Ik was nooit iemand geweest die een glanzende carrière ambieerde. Ik had ook geen enkel bezwaar tegen de speciale rol die Graham voor me in gedachten had. Mijn taak was simpel: ik hoefde alleen maar in alle opzichten zijn vrouw te zijn. Sally's werk bij ons was echter onbespreekbaar. Ze was al in dienst van Graham toen ik hem leerde kennen. Hij vond haar een lot uit de loterij, ik beschouwde haar meer als een onberekenbare gok. Volgens Graham was ze volkomen toegewijd geweest aan Clarissa, zijn eerste vrouw, en hij geloofde stellig dat ze uit troost bij hem was gebleven. Die onvoorwaardelijke trouw moest beloond worden, vond hij.

Ik wilde het aan niemand toegeven, maar soms wist ik niet goed raad met Sally. Meestal ging ze haar eigen gang en ze gaf alleen toe aan een verzoek van mij wanneer het in haar programma paste. Ze laste koffiepauzes in wanneer het haar uitkwam en verwachtte van mij dat ik bij haar kwam zitten. Haar stemmingen waren vaak onderhevig aan stevige wisselingen. Ze kon een hele ochtend als een schim door het huis sluipen zonder ook maar een woord tegen me te zeggen. Dan dronken we onze koffie in een bijna vijandige sfeer.

Andere keren voerde ze nauwelijks iets uit en bracht ze haar tijd door met praten. Ze woonde in een klein gehucht in het hart van Cornwall waar ze was geboren en getogen. Ze was vastbesloten er haar hele leven te blijven. Het gehucht lag te midden van puntige heuvels die in de loop der jaren waren gevormd door het afval van de mijnen waar porseleinaarde werd gewonnen. Op een dag was haar man zonder een woord te zeggen vertrokken en ze had

nooit meer iets van hem gehoord. Hun geestelijk onvolwaardige zoon had ze in haar eentje opgevoed. Hij was van school gekomen zonder te kunnen lezen en schrijven en ze had hem persoonlijk les gegeven. Tot haar opluchting had ze een baantje voor hem kunnen bemachtigen in de mijnen, waar hij de hele dag op een grote bulldozer zat. Het was zijn lust en zijn leven. 's Avonds zat hij met zijn moeder met zijn bord op schoot bij de tv. Hij was verslaafd aan soapseries en aan films met wilde achtervolgingen. Hij ging nooit uit. Tussen de regels door had ik begrepen dat hij een keer verwikkeld was geweest in een vechtpartij om een meisje.
Naar aanleiding van haar verhalen was ik nieuwsgierig geworden naar waar ze precies woonde. Een keer liet haar auto het afweten en ik bood gretig aan haar thuis te brengen, maar ze liet me stoppen bij een stoffige zijweg en ze overtuigde me ervan dat ze het geen bezwaar vond de onverharde weg af te lopen naar een groepje oude huizen aan de rand van de kleigroeven. Later vertelde Graham me dat Sally in een besloten gemeenschap woonde met voornamelijk afstammelingen van voormalige 'trekkers': vreemdelingen waren er niet welkom.
Het was me nog nooit gelukt Sally zover te krijgen dat ze werkte zoals er van haar werd verwacht en dat we een vaste koffiepauze inlasten voor haar verhalen. Bij Sally werkte het niet zo, het was het een of het ander. Graham vond dat ik haar harder moest aanpakken, maar ik durfde niet toe te geven dat ik me niet tegen haar opgewassen voelde.
Onbehaaglijk keek ik Graham door het zijraam van de keuken na. Zoals gewoonlijk opende hij eerst het achterportier om zijn attachékoffertje op de achterbank te leggen. Met een ongeduldig

gebaar plukte hij een lang, van een palmboom uit de tuin gewaaid blad van zijn zijspiegel. Zelfs van een afstand kon ik zien dat er een ader klopte in zijn slaap. Zijn gezicht was rood aangelopen. Mijn handen werden klam. Had ik een spoor achtergelaten? Had hij op de een of andere manier gemerkt dat ik met zijn auto was weggeweest? Stond de auto wel in de juiste versnelling? Was de handrem wel goed aangetrokken? Was er geen vuil van mijn schoenen achtergebleven op de mat die elke week zo trouw door de tweeling werd gezogen?
Hij stapte in en een ogenblik zat hij onbeweeglijk achter het stuur. Zijn bleke handen lagen al op het stuur en zijn knokkels staken wit af tegen de donkere achtergrond van zijn colbertje. Ik produceerde een lachje en wierp hem een kushand toe. Tot mijn opluchting zag ik hem teruglachen en naar me wuiven. Toen startte hij de motor en hij reed langzaam achteruit het garagepad af. Ik herademde en bedacht dat het belachelijk was dat ik me zoveel zorgen had gemaakt om zijn reactie.

# ZEVEN

Ik haalde mijn lange broek en trui uit het keukenkastje voordat Sally ze er kon aantreffen en deponeerde ze in de wasmand. Daarna nam ik een douche. Denkend aan Graham overtuigde ik me er gedwee van dat er geen haren in het afvoerputje achterbleven. Met een druipend hoofd liep ik rillend terug naar onze slaapkamer.

Na de warme dagen van de afgelopen week was het weer plotseling omgeslagen. De lucht was donkergrijs betrokken en het zag er naar uit dat het spoedig zou gaan regenen.

Ik hoorde dat Sally bezig was in het vertrek dat Graham vol trots onze bibliotheek noemde, maar dat in feite niet meer was dan een extra zitkamer met een comfortabele zithoek bij een open haard, een ouderwets bureau en een wand met boekenplanken.

Ik ging naar de keuken en zette de waterkoker aan. Werktuiglijk schepte ik koffie in twee mokken. In de hal zweeg de motor van de stofzuiger bijna onmiddellijk en Sally stak haar hoofd om de hoek van de deur. 'Graham heeft gebeld toen je onder de douche was.' Door haar norse toon leek het bijna alsof ze me ervan beschuldigde dat ik niet op tijd was geweest om zelf het gesprek aan te nemen.

Ik probeerde mijn nervositeit te onderdrukken.'O ja? Wat wilde hij?'

'Ik zei dat je aan het douchen was. Het was niet nodig dat je hem meteen terugbelde, zei hij, want hij ging in bespreking. Maar hij zei wel dat hij je later vanochtend nog zal bellen.'

Sally was geboren en getogen in Cornwall maar met haar donkere ogen en een huid met een olijfkleurige glans kon ze gemakkelijk doorgaan voor een Italiaanse; het temperament had ze zeker. Ze was klein, haar heupen waren smal, haar borsten te zwaar, zodat je de indruk kreeg dat ze topzwaar was en elk moment voorover kon vallen. Haar ogen deden me maar al te vaak denken aan die van een ekster: ze zagen alles en hadden een voorliefde voor alles wat glom.

Ik knikte rustig. 'Dank je, Sally. Ik heb over een paar minuutjes koffie.'

Ze leek het onmiddellijk op te vatten als een uitnodiging om alvast te gaan zitten. Met een hand in haar rug liet ze zich langzaam op een stoel zakken. Ze keek me somber aan, haar ogen overschaduwd door toegeknepen wenkbrauwen.

'Het is vandaag zeker tien graden kouder dan gisteren,' overdreef ze met een gespeelde rilling. 'Brendan kwam vanmorgen al vroeg terug om zijn trui te halen.'

'Helaas hebben we geen invloed op het weer,' zei ik neutraal, inwendig zoekend naar een ander onderwerp. Soms kon ze maar blijven doorzeuren over het weer. Om de een of andere reden wilde me niets zinnigs te binnen schieten. Ik was dan ook half opgelucht toen de telefoon weer rinkelde en ik haar norse bui kon ontvluchten. Tegelijkertijd vreesde ik echter ook wat Graham te melden had. Of te vragen.

'Sian? Is alles goed gegaan?' Het was Hayley.

Door de open deur gluurde ik naar Sally, die meestal onbeschaamd naar mijn telefoongesprekken luisterde. Het enige waarmee ik haar wat dat betreft kon prijzen was dat ze ten minste de moed had voor haar onverbloemde nieuwsgierigheid uit te ko-

men. 'Ja, geen probleem.'
'Ik dacht ...' Hayley giechelde even. 'Nou ja, Sian, ik was bang dat je pech had gekregen of zo. Ik bedoel, later, toen ik thuis was, bedacht ik dat ik misschien toch beter op je had kunnen wachten zodat we achter elkaar terug konden rijden naar Newquay.'
'Alles is goed gegaan, Hayley.'
'O.' Ze leek opeens te merken dat ik nogal kortaf deed. 'Ben je niet alleen of zo?'
'Nee.'
Ze schrok. 'Is die man van je er soms? Of die nieuwsgierige, bemoeizuchtige werkster van je?'
'Het laatste. Luister Hayley, ik spreek je vanavond. Oké?'
'Ja, natuurlijk. Ik vroeg me af ... zou je eerder kunnen komen, Sian? Zou je bij me kunnen komen eten? Ik krijg bezoek, zie je. Om negen uur komt er een vriend van me.'
'En dan wil je me voor die tijd zeker weg hebben?' vulde ik met milde spot aan. 'Nou, eh ....'
'Dat is goed, hoor, Hayley, ik zal proberen eerder te komen.'
Ze bond onmiddellijk in. 'O Sian, het spijt me, dat was niet aardig van me. Jij staat altijd voor mij klaar en ik doe zo weinig voor jou! Ik was er niet eens om je ervoor te behoeden met Graham te trouwen!' Het laatste had ze al zo vaak tegen me gezegd dat het een soort grapje kon zijn geworden als ik niet had geweten dat ze het meende.
'Het geeft niet, Hayley, ik begrijp het wel.'
'Ja? Ben je wel in orde? Je stem klinkt zo ... terneergeslagen. Er is toch niets gebeurd?' Ze wachtte mijn reactie niet af. 'Luister Sian, ik zal die vriend wel vragen om later te komen. Het maakt

eigenlijk niet uit, want hij … ik hoop dat hij bij me blijft slapen.'
Het begon me opeens te dagen. 'Heeft die vriend soms iets te maken met gisteravond?'
'Dat kun je wel zeggen, Sian!' Ik hoorde de opgetogenheid in haar stem, maar wat dat betreft was er niets nieuws onder de zon. Hayley was een aantrekkelijke jonge vrouw die met haar opvallende rode haar overal de aandacht trok. Bovendien was ze nogal licht ontvlambaar. Tijdens haar huwelijk met Ian was ze enigszins in rustiger vaarwater gekomen, maar na zijn dood had ze alle voorzichtigheid uit het oog verloren. Haar verliefdheden waren meestal van korte duur, maar een enkele keer raakte ze echt helemaal aan iemand verslingerd. Het was echter nooit meer zover gekomen dat ze voor de tweede keer in het huwelijk trad.
'Sian, ik wil je niet in moeilijkheden brengen. Met Graham bedoel ik. Kijk maar wanneer je kunt komen, maar als je komt eten moet je het me wel even laten weten, oké?'
'Natuurlijk doe ik dat, Hayley.'
Met een glimlach legde ik de telefoon neer, maar hij rinkelde meteen. Intuïtief wist ik dat het deze keer Graham was.
'Sian?'
'Ja.'
'Was je daarnet in gesprek?'
'Ja.' Ik probeerde de bazige klank in zijn stem te negeren. 'Het was Hayley,' zei ik uitdagend. 'Ik ga vanavond bij haar eten.'
Tegen zijn gewoonte in begon hij niet meteen zijn mening over mijn vriendin te verkondigen. Ook liet hij het achterwege haar ervan te beschuldigen dat ze probeerde mij van hem te vervreemden. Volgens hem maakte Hayley er geen geheim van dat ze het

nooit eens was geweest met ons huwelijk en dat ze niet zou rusten voordat we gingen scheiden. Hij had maar ten dele gelijk.

'O.' Zijn stem klonk zo afwezig dat ik me afvroeg of hij wel had gehoord wat ik zei. 'Luister, Sian, er zit me iets dwars. Eh ... heb jij vannacht iets gehoord?'

Onmiddellijk was ik op mijn hoede. 'Iets gehoord? Wat bedoel je?'

'Precies wat ik zeg! Heb je vannacht iets verdachts gehoord? Bijvoorbeeld toen je in de badkamer was?'

'Nee.' Ik hoopte dat mijn stem zo kalm klonk als ik wilde. 'Wat zou ik gehoord moeten hebben?'

Hij was even stil. 'Ik denk dat er iemand aan mijn auto heeft gezeten.'

'W-wat zeg je?'

'Ik denk ... wacht even, Sian!' Op de achtergrond hoorde ik stemmen en ik begreep dat iemand zijn kantoor binnen was gekomen. Het gaf me even de gelegenheid op adem te komen. Wat had hij ontdekt?

'Sorry Sian, we hadden even een kleine pauze in onze vergadering, maar George komt net zeggen dat we weer verder gaan. Vervelende zaak. Iemand van mijn afdeling. Maar enfin, dat vertel ik je nog wel.'

'Wat zei je over je auto, Graham?'

'Wat? O, laat maar, ik merk al aan je reactie dat jij ook niets hebt gehoord. Misschien is het alleen maar verbeelding van me. Afijn. Ik heb vanmiddag om kwart over vijf nog een afspraak, dus wat mij betreft kun je wel bij die vriendin van je gaan eten. Ik zorg zelf wel dat ik wat naar binnen krijg. Ik hoop alleen dat je Ella

niet vergeet?'
'Natuurlijk niet!' Het voelde als een belediging wanneer Graham suggereerde dat ik niet aan haar dacht. Ella verliet nog maar zelden haar gedeelte aan de andere kant van ons huis. Op zondag kwam ze bij ons lunchen, de rest van de week bracht ik haar iets van het eten dat ik voor ons zelf klaarmaakte. Ella en ik waren vrienden noch vijanden; ik denk dat de beste omschrijving van onze relatie was dat we elkaar hadden geaccepteerd vanwege Graham. Het enige dat we gemeen hadden was dat we van hem hielden.
Graham mompelde een haastige groet en verbrak de verbinding. Over mijn schouder keek ik naar Sally, die aarzelend met de stekker van de waterkoker in haar hand stond.
'Is er iets met de auto van Graham?'
'Dat geloof ik niet,' antwoordde ik ontwijkend. Ik wenste kinderlijk dat ik het hele onderwerp van de aardbodem kon doen verdwijnen. De auto incluis.
'Het zou heel goed kunnen, want ik denk dat er iemand in de tuin is geweest,' voegde ze er met een nadenkende blik aan toe.
Ik forceerde een argeloze glimlach. 'Waarom denk je dat, Sally?'
'Achter, bij de heg bij het terras, waar die boom staat die bij de laatste storm bijna is omgewaaid.'
'Ja? Wat is daarmee, Sally?'
Haar kleine donkere oogjes schitterden speculatief. 'Toen ik vanmorgen de mat uitklopte, zag ik het. Voetstappen. In de tuin naast de barbecue. Toen ik beter ging kijken, zag ik dat er takken zijn afgebroken van die boom met de paarse bloemen. Ik denk dat iemand daar tussendoor is gekropen.'

Ik slikte. Had ik te dicht langs de seringenboom gelopen en waren er toen takken afgebroken? Of was er iemand anders in de tuin geweest, iemand die de kat van de buren bijna de schrik van zijn leven had bezorgd?
'Sally, ik ...'
Ze knikte alsof ze verwachtte dat ik haar argumenten zou tegenspreken. Haar ogen waren scherp, haar blik vol argwaan. 'Iemand is in jullie tuin geweest, Sian. Er is toch niet ingebroken? Nee, natuurlijk niet, anders zou je het me wel verteld hebben, hè? Of heeft iemand geprobeerd de auto van Graham open te maken?'
'Dat zei hij niet.' Van pure nervositeit kon ik me niet meer herinneren wat hij precies had gezegd.
Ze rolde met haar ogen, wat niet bepaald bijdroeg tot mijn gemoedsrust. 'Nou Sian, als ik jou was zou ik maar extra voorzichtig zijn, want je weet nooit wat er nog kan gebeuren. Misschien kwam er alleen maar iemand kijken of jullie iets van waarde in huis hebben. En als ze iets van hun gading hebben gezien, komen ze vroeg of laat terug om het te halen.'
Ik kon haar alleen maar aanstaren en vaststellen dat degene die met welk doel dan ook in onze tuin had rondgeslopen, ook had gezien dat ik het huis had verlaten en met de auto van Graham weg was geweest. Ongewild had ik de nachtelijke bezoeker daarmee tot mijn bondgenoot gemaakt. En andersom.

# ACHT

Het leek alsof ik paranoïde was geworden. Ik durfde Sally amper recht aan te kijken. Hoewel Graham had laten weten dat hij in vergadering was, was ik toch bang dat hij me weer zou bellen. En dan was er nog de persoon die in de tuin had rondgeslopen. Wie was het? Had hij me gezien?

Het was een verademing het huis even te kunnen ontvluchten. Zelfs met een bezoekje aan de supermarkt. Het schoonmaakmiddel dat Sally zo graag gebruikte was op. Ik verborg mijn opluchting en gretigheid en ik bood meteen aan een nieuwe fles voor haar te gaan halen.

'Alleen dat merk,' drong ze bazig aan. 'En niet die met rozengeur. Of lelietjes van dalen. Andere geuren maken me niet uit, maar niet die!'

De supermarkt stond als een eiland in het midden van een parkeerplaats in het centrum van Newquay. Dat hij zo dichtbij was, was zo ongeveer het enige voordeel. Graham vond dat hij te duur was. Hij verdiende een royaal salaris, had er geen probleem mee om in een peperdure auto te rijden, maar hij maakte zich druk om de prijzen van brood en melk. Een ander nadeel was dat ik er altijd iemand tegenkwam die ik liever niet wilde spreken. Zoals Veronica Fielding. Haar huis had aan de ene kant een riant uitzicht over de haven en de baai. Ze leek haar tijd echter door te brengen achter het raam aan de achterkant van haar huis dat uitkeek op de ingang van de supermarkt. Ik had nog nooit kunnen ontdekken of ze altijd op de uitkijk was naar een bekende of voor elke boodschap apart de supermarkt inging. Het kwam erop neer

dat ze in de supermarkt meer tijd doorbracht dan de gemiddelde parttime caissière. Om kort te gaan: ik was er nog maar zelden in geslaagd aan haar kleverige tentakels te ontsnappen.
'Sian! Lieverd!'
Ze was nog ver genoeg weg om te kunnen voorwenden dat ik haar niet had gehoord.
'Sian!'
Ik zuchtte. Ik kon niet anders dan stil blijven staan en me omdraaien. Ze kwam op een holletje naar me toe alsof ze bang was dat ik er plotseling vandoor zou gaan. Gelaten wachtte ik op haar nadering. Ze droeg een te strakke en te korte jurk met een druk bloemetjespatroon, haar voeten met gezwollen enkels staken in babyroze pantoffels. Haar bovenarmen, omvangrijke boezem en de vetrollen eronder schudden bij elke stap.
'Wat goed dat ik je toevallig zag aankomen, Sian!' Ze was rood aangelopen. Op haar bovenlip en langs de rand van haar grijzende haar parelden druppeltjes zweet. Haar vingers klauwden in mijn arm alsof ze van plan was me nooit meer los te laten.
Ik forceerde een onschuldig glimlachje. 'Hallo Veronica.'
Haar ogen waren strak en beschuldigend, argwanend. 'Ik riep je al van verre. Had je me eerst niet gehoord?'
Ik had genoeg fatsoen om schuldbewust mijn ogen neer te slaan voor de pientere blik in haar felle blauwe ogen. Er leek haar weinig te ontgaan.
'Ik was er zeker niet helemaal bij met mijn gedachten, Veronica.'
Haar greep ontspande enigszins. 'Ik dacht even dat je me wilde ontlopen, Sian.'
Ongetwijfeld zou Hayley hierop een eerlijk en gevat antwoord

gegeven hebben, maar ik stond met mijn mond vol tanden. Even kwam de gedachte in me op om het eerlijk toe te geven, maar ik kon me nog net op tijd inhouden: Graham zou razend zijn als hij ervan hoorde. Wat ongetwijfeld zou gebeuren.

Lester Fielding, de slaaf en echtgenoot van Veronica, werkte bij hetzelfde bedrijf als Graham. Ik wist dat hij achter zijn rug om werd uitgelachen omdat hij boekhoudingen van hun klanten zo minutieus uitpluisde dat een verschilletje van een cent hem niet ontging. Ik had hem leren kennen tijdens een personeelsfeestje. Hij was zelfs nog stiller en bedeesder dan ik en ik had medelijden met hem gekregen omdat ik precies wist hoe hij zich voelde. Vooral toen ik kennismaakte met zijn vrouw.

'Hoe gaat het, Sian?' Haar blik liet mijn gezicht los en dwaalde naar beneden, van mijn bedrieglijk eenvoudige rok en bloes tot mijn dure leren schoenen.

'Kunnen we al gauw goed nieuws verwachten, Sian?'

Opdringerigheid was een van haar twijfelachtige talenten, niet weten welk onderwerp het beste niet aangesneden kon worden, was een ander. Hoewel mijn zwangerschap van een paar maanden geleden te kort was geweest om wereldkundig te maken, had het nieuws zich bij Graham op kantoor verspreid. De miskraam had ik wel verwerkt, maar ik kon Veronica bijna de ogen uitkrabben om haar onnadenkendheid.

'Neem me niet kwalijk, Veronica, maar ik heb haast.'

'Iedereen heeft tegenwoordig haast,' verweet ze met een bedrieglijk onschuldige glimlach waaruit ik opmaakte dat ik geen hoop hoefde te koesteren dat ik haar snel kon ontsnappen. 'Het lijkt wel of niemand meer ergens tijd voor heeft.'

Ik probeerde het met een samenzweerderig lachje. 'Ik moet even snel een schoonmaakmiddel halen. Anders kan mijn werkster niet verder met mijn badkamer.'
Ze was doof of verkoos het te zijn. 'Ik ben zo blij dat ik je zie, Sian. Weet jij wat er aan de hand is met die arme Jeremy? Je weet wel ...'
'Ik ken geen Jeremy, Veronica.' Voorzichtig schuifelde ik naar de ingang van de supermarkt. Kennelijk kwamen we net binnen het bereik van het oog van de automatische deuren, want ze schoven geluidloos open. Ik keek hoopvol naar binnen.
De deuren leidden haar even af en ze keek misprijzend opzij. 'Natuurlijk ken je Jeremy!' zei ze verontwaardigd haar stem verheffend. 'Je wilt toch niet zeggen dat je niet meer weet wie hij is, Sian? Die knaap met dat malle ronde brilletje. Harry Potter noemden ze hem. Dat weet je toch wel?'
'Harry Potter?'
De deuren waren een eigen leven begonnen. Ze schoven uitnodigend open, maar gingen beledigd weer dicht omdat we er geen gehoor aan gaven. Ik huiverde in een koude windvlaag. De lucht was plotseling vol met fijne druppeltjes motregen. Veronica leek het niet op te merken.
'Jeremy. Heette hij niet Parker? Ik weet het niet zeker. Hij danste met jou, Sian, op het laatste kerstfeest.'
Ze doelde op het jaarlijkse personeelsfeestje van Oldham & Firth, het accountantskantoor van George Oldham en Robert Firth. Hun grootvader was de grondlegger geweest. Twee neven met een gedeeld inzicht in zaken en cijfers, hun talenten verankerd in hun genen. Een zuster van de grondlegger, de grootmoeder van

Graham, was uit de gratie van de familie geraakt toen ze wegliep met een man beneden haar stand. Als blijk van goede wil had haar zoon een kans gekregen bij het bedrijf, maar dat was op een mislukking uitgelopen. Een generatie later was met Graham een nieuwe poging gewaagd. Hij bleek wel over de juiste genen te beschikken om zijn bijdrage tot een succes te maken.

Ik keek Veronica aan. 'Jeremy Parker,' zei ik instemmend omdat het me de snelste manier leek van haar af te komen.

Haar ogen schitterden wellustig in een blozend rond gezicht. 'Je hebt het toch wel gehoord?' Ze liet haar stem dalen en keek om zich heen alsof ze verwachtte dat alle personeelsleden van Oldham & Firth om ons heen waren komen staan en gretig meeluisterden.

Ik haalde mijn schouders op. Wanneer ik toegaf dat ik van niets wist, zou ze het me in geuren en kleuren gaan vertellen. In het andere geval zou ze mijn mening willen weten en die had ik niet. Ik wilde niet laten doorschemeren dat Graham thuis maar heel zelden over zijn werk sprak. Hij snoefde wel vaak over zijn successen, maar bijzonderheden over zijn collega's leken hem volkomen koud te laten. Behalve over George en Robert. Hoewel ze technisch gesproken slechts verre familieleden waren, beschouwde hij zichzelf graag als een van hen.

'Jeremy is op staande voet ontslagen!'

'Ontslagen?' Ik kon me niet voorstellen dat Jeremy Parker op welke manier dan ook aanleiding kon hebben gegeven om op staande voet te worden ontslagen. Ik herinnerde me hem vooral als vriendelijk en bescheiden, jong en veelbelovend, Graham noemde hem enigszins neerbuigend 'de maagd van het bedrijf'.

Consciëntieus, voor een accountant doorgaans een goede eigenschap, maar een verschrikkelijke zeurpiet.
Ik had met hem gedanst omdat ik medelijden had gehad met zijn schichtige blikken naar de vrije meisjes, de transpiratieplekken onder zijn armen en zijn klamme handen. Ik dacht niet dat hij het aan zou durven iets te doen dat kon leiden tot een direct ontslag.
'Ik zuig het toch niet uit mijn duim?'
'Nee, sorry, zo bedoelde ik het niet, Veronica.' Over haar schouder zag ik een van de caissières geërgerd naar ons kijken. Ze zat dicht genoeg bij de deuren om last te hebben van de tochtvlagen die met de regelmaat van de opengaande deuren naar binnen kwamen.
Veronica klauwde opnieuw in mijn arm. 'Je hebt zeker wel tijd voor een kopje koffie, Sian?'
'Eigenlijk niet, Veronica. Mijn werkster wacht op het schoonmaakmiddel en als ik niet opschiet doet ze de rest van de ochtend niets meer.'
Ze keek alsof ik de glimlach van haar gezicht had geslagen. 'Je hebt ook nooit tijd,' zei ze gekwetst en plotseling voelde ik me schuldig.
'We kunnen in het restaurant van de supermarkt een kopje koffie gaan drinken,' gaf ik toe. 'Ze zeggen dat de muffins er erg lekker zijn.'
Ze glunderde alsof ik haar een goed gevulde snoeptrommel voor de neus hield. 'Gezellig,' zei ze, me een blik toewerpend alsof ze er niet zeker van was of ze me wel goed had verstaan.
'Die arme Jeremy!' Zodra we aan een tafeltje zaten – op haar verzoek bij het raam omdat ze dan kon zien of er bekenden aan-

kwamen – begon ze weer over Jeremy. Aan haar gezicht was te zien dat niets haar ervan kon weerhouden mij haar opzienbarende nieuws over hem te vertellen. En om er van mij, via Graham, meer over te weten te komen.

Vluchtig dacht ik aan Sally, die geen enkel probleem zou hebben met het feit dat ze niet schoon had kunnen maken omdat ik verzuimd had de middelen te verschaffen. Ze zou iets anders aanpakken of ergens neerploffen met een tijdschrift.

'Graham heeft me niets over Jeremy verteld,' bekende ik waarschuwend.

Veronica knikte teleurgesteld, half bereid me te geloven. 'Ik kwam toevallig de moeder van Jeremy tegen.' Ze boog zich voorover en haar boezem kwam beangstigend dicht bij haar kopje koffie. 'Het arme mens stond bijna te huilen!'

Ik liep met open ogen in haar val. 'Wat is er gebeurd?'

Nu ze me eenmaal te pakken had, nam ze er rustig de tijd voor. 'Ik begrijp niet dat Graham je niets heeft verteld, Sian. Het is gisteren al gebeurd!' Haar ogen schitterden nieuwsgierig en speculerend. 'Of heb je Graham gisteravond helemaal niet gesproken?'

'Jawel.' Ik pakte een chocolade muffin van het schoteltje en begon het papier eraf te peuteren. 'Waarom zou ik hem niet gesproken hebben?'

'Nou ja. Hij blijft toch wel vaker een nachtje van huis weg?'

Ik voelde het bloed naar mijn wangen stijgen. Niet zozeer om wat ze suggereerde, maar vooral om de wreedheid ervan.

'Wat heeft dat ermee te maken, Veronica?'

Ze had het fatsoen om te schrikken en te begrijpen dat ze te ver was gegaan. 'Niets. Het heeft er niets mee te maken, Sian. Ik be-

doelde niet dat Graham … dat jullie …'
'Graham bezoekt elke week een goede vriend die zorgt voor een zwaar depressieve dochter,' zei ik met strakke lippen. 'Elke vrijdag, om precies te zijn. Hij doet dat zodat zijn vriend ook eens een avondje uit kan. Daarom blijft hij er slapen.'
Ik wist dat ik haar geen enkele verklaring schuldig was, maar ik wilde haar voor eens en altijd duidelijk maken dat als ik er geen probleem van maakte dat Graham elke week een nacht ergens anders sliep, zij dat zeker niet hoefde doen.
'O! Nou Sian, zo bedoelde ik het niet hoor! Ik dacht alleen dat het vreemd is dat hij het je niet heeft verteld. Over Jeremy, bedoel ik.' Een ogenblik keek ze onzeker. 'Lester wil soms ook liever niet over zijn werk praten,' zei ze na een korte aarzeling alsof ze niet goed wist hoe ze haar strategie weer in goede banen kon krijgen.
Ik nam een hap van de muffin en zei rustig: 'Waarom vertel je me niet wat er met Jeremy is gebeurd, Veronica?'
Ze leek opeens te begrijpen dat ze beter over haar woorden kon nadenken voordat ze die uitsprak. 'Natuurlijk weet ik er het fijne niet van,' zei ze enigszins terughoudend. 'Ik begrijp ook wel dat zijn moeder volhoudt dat het helemaal niet zijn schuld is. Ik zou het ook zeggen als het om mijn Simon ging. Maar, nou ja, ze zegt dat haar zoon is ontslagen om iets waaraan hij part noch deel had.'
'Wat is dat dan?'
'Dat heeft ze me niet verteld.' Ze leunde achterover en maakte er geen geheim van dat ik haar op alle denkbare fronten had teleurgesteld. Het was duidelijk dat ze nauwelijks iets wist over de omstandigheden die hadden geleid tot het ontslag van Jeremy en

dat ze erop uit was geweest via mij meer details aan de weet te komen. Ik glimlachte naar haar met een mengeling van voldoening en medelijden en zei vriendelijk: 'Zullen we nog een kopje koffie nemen?'

# NEGEN

Sally stond op het punt om naar huis te gaan. Ze had op me gewacht. Met een mengeling van berusting en verwijt keek ze naar de nutteloze fles allesreiniger in mijn hand.

'Ik heb een briefje voor je achtergelaten. Ik wist niet hoe laat je thuis zou komen.' Ze knoopte haar jas tot onder haar kin dicht.

'Ik werd opgehouden,' zei ik overbodig.

Ze keek alsof ze zich er al bij had neergelegd dat er aan mij niets meer te verbeteren was. Hoofdschuddend en binnensmonds mopperend liep ze voor me uit naar de keuken. Er zat een briefje onder een magneetje op de deur van de koelkast. Ze trok het er zo ruw vanaf dat het magneetje op de grond viel. Automatisch bukte ik om het op te pakken.

'Er is een paar keer voor je gebeld,' zei ze over haar schouder.

'Graham?'

'Het was een vrouw,' zei ze met een flikkering in haar ogen die aangaf dat ze de opluchting op mijn gezicht kon zien.

'Was het Hayley?'

Ze haalde haar schouders op. 'Ze wilde haar naam niet zeggen. In feite zei ze bijna niets, maar ik wist gewoon dat het een vrouw was.'

Ik bekeek het briefje waarop ze met haar zonderlinge hanenpoten een korte boodschap had geschreven: 'Drie keer gebeld door vrouw zonder manieren.'

'Wat betekent dit, Sally? Zonder manieren?'

Ze snoof verachtelijk. 'Omdat ze niet eens het fatsoen had te zeggen wie ze was. Ze fluisterde, of ze was hees, dat kan ik niet zeggen. Maar ze zei alleen maar 'Sian?' en toen ik antwoordde dat je er niet was, verbrak ze de verbinding. Een half uur later belde ze weer. En daarna nog een keer. Ik weet zeker dat het dezelfde vrouw was.'

'En je weet niet wat ze van me wilde?'

'Ze vroeg naar jou, dat was alles wat ze kwijt wilde.' Ze keek op haar horloge en haalde weer haar schouders op. 'Ze belde ongeveer twintig minuten geleden nog, dus ze zal het over een kwartiertje wel weer proberen.' Ze duwde haar handtas stevig onder haar bovenarm en keek me bijna strijdlustig aan. 'Ik ga nu, want anders kom ik te laat thuis voor Brendan. Ik heb de badkamer een lekkere beurt gegeven. Het afvoerputje liep niet goed door en ik heb er soda in gegooid. De was heb ik in de droger gedaan en de handdoeken zitten in de wasmachine. Denk je eraan dat het waspoeder bijna op is?'

'Ja. Dank je, Sally.'

'Graham heeft ook nog gebeld. Hij is nu uit vergadering, maar hij heeft vanmiddag om twee uur een afspraak. Daarna is hij de hele middag niet meer bereikbaar. Ik kon hem niet vertellen waar je was, dus ik wist ook niet hoe laat je terug zou zijn. Bel je hem even voordat hij weer in vergadering gaat?'

Ik knikte, onderdrukte mijn verwondering. Het gebeurde zelden dat Graham zo vaak in vergadering was. Er moest iets aan de hand zijn. Ik vroeg me af of het iets te maken had met het plotselinge ontslag van Jeremy Parker. Hij werkte direct onder Graham. Eerder had die me verteld dat er iets vervelends aan de hand was met iemand van zijn afdeling.

'Tot vrijdag, Sian. Vergeet je het waspoeder niet? En er is ook

bijna geen melk meer.'
Ze klonk net als mijn moeder. Die placht me weg te sturen voor een boodschap op de hoek van de straat. Waarschijnlijk was ik toen ook al een hopeloos geval. Ik kon me herinneren dat ik soms thuiskwam met het verkeerde artikel of dat ik onderweg zo had lopen dagdromen dat ik in de winkel had vergeten waarvoor ik was gekomen.
Een beetje schuldig keek ik Sally na. Haar auto leek altijd bedekt te zijn met een fijn laagje stof. Haar zoon waste hem elke week voor haar, maar om de een of andere reden leek het onbegonnen werk.
Ik keek haar na toen ze wegreed. Ik was ervan overtuigd dat ze me had gezien maar ze keek niet opzij. Haar gezicht stond strak. Het had een heel andere uitdrukking gekregen dan ik van haar gewend was.

Graham klonk geïrriteerd en gehaast en ik had meteen spijt dat ik hem had gebeld. 'Sorry, Graham, heb je geen tijd?'
Een lange zucht. 'Voor jou heb ik altijd tijd, lieveling.'
Ik dacht aan Veronica en Jeremy. 'Sally zei dat je een paar keer gebeld had. Is er iets aan de hand?'
'Problemen op de zaak,' antwoordde hij kortaf.
'Met Jeremy Parker?'
'Ik heb … hoe weet jij dat?'
'Ik kwam Veronica Fielding tegen bij de supermarkt.'
'Die verschrikkelijke kletskous! Maar, ja, we hebben bijna de hele ochtend over hem vergaderd. Veronica heeft je ongetwijfeld kunnen vertellen dat we hem op staande voet hebben ontslagen.'

‘Ze wist niet waarom.’ Voor zover ik Jeremy kende, kon ik me niet voorstellen dat hij iets had gedaan om het bedrijf in diskrediet te brengen. Hij zou nog geen paperclip van kantoor kon meenemen.
‘Parker heeft geld van de zaak verduisterd. Gelukkig zijn we er op tijd achter gekomen.’ Zijn stem klonk trots en voldaan, zonder een greintje mededogen met de jongeman die hij nog maar kort geleden een enorme aanwinst voor de zaak had genoemd.
‘Wat? Jeremy?’ Ik was volkomen verbijsterd. ‘Weet je dat zeker, Graham? Hij is zo verschrikkelijk serieus! En hij leek me volkomen eerlijk!’
‘Zo zie je maar dat je je soms in iemand kunt vergissen,’ reageerde hij droog, alsof hij grootmoedig bereid was me mijn naïviteit te vergeven.
‘Heeft hij veel gestolen?’
Het was even stil. ‘We hebben nog niet helemaal in kaart kunnen brengen wat exact de schade is,’ zei hij hoogdravend. ‘Gelukkig hebben we niet de indruk dat hij zoveel heeft kunnen verduisteren dat het de zaak in moeilijkheden kan brengen.’
‘Maar je vond het ernstig genoeg om hem te ontslaan.’
‘Natuurlijk. Hij heeft willens en wetens geld verduisterd, Sian. Het was niet een kwestie van een eenmalige greep in de kas, maar hij heeft stelselmatig zijn eigen portemonnee gespekt ten laste van de zaak. Zo iemand kunnen we niet ongestraft laten gaan.’
‘Bedoel je dat de politie er ook bij betrokken is?’
‘Dat was onder andere een van de punten waarover we vandaag hebben vergaderd.’ Hij pauzeerde even alsof hij overwoog hoe-

veel hij me kon vertellen. ‘De knaap is nog jong en ik wilde zijn carrière niet helemaal ruïneren. Nou ja, dat heeft hij natuurlijk zelf gedaan, maar ik heb voorgesteld het bij onmiddellijk ontslag te houden. Geen politie dus. Ik hoop dat hij daarmee voldoende is gestraft om het nooit meer te proberen.’

‘Dat is heel genereus van je, Graham.’

‘Gelukkig kreeg ik de anderen daarin ook mee. Behalve George. Robert, Andrew en Jessie waren het met mij eens.’

Jessie Gordon was de zachtaardige personeelsmanager die al medelijden had met een dood vogeltje. Andrew was de oudste zoon van George Oldham, en de jongste vennoot van de firma. Kort na zijn aantreden had hij een enorme blunder gemaakt, maar tot opluchting van zijn vader had Graham hem grootmoedig de hand boven het hoofd gehouden door de schuld op zich te nemen. Waarschijnlijk had hij zich daarmee verzekerd van de loyaliteit van Andrew en Robert.

‘Hoe dan ook, ik ben nu heel hard bezig om uit te zoeken hoe Parker het zo slim voor elkaar heeft gekregen om met de regelmaat van de klok geld te kunnen verduisteren. En dan is het nu ook mijn taak om voor voldoende beveiliging te zorgen zodat zijn opvolger niet hetzelfde kan uithalen.’

‘Ze nemen het jou toch niet kwalijk dat je Jeremy niet voldoende hebt gecontroleerd, Graham? Heeft Robert wat tegen je gezegd?’

‘Nee. Gelukkig had ik toevallig al eerder een gesprek gehad met Parker. Een poos geleden was me al een discrepantie opgevallen en ik heb daar toen al met hem over gesproken. En deze keer was ik ook degene die erachter kwam wat hij had gedaan. Heel ingenieus, dat moet ik toegeven. Zelfs Robert zag wel in dat het zo goed in elkaar zat dat mij geen blaam treft. Integendeel, hij maakte me een compliment dat ik de praktijken van Parker zo goed in de smiezen heb gekregen.'

Ik verbeet een klein lachje. Graham schepte graag over zichzelf op, een eigenschap die ik zowel kinderlijk als verfoeilijk vond. Ik paste er echter wel voor op dat te laten merken.

'Gelukkig heb jij het op tijd ontdekt,' zei ik bewonderend, wetend dat hij dat van me verwachtte.

'Ja.' Hij klonk zeer met zichzelf ingenomen. 'Maar daar belde ik je niet voor, lieverd, dat begrijp je wel? Tussen twee haakjes, ik hoop dat je hierover je mond kunt houden. Bijvoorbeeld tegen die draak van Fielding als je weer naar de supermarkt gaat?'

Ik verstrakte. Op de een of andere manier liet hij het klinken alsof ik niets beters te doen had dan mijn tijd te verdoen met nutteloze boodschapjes.

'Gewoonlijk doe ik mijn best Veronica te ontlopen,' zei ik stijfjes. 'Maar jij moedigt me meestal aan vriendelijk te zijn tegen jullie personeel en hun aanhang, Graham.'

'Ja, ja, ja.' Ik hoorde papieren ritselen, alsof hij ondertussen iets zat te zoeken. 'Luister, Sian. Ik ben iets kwijt. Ik dacht dat ik het in mijn auto had laten liggen. Toen ik het daar niet in kon vinden, nam ik aan dat het nog op de zaak moest zijn. Maar hier is het ook niet. Zou jij eens in de kamer kunnen kijken? Misschien is het achter de bank gevallen? Of eronder?'

'Waar moet ik naar zoeken?' vroeg ik volkomen argeloos, totaal niet voorbereid op wat zou komen.

'Het gaat om een plastic zak met een bruine envelop. Zou je willen zoeken en me dan zo snel mogelijk terugbellen? Als ik al weg

ben van de zaak, moet je me maar mobiel bellen. En als ik niet opneem spreek je maar een boodschap in. Goed?'
Ik tastte naar de leuning van een stoel en liet me er langzaam op zakken. Het was maar goed dat hij mijn gezicht niet kon zien.
'Ik wil wel gaan kijken, maar ik geef je weinig kans, Graham. Sally is vanochtend geweest en als die met de stofzuiger bezig is, haalt ze alles van zijn plaats. Ze heeft er niets over gezegd dat ze een envelop heeft gevonden.' Op de een of andere manier slaagde ik erin mijn stem onder controle te houden.
'Hij moet in zo'n zwarte plastic zak zitten,' vervolgde hij na een korte aarzeling. Toen, bijna paniekerig: 'O, lieve help! Misschien heeft ze die zak in de vuilnisbak gegooid!'
Er zat opeens een lastige taaie prop in mijn keel. Schuldig herinnerde ik me de zwarte plastic zak in de kofferbak van mijn auto. Omdat ik zo snel geen plausibele verklaring kon bedenken voor het feit dat ik hem 's nachts uit zijn auto had gehaald, kon ik Graham er ook niet meteen over geruststellen.
'Als Sally dat heeft gedaan, hoef je niet bang te zijn,' zei ik zo kalm mogelijk. 'De vuilnisbakken zijn vanochtend vroeg al geleegd. Voor de komst van Sally.'
'Ik hoop het. Die envelop is ontzettend belangrijk voor me, Sian! Zou je meteen kunnen gaan zoeken?'
Het moest een vriendelijk verzoek zijn, maar het klonk me meer als een bevel in de oren. Mijn benen bibberden. 'Ja. Ja natuurlijk, Graham.'
'Bel me zodra je hem gevonden hebt!'
'Ja Graham.'
Hij had de verbinding al verbroken. Ik legde de telefoon neer.

Waarom vertelde ik hem niet gewoon dat de plastic zak al was gevonden? Ik had kunnen doen alsof Sally hem inderdaad achter de bank had gevonden. Elk vermoeden van een connectie met mijn clandestiene rit met zijn auto zou daarmee meteen ongegrond zijn. Ik slikte. Ik had een hekel aan mezelf omdat ik altijd zo zwak en meegaand deed tegen Graham.

# TIEN

Toen ik de achterklep van mijn auto wilde openmaken, stond Ella midden op de oprijlaan alsof ze van plan was een eindje te gaan wandelen. Zodra ze me gewaar werd, kwam ze naar me toe met een uitdrukking alsof ze me niet meer zou laten gaan.

Ella was de moeder van Clarissa, de eerste vrouw van Graham. Dat had me meteen bij onze kennismaking al onzeker gemaakt tegenover haar. Ik kon me goed voorstellen hoe pijnlijk het voor haar moest zijn om een andere vrouw de plaats van haar overleden dochter te zien innemen. Weliswaar had ik Clarissa nooit gekend en had ik Graham pas na haar dood ontmoet, maar Ella gaf me het gevoel dat ik op de een of andere manier schuldig was aan de dood van haar dochter. Graham werd altijd kwaad wanneer ik een opmerking in die richting maakte. Hij vond dat ik me aanstelde en spoken zag waar ze niet waren. Hij beweerde dat Ella wel begreep dat ik part noch deel had aan het gebeurde. Ze was juist blij voor hem dat hij weer gelukkig was. Ik kon me echter nooit aan de indruk onttrekken dat ze me met een broeiende, verwijtende blik bekeek.

De eerste de beste keer dat ik haar alleen ontmoette, had ze me haar levensverhaal verteld. Pas van school gekomen was ze vol enthousiasme en goede moed de wijde wereld ingetrokken om te gaan studeren. Drie maanden later keerde ze terug, zwanger van een docent, een gehuwde man met kinderen die ouder waren dan zij. Dapper had ze hem voor de keus gesteld, maar hij was wat haar betreft nooit serieus geweest. Ze kreeg Clarissa en hoewel ze nog geen twintig was, keek ze geen man meer aan. Achtendertig jaar later zag ze eruit alsof ze twee keer zo oud was. In rap tempo hadden slijtage en artritis zich meester gemaakt van haar gewrichten. Haar handen waren vervormd, haar rug en knieën bezorgden haar veel pijn en lichamelijk ongemak. Graham was van mening dat de schok van de dood van Clarissa haar toestand had verergerd en ik geloofde hem. Ella was nog geen zestig, maar verdriet en pijn hadden haar magere gezicht getekend. De eenzaamheid, het verdriet om haar dochter, haar onvermogen om voorgoed afscheid te nemen en de voortdurende pijn hadden ook hun invloed op haar humeur. De keren dat ik haar had zien lachen, waren op één hand te tellen. In het uitzonderlijke geval dat ze het deed, bleven haar diepliggende grijze ogen koud en triest. In het begin van onze kennismaking was ik nog zo optimistisch geweest dat ik had gedacht het gemis van haar dochter een klein beetje goed te kunnen maken. Zelf had ik geen moeder meer en in mijn naïviteit was ik maar al te zeer bereid geweest een goede verstandhouding met Ella op te bouwen. Ze had me echter nooit een echte kans gegeven. Na twee jaar was ik beleefd tegen haar, ik hielp haar zoveel ik kon, maar onze relatie bleef koel en afstandelijk. Ze duldde me, maar dat was ook alles. Uit het weinige dat ze over Clarissa losliet, maakte ik op dat die in alles het tegenovergestelde was geweest van mij. Daardoor besefte ik dat het geen zin had tegen windmolens te vechten – of ze in een andere richting te draaien.

'Ga je weer uit?' informeerde ze met een onvriendelijke blik naar de sleutels in mijn hand.

'Nee, ik moet even iets uit mijn auto pakken.' Ik aarzelde, naarstig zoekend naar een aanvaardbaar artikel dat ik in een auto kon

hebben achtergelaten. 'Een pakje zakdoekjes.'
Ze knikte even. Haar vervormde handen lagen op de knop van haar wandelstok. Ik vroeg me af of ze van plan was een wandelingetje te maken, want ze had met haar gezicht naar het eind van de oprit gestaan. Ze bleef echter staan, naar mij kijkend alsof ze woorden zocht om een weinig zeggende opmerking te maken.
Ik beet op mijn lip. Wrang bedacht ik dat het belachelijk was dat ik me om zoiets onbenulligs als een plastic zak in een onmogelijke positie had laten manoeuvreren. Het sop was de kool niet waard. Toch vond ik het ondenkbaar onder het toeziend oog van Ella mijn auto open te maken en de plastic zak tevoorschijn te halen.
'Ik heb misschien wel een pakje voor je,' bood ze aan.
Ze keek me argwanend aan, alsof ze heel goed wist dat ik maar wat had gezegd.
Ik schuifelde onzeker met mijn voeten heen en weer over het krakende grind. 'Dacht u dat ik naar de winkel zou gaan? Hebt u soms iets nodig?'
'Ik heb niets nodig,' reageerde ze vinnig. 'Graham heeft me vanochtend vroeg al mijn krant gebracht.' Ze liet het klinken alsof ze vond dat dat eigenlijk mijn taak was.
'Het is goed dat ik u zie,' zei ik. 'Graham blijft vanavond in de stad eten. En ik ga zelf naar een vriendin toe.'
Haar dunne witte vingers bewogen rusteloos om de knop van haar wandelstok. 'Ja?' reageerde ze, bijna onbeschoft.
'Ik zal er natuurlijk voor zorgen dat u iets te eten krijgt,' zei ik zo vriendelijk mogelijk. Sinds we hadden ontdekt dat ze niet meer de moeite nam voor zichzelf te koken, bracht ik haar elke avond

een warme maaltijd en ik lette erop dat ze voldoende in huis had om voor haar eigen ontbijt en lunch te zorgen.

Ik probeerde een glimlach. 'Waar hebt u vanavond trek in?'

'Zalm,' antwoordde ze zonder aarzelen. 'Zo'n kant-en-klare maaltijd van Tesco.'

Ik gaf geen reactie. Graham zou vinden dat ik me aanstelde en spijkers op laag water zocht, maar ik was ervan overtuigd dat ze het met opzet zei. Tesco, de bedoelde supermarkt, was niet bij ons in de buurt. Ik verdacht haar ervan dat ze me wilde uitdagen: haar verstand was nog scherp genoeg om zich te kunnen herinneren dat ik haar een poosje geleden had verteld dat het de laatste zalmschotel uit onze vriezer was.

'Ik zal kijken of we er nog een hebben,' zei ik kalm.

Ze knikte genadig. 'Dan maar iets anders. Als het maar van Tesco is. Die maaltijden vind ik het lekkerst.'

'Ik zal mijn best doen.'

Ik vertelde haar niet dat ik niet van plan was vijfentwintig kilometer om te rijden voor een zalmschotel. Of iets anders van Tesco. Het had geen zin in een oeverloze discussie verzeild te raken, zeker niet wanneer we allebei vastbesloten waren om vol te houden. Ons dispuut zou eindigen in het verlossende woord van Graham, die ze ten einde raad, haar tranen klaar op afroep, zou bellen. Hij koos altijd haar zijde.

'Je gaat vanavond zeker naar die vriendin met dat rode haar?'

Ik was net van plan in mijn auto te duiken voor het gefingeerde pakje zakdoekjes. Zodra de kust veilig was, zou ik terugkomen om de plastic zak te pakken. Ik richtte me verrast op. Ze had nooit veel belangstelling voor mijn doen en laten. Bovendien deelde ze

de ongezouten, vernietigende mening van Graham over Hayley.
'Ja.' Ik moest mijn best doen om vriendelijk te blijven. 'Hayley vroeg of ik kwam eten. Graham heeft toch wat anders te doen.'
Ze haalde misprijzend haar wenkbrauwen op. 'Ik vind het maar niks dat je met die meid omgaat.'
In veel te veel opzichten was ik bereid me te laten kneden tot de vorm die anderen wilden, maar wat Hayley betreft hield ik voet bij stuk. 'Ze is al jaren mijn beste vriendin.'
'Ze is een lichtzinnige flirt,' zei ze geniepig. 'Heb je dan niet gezien hoe ze haar borsten naar voren gooit als ze met Graham praat? En hoe ze met haar heupen draait als ze denkt dat hij haar nakijkt?'
Ik schoot bijna in de lach. Hayley had nog nooit iets in het voordeel van Graham gezegd. Ik wist zeker dat zij wel de laatste vrouw was die met hem zou flirten. En hij zou haar ook geen blik waardig keuren.
'Je denkt misschien dat ik maar wat zeg, maar ik heb mijn ogen echt niet in mijn zakken zitten, Sian. Ik zeg je, kijk uit voor die meid. Ze is een gevaar voor jullie huwelijk!'
'Beste vriendinnen pikken geen echtgenoten in,' zei ik, een glimlach verbijtend.
'Denk je dat? Ben je werkelijk zo naïef, Sian?' zei ze over haar schouder. 'Dan heb ik medelijden met je!'

# ELF

Hayley zag er stralend uit. Ze zong zachtjes toen ze naar haar kleine keukentje ging om een fles witte wijn uit de koelkast te halen en haar glimlach kon niet breder toen ze onze glazen vol schonk.

'Je bent verliefd,' constateerde ik plagend. 'En niet zo'n beetje ook!'

Ze grinnikte en onwillekeurig vergeleek ik haar met de jonge vrouw die nog geen vierentwintig uur geleden met paniek in haar ogen op me had zitten wachten omdat ze een dwaze, uit het niets gekomen fobie had voor hoge bruggen over diepe dalen. Een groter verschil tussen toen en nu was niet mogelijk.

'Vertel op, Hayley! Hoe heet hij? Waar en wanneer heb je hem ontmoet?'

'Zondagmiddag,' zei ze met een gelukzalige glimlach. 'Michael en Diana hadden me uitgenodigd voor een barbecue. Alle buren leken wel op hetzelfde idee gekomen. Mac, zo heet hij, was gast bij de buren. Hij viel me meteen op, maar Diana wist niet wie hij was. Toen een van de kinderen een bal over de afscheiding tussen de tuinen gooide, was ik natuurlijk maar al te bereid om die bal te gaan halen!'

'Toen werden jullie op slag verliefd!'

Haar blik versomberde even. 'Ik in elk geval wel. Hij zei dat ik zo op zijn zus leek dat hij even had gedacht dat zij het was.'

'Zijn zus?'

Ze giechelde. 'Mm, weinig romantisch, vind je niet? Afijn, ik ging er natuurlijk meteen op in. Ik vroeg wie zijn zus was en waarom hij precies vond dat ik op haar leek. Allemaal geleuter om maar met hem in contact te blijven.'

'Hayley! Je hebt anders nooit moeite om de aandacht van een man te trekken! Zeker niet als je je zinnen op hem hebt gezet!'

Ze trok een gezicht en kwam overeind. 'Dat kun je wel zeggen. Wacht even, Sian, ik moet even in de oven kijken of alles wel goed gaat.'

Ik volgde haar naar haar keukentje. 'En wat gebeurde er toen?'

Ze gluurde in de oven en keek toen over haar schouder. 'Hij vroeg mijn e-mail adres en beloofde me een foto van zijn zus te sturen. Daarna hebben we intensief e-mails uitgewisseld en dinsdag vroeg hij of ik zin had om zijn zus te ontmoeten.'

Ik keek haar aan. 'Ging het toen nog steeds om die zus of was het een smoes?'

Ze richtte zich op en plukte afwezig aan een ovenwant die beangstigend veel schroeivlekken vertoonde. 'Eerlijk gezegd wist ik dat toen ook niet zo zeker, Sian. Ik probeerde steeds maar de meer persoonlijke kant op te gaan, maar hij leek ervan overtuigd dat ik zijn zus wilde ontmoeten.'

Ik grijnsde. 'En? Hoe was ze?'

'Uiterlijk lijken we inderdaad op elkaar.' Ze trok met een komisch gezicht aan haar rode krullen. 'Ze mopperde net zo hard over haar rode haar als ik altijd doe.'

'Oké. Genoeg nu over die zus, Hayley. Hoe is het met hem?'

'Toen zijn zus tenslotte vertrok – werkelijk Sian, ik kon haar wel de deur uitkijken, dat snap je wel - was er eindelijk gelegenheid om met hem alleen te zijn en we hebben tot diep in de nacht zitten praten.'

'Praten?'
Ze haalde haar schouders op. 'Ik had eigenlijk wel wat anders in gedachten, maar ik denk dat Mac vond dat hij zich braaf moest gedragen. Tenslotte zagen we elkaar pas weer voor het eerst na onze ontmoeting bij Michael en Diana.'
'Maar vanavond komt hij bij je slapen.'
'Dat hoop ik,' zei ze met een grimas. 'Hij moest vandaag in Newquay zijn en ik stelde voor wat bij me te komen drinken.'
Het begon me te dagen waarom ze nerveuzer was dan anders. 'Lieve help, Hayley, het lijkt erop dat dit de eerste man is voor wie je echt je best moet doen!'
'Daar ben ik ook bang voor.'
'Hij is toch geen homo of zo? Of blind? Ziet hij dan niet dat je een geweldig mooie meid bent? Of vergelijkt hij je nog te veel met zijn zus?'
Ze spreidde haar handen uit. 'Ik weet het niet, Sian, ik ben alleen zo ontzettend verliefd! Ik kan me niet herinneren dat ik zo met mijn hoofd in de wolken heb gelopen.'
Ik snoof veelzeggend. 'Laat mij maar even in die oven kijken, want ik geloof dat je er inderdaad niet helemaal bij bent met je gedachten. Ruik je niet dat er iets staat te verbranden?'
Haastig griste ik de ovenwanten uit haar handen en ik haalde de schaal uit de oven. De randen waren al zwart.
'Het kan er nog wel mee door. Ik heb trek, dus ik vind alles best,' zei ik geruststellend.
'O Sian, het spijt me.'
Ik lachte plagend naar haar. 'Geeft niet. Maar je moet wel meteen een raam openzetten. Je weet toch dat de liefde van een man door

de maag gaat? Dan is een huis dat bol staat van verbrand eten zeker geen voordeel als je die Mac wilt veroveren!'
'O Sian!' Ze leek een beetje ontredderd en ik lachte haar bemoedigend toe. 'Wees maar blij dat je niet hebt afgesproken dat hij komt eten.'
Ze lachte als een boerin met kiespijn.
'Schenk me nog maar een wijntje in,' zei ik. Om de een of andere manier voelde ik me vanavond roekeloos. 'Of is dat je laatste fles? Wil je wat bewaren voor Mac?'
'Hij drinkt alleen bier,' reageerde ze en haar gezicht lichtte weer op.

# TWAALF

Tot mijn opluchting was Graham nog niet thuis toen ik bij Hayley vandaan kwam. Het lampje van het antwoordapparaat knipperde en afwezig drukte ik op de afspeelknop.

'Je hebt die plastic zak met de envelop zeker niet kunnen vinden? Nee? Dat dacht ik wel, anders had je me wel gebeld. Nou, dan zoek ik vanavond zelf wel!'

Zijn stem was een sneer, een verwijt, een implicatie dat hij nooit had verwacht dat ik de envelop zou vinden. Ik keek naar het apparaat en zonder aarzelen drukte ik op de knop om de boodschap te wissen. Ik voelde er niets voor nog eens naar hem te luisteren. Ik schaamde me een beetje omdat ik helemaal niet meer aan het verzoek van Graham had gedacht. Zijn verwijt was terecht, maar ik vond niet dat hij het recht had op zo'n misprijzende toon tegen me te praten. Helemaal niet via het antwoordapparaat wanneer ik er niet was om mezelf te verdedigen.

Ik keek naar het telefoontoestel. Een idioot gevoel van rebellie weerhield me ervan om Graham te bellen. Of misschien was het de wens zijn gezicht te zien oplichten zodra ik de plastic zak tevoorschijn haalde. Het was waarschijnlijk zielig en meelijwekkend, maar diep in mijn hart wilde ik dat hij waardering voor me toonde.

En nu was Mac er: lang en soepel, stroblond haar dat voortdurend voor zijn ogen hing. Een man die me raakte.

Voor de zoveelste keer ging ik in gedachten terug naar dat moment, nauwelijks een uur geleden, dat Mac – Connor Mackenzie – mijn hand drukte. Hij nam me van top tot teen op met ogen die zo intens, zo warm en blauw waren dat ik amper naar iets anders

kon kijken. Het leek alsof ik op het punt stond in een oceaan te springen en me te laten meevoeren door een onderstroom.
'Hallo Sian. Ik heb al veel over je gehoord.' Mijn naam kwam als een streling over zijn lippen. Ik huiverde in een combinatie van spanning en schrik. Spanning door het volkomen overbluffende gevoel dat vlinders door mijn buik joeg, schrik omdat ik me ervan bewust was dat Hayley doodstil naast me stond. Ze hield haar adem in en er lag een ongelovige, argwanende uitdrukking op haar met sproeten bezaaide gezicht. Haar blijde glimlach leek te zijn weggevaagd.
Ze begon snel en zenuwachtig te praten maar haar woorden drongen niet tot me door. Voortdurend was ik me bewust van Mac, haar nieuwe vriend, die schuin tegenover me ging zitten en me zo vriendelijk aankeek dat ik niet meer wist of ik het warm of koud had. Waarschijnlijk allebei.
De tijd leek in een roes voorbij te gaan. Ik dronk een derde glas wijn dat Hayley met gefronste wenkbrauwen inschonk. Ik praatte en lachte, ik was levendig en gevat en ik gloeide wanneer Mac moest lachen. Ik had nauwelijks oog voor Hayley, wier gezicht steeds bleker werd, wier mond al lang niet meer lachte en die demonstratief naar de klok wees en de naam van Graham mompelde.
'Moet je niet naar huis, Sian?' zei ze op zeker moment. 'Ik wil je niet weg hebben, hoor, maar je zei net dat je vóór Graham thuis wilde zijn. Je wilt die man van je toch niet laten wachten?'
Ze sprak elk woord met zoveel nadruk uit dat ik wel moest begrijpen waarop ze aanstuurde. Als Mac nog niet wist dat ik een getrouwde vrouw was, dan zou zij de eerste zijn om hem daarop

opmerkzaam te maken. Het probleem was alleen dat ik me niet langer een getrouwde vrouw voelde. Graham en ik waren pas twee jaar getrouwd maar soms leek het alsof het er vijftig waren. Hij noemde me 'lieverd' en 'lieveling', maar de woorden leken hun betekenis te hebben verloren. In stilte vergeleek ik ons soms met een echtpaar van middelbare leeftijd, de gespreksonderwerpen uitgeput. Het leek alsof we nog maar weinig gemeen hadden.
'We zullen elkaar ongetwijfeld nog eens ontmoeten,' zei Mac bij het afscheid. Het was waarschijnlijk niet meer dan een beleefde opmerking, maar het klonk me als muziek in de oren. Met schorre stem mompelde ik een afscheidsgroet en ik verbeeldde me dat zijn hand als terloops mijn rug streelde toen hij zich dichter naar me toe boog omdat hij me niet goed had verstaan.
'Je hebt teveel gedronken,' zei Hayley met een mengeling van verwijt en boosheid.
Ik streek mijn donkere haar van mijn voorhoofd en glimlachte naar Mac met de dwaze hoop dat hij zou aanbieden me naar huis te brengen. Waarschijnlijk ging hetzelfde door Hayley heen, want ze voegde eraan toe dat het maar een klein stukje naar mijn huis was en dat ze er niet op rekende dat ik brokken zou maken.
De buitenlucht ontnuchterde me. Ik realiseerde me opeens dat ik me schandelijk had gedragen. Flirten met de vriend van je beste vriendin was nooit eerder in mijn woordenboek voorgekomen. Toch had ik het gedaan. En niet zo'n beetje ook. Met klamme handen schakelde ik en ik reed uiterst voorzichtig weg. Het laatste wat ik van Mac zag was zijn forse gestalte toen Hayley en hij naast elkaar in de deuropening van haar huis stonden.
Mac. Hayley. Hayley en Mac.

Tijdens de rit naar huis kon ik alleen nog maar aan hem denken. Op zeker moment had ik mijn aandacht niet bij de weg en op een haar na kwam ik met mijn wielen in de berm terecht. Het maakte dat ik weer met beide benen op de grond belandde, maar de vlinders in mijn buik kwamen er niet door tot bedaren.
Ik drukte nog eens op de knop van het antwoordapparaat en wapende me tegen een nieuwe, onwelkome boodschap van Graham. Het was echter een ander bericht.
Kort en onbevredigend. 'Sian?' Een vrouwenstem, zo laag en hees dat ik haar nauwelijks kon verstaan. Laat staan herkennen. 'Sian, ik moet...'
De verbinding werd abrupt verbroken en hoewel ik nog een paar keer goed luisterde, werd ik niet veel wijzer. In de woonkamer sloeg de klok tien uur en ik schrok. Graham kon elk moment thuiskomen. Tijdens de rit naar huis had ik me voorgenomen meteen naar bed te gaan en te doen alsof ik sliep. Ik had geen behoefte aan een gesprek over de verduisteringspraktijken van Jeremy Parker. Noch aan het verwijt dat ik onvoldoende mijn best had gedaan de zak met de envelop te zoeken.
De plastic zak! Vanavond had ik hem gemakkelijk uit mijn auto kunnen pakken. Ik had er geen moment meer aan gedacht omdat mijn hoofd, mijn hele wezen, vervuld was van een andere man dan mijn echtgenoot.
Ik ging naar de wc en staarde verbijsterd in de spiegel naar een gezicht dat ik nauwelijks herkende. Mijn huid was rozig, mijn ogen stonden verdwaasd en ik kon de naam Mac bijna van mijn voorhoofd lezen. Als Graham me zo zou zien, zou hij misschien niet vermoeden dat mijn uiterlijk een gevolg was van mijn ont-

moeting met een andere man, maar hij zou me zeker beschuldigen van onverantwoordelijk gedrag omdat ik achter het stuur was gekropen terwijl ik teveel had gedronken.
Onder aan de trap aarzelde ik. Vluchtig overwoog ik of ik de plastic zak uit mijn auto zou halen, maar de gedachte dat Graham me op heterdaad zou kunnen betrappen, weerhield me ervan alsnog naar buiten te gaan. In het donker ging ik naar boven. Ik kleedde me uit, haastte me in de badkamer en kroop in bed. Ik fantaseerde over Mac, maar de wijn had me slaperig gemaakt. Ik hoorde Graham niet thuiskomen en ik hoorde de telefoon niet overgaan. Pas toen ik de volgende ochtend wakker werd, ontdekte ik dat hij die nacht helemaal niet thuis was gekomen.

# DERTIEN

Ik duwde twee sneetjes brood in de rooster en zette de waterkoker aan. Daarna sloop ik naar mijn auto om de plastic zak te pakken. Terwijl ik ermee terugliep, betastte ik hem nieuwsgierig. Het pakje was dun en plat, iets dikker maar kleiner dan een tijdschrift.

Ik schonk thee in en schudde de zak leeg. Een gewone, bruine envelop viel op de keukentafel. De plastic zak rolde ik keurig op en automatisch duwde ik het rolletje in een keukenla, bij de andere plastic zakken. Graham had me geleerd dat het belangrijk was niets zomaar weg te gooien. Alles wat hergebruikt kon worden, was meegenomen. Het was goed voor het milieu en voor de portemonnee.

Ik ging zitten en besmeerde rustig mijn toast. Ik nipte van mijn thee en toen die nog te heet was, dronk ik mijn glas sinaasappelsap leeg. De routine van de dag kalmeerde mijn gespannen zenuwen, maar tegelijkertijd kreeg de envelop een steeds grotere aantrekkingskracht op me. Het feit dat ik had waar Graham zo naar had gezocht, gaf me het idiote gevoel dat ik hem op een bepaalde manier in mijn macht had. Absurd en kinderachtig.

Ik betastte de envelop en draaide hem om, woog hem in mijn handen, alles om erachter te komen wat erin zat. Een dik pak papier, dat was wel duidelijk. De envelop was dicht geplakt maar een van de hoeken was een stukje ingescheurd. Zonder precies te weten wat ik van plan was stak ik mijn pink in het ontstane gat en met een mengeling van schrik en voldoening hoorde ik het papier een stukje verder openscheuren. Ik tuurde in het gat.

Ik overtuigde me ervan dat ik alle recht had om te weten wat erin zat. Ik was de vrouw van Graham. Wat van hem was, was ook van mij. We hadden niets voor elkaar te verbergen. Ik kon mijn nieuwsgierigheid niet langer bedwingen. De envelop bleef me intrigeren. Het leek wel alsof ik geen eigen wil had. Ik moest eenvoudig weten wat erin zat en waarom de inhoud zo belangrijk was voor Graham. Ik probeerde mezelf tot de orde te roepen. Graham zou razend zijn wanneer hij ontdekte dat ik de envelop had geopend. Waarschijnlijk zaten er alleen maar papieren van de zaak in. Saaie accountantsrapporten of gedetailleerde plannen in termen die ik nooit begrepen had en waarvoor ik ook nooit moeite had gedaan.
Misschien had mijn plotselinge roekeloosheid iets te maken met mijn kennismaking met Mac. Het leek wel alsof ik in een soort overwinningsroes verkeerde. Ik voelde me energieker dan ooit, als een voetballer die niet weet waar hij heen moet rennen na een doelpunt. De herinnering aan de blauwe ogen van Mac maakte dat Graham naar de achtergrond schoof. Ik dacht niet goed na over de gevolgen, ik voelde zelfs geen angst voor zijn woede. Ik was verliefd. Weliswaar was het een hopeloze verliefdheid die van voorbijgaande aard was, maar op de een of andere manier gaf het gevoel me nieuwe energie.
Ik stak mijn duim in het gat in de envelop en scheurde hem verder open. Als Graham er commentaar op zou hebben, kon ik altijd nog zeggen dat ik niet zeker had geweten of het wel was waarnaar hij op zoek was. Flauwe smoes, maar ik zou hem gebruiken als ik niets anders kon bedenken.
Eerst was ik teleurgesteld. Ik staarde naar een dik stuk karton,

dubbelgevouwen en bij elkaar gehouden door twee brede elastieken. Met ingehouden adem trok ik ze los. Vier pakjes bankbiljetten met een strookje bruin papier eromheen ploften op het blad van de keukentafel. Vier pakjes met biljetten van 50. Afgaand op de dikte van de stapeltjes was het een klein vermogen.
Ongelovig pakte ik een stapeltje op. Mijn handen waren klam en mijn vingers trilden hevig toen ik begon te tellen. Bij 167, of 176, raakte ik de tel kwijt, maar ik nam aan dat het er 200 waren. Koortsachtig begon ik te rekenen, ervan uitgaand dat de pakjes gelijk waren.
Nu begreep ik waarom Graham er zo op gebrand was geweest die envelop te vinden. Was het geld van de zaak of was het van Graham zelf? Ik wist dat hij soms op de effectenbeurs speculeerde. Hij kon zich uren verdiepen in de beurspagina's van de krant. Soms vond ik later een gekrabbelde berekening in de kantlijn terug. Ik had me er nooit in verdiept. Graham had een goede baan en ik had er alle vertrouwen in dat hij niet lichtzinnig met ons geld speculeerde. Hij was geen impulsieve man en gewoonlijk overwoog hij zijn belangrijke beslissingen zo lang dat ik me eraan ergerde. Ik fronste nadenkend. Zelfs als hij een aardige winst had geboekt, dan verklaarde dat nog niet waarom ik nu zoveel geld op de keukentafel had liggen. Voor zover ik wist handelde hij niet met contanten; tegenwoordig ging alles via de computer.
De telefoon ging en kort overwoog ik om niet op te nemen. Het was nog vroeg. Ik kon nog in bed liggen. Of onder de douche staan.
Het kon Hayley zijn met een enthousiast verhaal over haar geweldige nacht met Mac. Ik wilde haar gelukkige stem niet horen,

noch haar uitgebreide relaas over wat er na mijn vertrek allemaal was gebeurd. En ik wilde al helemaal niet gedwongen worden haar te vertellen wat ik van haar nieuwe vriend vond. Ik werd warm bij de gedachte aan Mac, en koud wanneer ik een beeld van hen samen opgedrongen kreeg.

Het kon ook Graham zijn met een verklaring waarom hij vannacht niet thuis was gekomen. Ik verdacht hem niet van overspel. Daar was hij niet de man naar. Hij was te serieus en te voorzichtig om het zelfs maar te overwegen. Ons huwelijk, en uiteraard ons seksleven, hield de laatste tijd te wensen over, maar ik kon niet geloven dat hij zich door iemand anders zou laten troosten.

Mijn adem stokte. Geen moment was het bij me opgekomen dat er iets met hem gebeurd kon zijn. Opeens had ik een visioen van het zwarte monster dat ergens aan de kant van de weg stond, verkreukeld in een roemloos einde. Van Graham op een brancard, zijn gezicht even kleurloos als zijn haar, van ontdane weggebruikers die het ongeluk hadden gezien en nog steeds niet goed konden geloven wat er precies was gebeurd ...

Ik rende naar de telefoon maar ik was net te laat. Ik wachtte, maar er werd niet nog eens gebeld. Evenmin werd het antwoordapparaat tot leven gebracht.

Ik drukte een sneltoets in. Graham reageerde onmiddellijk en uit het geraas op de achtergrond maakte ik op dat hij in de auto zat.

'Graham, waar ben je? Ik was bezorgd. Ik ...'

Op zijn gebruikelijk, wat bruuske manier viel hij me in de rede.

'Ben jij dat, Sian? Kun je wat harder praten? Ik zit in de auto. Het wemelt van de vrachtwagens en ik kan je bijna niet verstaan.'

Er was iets in zijn stem dat me mijn bezorgdheid onmiddellijk

deed vergeten. Een zweem van ergernis, onderdrukt door geduld. Alsof hij tegen een klein kind sprak. Mijn mond verstrakte en ik kon alleen maar vinnig vragen: 'Waar was je vannacht?'
'Wat? Ik heb gisteravond geprobeerd je op je mobieltje te bellen, maar je had het ding zeker uitgeschakeld.'
Wijselijk reageerde ik niet. Hij kon zich er verschrikkelijk over opwinden wanneer mijn mobieltje uitgeschakeld was. Al lang geleden was ik opgehouden hem uit te leggen dat ik ouderwets genoeg was om niet de hele dag met zo'n ding in mijn hand te lopen en elke vijf minuten te kijken of ik gebeld was of een berichtje had ontvangen. Ik ergerde me aan mensen die op straat, in winkels, in openbaar vervoer hun halve levensgeschiedenis letterlijk in het rond bazuinden. De enige reden waarom ik het apparaatje had, was omdat Graham het me had gegeven en omdat ik het in noodgevallen wel handig vond. Maar vooral omdat Hayley me er op belde en we dan ongestoord konden kletsen.
'Waar was je vannacht?' herhaalde ik, maar ongelukkig genoeg was het op hetzelfde moment dat hij tegen mij begon te praten.
'Heb je die envelop nog gevonden?' riep hij boven het gestage geraas van zware vrachtwagens uit.
Ik had nog geen gelegenheid gehad mijn strategie te bepalen tot de inhoud van de envelop. Als ik hem vroeg waar al dat geld vandaan kwam, wist hij meteen dat ik hem had opengemaakt. Hij zou tegen me tekeer gaan totdat ik de verbinding verbrak. Wanneer ik zei dat ik het hele huis vergeefs had doorzocht, dan was het niet aannemelijk dat ik hem nog niet had gevonden. Ik kon beter niets zeggen.
'Ik vroeg waar je vannacht was,' herhaalde ik luid.

Hij antwoordde met duidelijke tegenzin, alsof hij het eigenlijk niet nodig vond mij tekst en uitleg te geven. 'John belde me gisteravond. Het ging niet zo goed met Lucie.'
Ik wilde hem niet de gelegenheid geven weer over de envelop te beginnen. 'Oh. Is ze ziek?'
'Natuurlijk niet!' reageerde hij geïrriteerd. 'Lichamelijk is ze kerngezond, maar ze had weer een van haar inzinkingen.'
'Ik begrijp niet waarom jij er altijd heen moet als er wat met Lucie is, Graham.'
'Nee, natuurlijk kun jij dat niet begrijpen,' antwoordde hij vol ongeduld. 'Luister, Sian, ik kom nu naar huis, maar ik heb haast. We hebben om half elf een vergadering, maar ik wil me thuis even douchen en verkleden. Wil je mijn kleren alvast klaarleggen? En ervoor zorgen dat je koffie klaar hebt staan? Zoals gewoonlijk had John alleen maar decafé.'
'Daar ben ik voor, Graham.'
Mijn sarcasme ontging hem. 'En wil je even voor me naar de zaak bellen, Sian? Zeg even tegen de secretaresse van Robert dat ik eraan kom, maar ik weet niet zeker of ik op tijd zal zijn.'
'Verder nog iets?'
'Nee, op dit moment niet. O, Sian?'
'Ja Graham?'
'Ik heb je gemist, lieverd. Ik heb het de laatste paar dagen zo druk gehad. Eerst met dat geval van Jeremy en nu Lucie weer. Ik zal blij zijn als we vanavond eens vroeg naar bed kunnen gaan.'
'O!' Met de punt van mijn tong likte ik over mijn lippen. Graham was geen man voor romantiek. Op gezette tijden nam hij bloemen voor me mee of kwam hij met een grote doos bonbons

thuis. Hij gebruikte geen subtiele aanrakingen of opmerkingen; vroeg naar bed gaan was zijn manier om aan te geven dat hij met me wilde vrijen. Een lang en uitgebreid voorspel beschouwde hij als nodeloos tijdverdrijf en hij begreep niet dat ik er alleen al van kon genieten door hem gestreeld te worden. Zijn hoogtepunt kwam meestal snel en hij beschouwde het als een gebrek van mij als ik het niet eerder of gelijk met hem bereikte. Ik was er wel eens voorzichtig over begonnen, maar hij had geen behoefte aan psychologische praatjes en al helemaal niet wanneer zijn mannelijkheid in het geding was. Opmerkingen daarover waren in zijn ogen verwijten over falen: in welk opzicht dan ook, het was een onderwerp dat al helemaal taboe was.

'Graham? Betekent het dat je nu vrijdag niet naar Lucie hoeft?'

'Vrijdag? Waarom niet? Dit was een calamiteit, Sian, begrijp je dat niet? Je weet toch welke datum het aanstaande zondag is? John dacht dat Lucie daarom zo overstuur was.'

Datum? 'O ja.'

Zondag was het zes jaar geleden dat Clarissa, Grahams eerste vrouw, was verdronken. Lucie was daarbij geweest en hoewel ze weinig had kunnen doen, was ze met een hevig schuldgevoel blijven zitten. Daardoor was Lucie zwaar depressief geworden. Graham nam het haar dokter kwalijk dat die de toestand niet goed ingeschat had en dus ook niet adequaat had gereageerd op haar eerste zelfmoordpoging. Ze had zich volgestopt met allerlei verschillende pillen. Het was een noodkreet om hulp geweest die maar net op tijd was ontdekt. Sinds die tijd woonde ze weer bij haar vader, John, die op haar lette en ervoor zorgde dat ze op tijd haar medicijnen nam. Om John enigszins te verlichten ging Gra-

ham elke vrijdag na zijn werk naar hen toe om op Lucie te letten. John had dan de avond vrij om zich even te ontspannen.
Toen ik voor het eerst van de regeling hoorde, voelde ik een grenzeloze bewondering voor Graham. Uit niets bleek dat hij het Lucie kwalijk nam dat ze Clarissa niet had kunnen redden. Ik wist niet zeker of ik wel zoveel gevoel voor Lucie had kunnen opbrengen. Naarmate ik Graham beter leerde kennen, groeide mijn verbazing omdat hij ook een toonbeeld van geduld kon zijn. Zelfs de geringste aarzeling van mij kon hem al snel irriteren en ik kon me moeilijk voorstellen dat hij zich niet aan de labiele Lucie ergerde.
'Was je van plan vrijdag weer met die vriendin van je af te spreken?' hoorde ik hem roepen.
De verbinding werd steeds slechter en ik kon hem nog maar half verstaan. Het was ook nauwelijks nodig te antwoorden dat ik elke vrijdag met Hayley afsprak. Alleen was ik niet zo zeker over deze vrijdag. Ik wist niet of ze met Mac had afgesproken en ik wilde het ook niet weten. Ik verlangde ernaar meer over Mac te weten te komen, maar ik wist niet of ik het wel kon aanhoren wanneer ze hem zo ophemelde.
' ... moet nog ... elop gevonden ...,' zei Graham, maar voordat ik hem kon vragen het te herhalen werd de verbinding verbroken. Ik legde de telefoon neer en ging terug naar de keuken, waar het geld in onaangeroerde bundeltjes op tafel lag. Ik wist nog steeds niet wat ik ermee zou doen.

## VEERTIEN

Hayley belde net toen ik de auto van Graham de oprijlaan op zag komen. Zijn mond verstrakte omdat hij me bij het raam aan de telefoon zag zitten. Hij begreep onmiddellijk met wie ik in gesprek was. Als het enig effect zou hebben, zou hij me verbieden met Hayley om te gaan. Onze lange telefoongesprekken beschouwde hij als volslagen waanzin. Het ergerde hem dat ik geen aandacht voor hem had; dan zag ik zijn gezicht steeds strakker worden naarmate mijn gesprek met Hayley voortduurde. Om die reden belden we elkaar voornamelijk wanneer hij er niet was.

'Ik ga douchen,' zei hij luid nadat hij demonstratief een zoen op mijn mond had gedrukt zodat ik even moest stilhouden. 'Heb je alles klaar gelegd?'

Ik legde mijn hand over het mondstuk. 'Natuurlijk,' zei ik kribbig tegen zijn rug.

'Is dat Graham?' informeerde Hayley.

'Ja natuurlijk. Wie anders?'

'Misschien houd je er wel een minnaar op na.'

'Dan zou jij de eerste zijn aan wie ik het vertel, Hayley.'

'O ja?' We wisten allebei waarop ze doelde. Beschaamd weigerde ik erop in te gaan.

'Graham moest gisteravond weer naar Lucie,' zei ik bij wijze van verklaring. 'Hij komt net thuis om zich te verkleden.'

'O.' Ze wachtte.

'Hayley, over gisteravond. Het spijt me als ik me niet ... gedragen heb. Het zal wel door de wijn gekomen zijn, want ik had barstende hoofdpijn toen ik thuiskwam.'

'Dat was dan je verdiende loon,' zei ze zonder een spoortje humor.
'Ja. Nou, nogmaals, het spijt me.'
'Ik hoop dat het alleen de wijn was, Sian, want je was wel behoorlijk met Mac aan het flirten.'
'Het spijt me, Hayley,' zei ik nog eens. 'Ik heb toch geen roet in het eten gegooid voor je?'
'Nee.'
Ik durfde haar niet te vragen hoe laat Mac bij haar weg was gegaan. En of hij de nacht bij haar had doorgebracht.
'Was het gezellig, Hayley? Nadat ik weg ben gegaan?'
'O ja, hoor. Mac is echt geweldig.' Ze pauzeerde even en voegde er aan toe: 'Volgens mij had jij dat ook al meteen in de gaten.'
Ik negeerde haar opmerking. 'Ik hoop dat het wat wordt, Hayley. Met jullie.'
'Dat hoop ik ook.' Ze klonk stroef, bijna afwerend.
'Graham gaat morgenavond weer naar Lucie. Zullen we wat afspreken of heb je al wat met Mac afgesproken?'
'Hij zou nog bellen.'
'O.' Ik haalde diep adem. 'Ik begrijp dat hij voor gaat, Hayley. Natuurlijk komt hij nu op de eerste plaats. Maar als jullie niets afspreken voor morgen ... zullen wij dan naar de bios gaan? Er draait weer zo'n romantische komedie.'
Er viel een stilte en ik beet op mijn lip. Met mijn onbezonnen gedrag had ik het verbruid bij Hayley, dat stond wel vast. Het ergerlijke was dat ik wist dat ik me niet anders zou gedragen als ik het over kon doen.
'O Sian! Hoe kon je?' barstte ze opeens los. 'Ik dacht dat ik jou

door dik en dun kon vertrouwen!'
'Dat kun je ook,' zei ik lamlendig. 'Echt, Hayley, het spijt me ontzettend.'
'Mij spijt het ook!'
'Het is toch wel goed gekomen tussen jullie?' Ik kon zelf het kleine sprankje waanzinnige hoop in mijn stem horen. Lieve help! Ik was een echt loeder! Mijn huwelijkse staat weerhield me er niet van verliefd te worden op de vriend van mijn beste vriendin! Ik had zelfs niet geschroomd met hem te flirten in haar bijzijn.
'Hij ging ongeveer een half uur na jou weg,' zei ze somber.
Ik hield mijn adem in. 'En denk je dat dat door mij kwam?'
'Hoe moet ik dat weten?' Haar stem schoot hoog uit. 'Ik weet toch niet wat er gebeurd zou zijn als jij niet was gekomen?'
'Hayley, ik kan niet ...'
'Sian!' Graham stond met een handdoek om zijn heupen boven aan de trap. Vertwijfeld klemde ik mijn hand om de telefoon. Hayley was kwaad op me en ik wilde het goed maken, maar aan de klank van Grahams stem kon ik horen dat ik er een nieuwe vijand bij zou maken als ik niet onmiddellijk reageerde op zijn roep.
'Hayley, Graham roept me. Ik bel je nog terug, goed? Dan spreken we later wel iets af voor morgen en ... Hayley?'
Ik wilde nog eens zeggen hoezeer het me speet, maar ze had de verbinding al verbroken. Met het gevoel dat ik mijn laatste bondgenoot kwijt was, legde ik de telefoon neer.
'Ruzie?' informeerde Graham met een vals glimlachje. Hij was slecht in het verbergen van triomf.
'Natuurlijk niet.' Ik zette mijn voet op de onderste traptree. 'Wat is er? Waarom riep je me?'

Hij draaide zich om en liep naar onze slaapkamer. 'Ik wil alleen dat je even bovenkomt,' zei hij over zijn schouder.
De klank van zijn stem maakte dat ik op mijn hoede was. Of had de onenigheid met mijn vriendin me extra wantrouwig gemaakt voor de kleinste nuances?
'Wat is er?' herhaalde ik toen ik boven in de deuropening van onze slaapkamer bleef staan. Ik had de grootste moeite niet te kijken naar de deur van mijn garderobekast waar ik de envelop met het geld in een doos onder een paar schoenen had gestopt.
Hij zat op de rand van ons bed en stak zijn hand naar me uit. 'Kom eens hier, lieveling. Ik heb je gemist, dat heb ik toch al eerder gezegd?'
'Ja.' Over zijn schouder gluurde ik naar de alarmklok op zijn nachtkastje. 'Moet je niet naar de zaak?'
'Ik denk dat ik op dit moment belangrijker zaken aan mijn hoofd heb,' zei hij schalks en met een veelbetekenende glimlach trok hij me naar hem toe.
Ik huiverde. Kennelijk zag hij het aan voor een uiting van verlangen want zijn glimlach werd zelfbewust. 'Het is al weer een poosje geleden, lieveling.'
'Graham, ik ...', begon ik, maar ik had er geen idee van wat ik van plan was te zeggen.
'Mm, je ruikt lekker, lieveling.' Hij duwde mijn shirt omhoog en zijn handen tastten naar de sluiting van mijn bh.
Ik wilde niet dat hij me aanraakte. Mijn hoofd was nog vervuld van Mac. Maar wat kon ik zeggen? Hoe kon ik mijn man weigeren?

# VIJFTIEN

Graham pakte zijn attachékoffertje op. 'Heeft er nog iemand voor me gebeld?' informeerde hij als terloops. Hij zag er bijna onwerkelijk perfect uit: zijn gezicht was roze, zijn huid glom en zijn lichtblonde haren waren keurig geborsteld. Zijn donkergrijze pak was kreukloos, zijn door Sally gepoetste schoenen glansden in het zonlicht dat door het raam viel.

'Verwacht je dan een belangrijk telefoontje?' Ik stond halverwege de trap, mijn haren een chaos, de haastig aangeschoten duster slordig dichtgeknoopt. 'Ik was gisteravond bij Hayley.'

Hij zette het koffertje neer en drukte op de knop van het antwoordapparaat.

'Eerst bewaard bericht. Bericht ontvangen gisteren om 18.52 uur.' Een korte stilte. 'Sian? Sian, ik moet …'. Om dit bericht te herhalen, druk op toets …'

Graham drukte op een toets en keek me strak aan. 'Wie was dat?'

'Dat weet ik niet.'

Zijn gezicht vertrok kwaad. 'Wat een onzin! Je weet toch wie jou belt? Ze kent je, anders zou ze je niet met je voornaam aanspreken!'

'Ik herken die stem niet, Graham.' Ik keek in zijn verwrongen gezicht en vroeg me af waarom hij zo'n punt maakte van een telefoongesprek dat niet eens voor hem bestemd was.

'Heeft ze al eerder gebeld?'

'Nee, ik …' Ik zweeg abrupt. Ik moest denken aan de eerdere boodschap van Sally. Goed beschouwd was het vreemd dat ik tijdens mijn afwezigheid een paar keer was gebeld, maar niet toen

ik weer thuis was. Of was dat toeval?
'Wat?' Graham klonk nors en vol nauwelijks bedwongen ongeduld.
'Toen Sally er was, was er voor me gebeld. Ze was nogal verbolgen omdat die vrouw haar naam niet wilde zeggen.' Ik zweeg even. 'Het zou dezelfde vrouw geweest kunnen zijn.'
'Ja. Oké. Maar heb jij die vrouw ook gesproken?'
'Nee. Dat zei ik toch al?' Ik begon de trap verder af te dalen. 'Wat is er, Graham? Herkende jij die stem soms wel?'
Hij streek even over zijn voorhoofd. 'Wat? Nee, natuurlijk niet. Ik dacht alleen ...' Hij maakte zijn zin niet af en ik kende hem inmiddels goed genoeg om te weten dat aandringen geen enkele zin had.
Hij schudde zijn hoofd. 'Laat maar, het is niets.'
Hij speelde het bericht nog eens af en luisterde aandachtig. Toen wiste hij het. Vervolgens keek hij me aan en zijn gezicht had een volledige verandering ondergaan. Er lag een zachte, bijna tedere glimlach om zijn mond. 'Je hebt toch geen last van vervelende telefoontjes, lieveling? Je zou het me toch wel eerlijk vertellen, hè?'
'Je bedoelt toch niet van die telefoontjes met hijgende mannen?' lachte ik onbezorgd, bijna spottend.
'Zoiets,ja. Ik wil niet dat je lastig wordt gevallen, Sian.'
'Wie zou mij moeten lastigvallen?'
'Ik weet het niet, Sian. Ik vraag het je alleen.' Zijn ongeduld dreigde terug te komen. 'Ik sta erop dat je het me meteen vertelt, als zoiets weer gebeurt.'
'Dat zal ik doen, Graham.'
Hij aarzelde. 'Het zou kunnen dat Jeremy Parker wat probeert. Of

die vervelende moeder van hem. Vreselijke bemoeial, dat mens. Ze kwam gistermiddag mijn kantoor in stormen. Ze ging als een viswijf tegen me tekeer. Ze wilde dat ik haar zoon nog een kans gaf. Huh! Na al dat geld dat hij van de zaak heeft gestolen! Ik begrijp niet hoe ze op het idee kwam dat ik hem weer in dienst zou willen nemen!'
'Misschien is ze een wanhopige moeder.'
'Dat zal wel, maar dan had ze hem beter moeten opvoeden. Ze had hem moeten leren wat de gevolgen zijn wanneer je iemand besteelt.'
Om de een of andere reden dacht ik aan de pakjes bankbiljetten onderin de schoenendoos in mijn kast. Kon het zijn dat Jeremy dat geld in de auto van Graham had verstopt, bijvoorbeeld om de aandacht af te leiden? Maar hoe kon Graham er dan van af weten? Of wist hij niet wat die envelop bevatte?
'Hoeveel heeft Jeremy eigenlijk verduisterd, Graham?'
Hij schudde zijn hoofd. 'Ik praat er liever niet over, Sian. Zoiets moet binnenskamers blijven bij de directie. Maar ik kan je wel zeggen dat het om een bedrag met een heleboel nullen gaat.'
Hij pakte zijn koffertje weer van de grond. 'Ik hoop dat je hierover discreet bent, Sian. Zeker tegenover dat mens van Fielding.'
'Natuurlijk zal ik niet ...'
'En als die vrouw nog eens belt, moet je het me onmiddellijk laten weten, zodat ik stappen kan ondernemen. Desnoods vragen we een ander telefoonnummer aan.'
Hij knikte nog eens vluchtig naar me, zijn gezicht nu een strak en geconcentreerd masker. Er was niets in zijn blik dat aangaf dat hij zelfs nog maar de geringste gedachte wijdde aan onze

vrijpartij van daarnet. Hij was uitstekend in staat zijn werk en zijn privé-leven strikt gescheiden te houden. Heimelijk verdacht ik hem ervan dat hij met zijn gedachten al bij de vergadering was die na een telefoontje met de zaak een uur was uitgesteld.
Hij trok de voordeur open en keerde zich half naar me om, nu met een glimlach. 'Het was fijn, Sian.'
Ik hapte naar adem, voelde me blozen. Het was niets voor hem om iets dergelijks te zeggen. 'O.'
'Ik meen gemerkt te hebben dat het voor jou ook goed was, lieverd.'
'Hm.' Nerveus ontweek ik zijn blik. Ik had nooit geweten dat je met een man kon vrijen en er zelfs van kon genieten terwijl je met je gedachten bij een andere man was.
Ik schraapte mijn keel en flapte er het eerste uit dat in me opkwam. 'Heb je dat ... die envelop nog gevonden, Graham?'
Ik kon mijn tong wel afbijten. Wat was ik een idioot! Met angst en beven had ik het moment gevreesd dat hij er naar zou vragen en nu begon ik er zelf over.
'Nog niet. Om eerlijk te zijn heb ik er nauwelijks tijd voor gehad. Dat geval met Parker was natuurlijk veel belangrijker dan die paar oude dossiers.'
'Oude dossiers? Ik dacht dat die envelop zo belangrijk voor je was?'
Hij speelde ongeduldig met zijn sleutelbos. 'In die envelop zitten gegevens van een paar ex-klanten van ons. Robert heeft me gevraagd ze door te nemen om ze nog eens te benaderen of ze weer klant bij ons willen worden.'
Ik staarde hem aan. Dossiers? Als ik niet met eigen ogen had

gezien wat er in die envelop zat, had ik nooit kunnen geloven hoe goed hij kon liegen.
'Zo belangrijk was die envelop dus niet,' mompelde ik met droge keel.
'Ik raak niet graag iets kwijt,' antwoordde hij kortaf. 'Let wel, ik heb hoog van de toren geblazen toen laatst in het nieuws was dat de Raad voor de Kinderbescherming cd's met persoonlijke gegevens kwijtraakte. Weliswaar is dit niet te vergelijken, maar je begrijpt dat ik moeilijk kan accepteren dat ik nu zelf iets ben kwijtgeraakt.' Hij pauzeerde even. 'Maar ik moet nu gaan, anders kom ik toch nog te laat. O ja, ik vergeet bijna te vertellen dat ik vanavond met Robert ga eten. Zijn vrouw gaat niet mee dus jij hoeft ook niet te komen. Uiteraard zal ons voornaamste gespreksonderwerp zijn hoe we ons in de toekomst moeten wapenen tegen praktijken van mensen zoals Parker.'
Ik staarde hem aan. Ik wilde hem vragen waarom hij tegen me loog. Waarom hij zoveel contant geld in een envelop stopte. Wie de vrouw op het antwoordapparaat was. Want ik had opeens het vreemde gevoel dat hij de stem had herkend.

## ZESTIEN

De bel snerpte door het huis en Sally zou Sally niet zijn als ze niet als een haas naar de voordeur was gerend. Kennelijk was het geen vertegenwoordiger met wie ze gewoonlijk korte metten maakte, want ik hoorde dat haar stem een octaaf hoger klonk dan normaal. 'Ik zal mevrouw even roepen!'

Ik grijnsde breed toen ik dat hoorde. Alsof we weer in een tijd leefden waarin er nog ontzag en respect was voor werkgevers en rijken.

'Sian ...' Ze vergiste zich. 'Mevrouw, er is een bezoeker voor u.'

'Dank je wel, Sally.' Ik speelde haar spelletje half mee.

'Zal ik koffie zetten?' lispelde ze.

'Koffie? Wij hebben toch al ...'

'Zo'n man laat je toch niet zomaar lopen!' siste ze tussen haar tanden door.

'Sally, wat ...?' begon ik, maar ze duwde me de gang in en ik staarde verbijsterd in het gezicht van Mac. Met zijn lange gestalte vulde hij de deuropening alsof hij iedereen wilde beletten langs hem heen naar buiten te rennen. Ondanks zijn slordige kleding, een spijkerbroek met verfspatjes op een van de knieën, en een te grote, zelfgebreide trui onder een lange ruimvallende regenjas, straalde hij een zelfvertrouwen uit waarbij dat van Graham volkomen in het niet zou vallen.

'Hallo Sian.' Hij kwam naar me toe en pakte mijn handen. Het zweet brak me uit. Wat deed hij hier? Had Hayley hem met een boodschap gestuurd om mij duidelijk te maken dat hij van haar was en dat ik me afzijdig moest houden? Wat dacht ze wel van

me? Dat ik ooit echt een poging zou doen om onder haar duiven te schieten?
'Mac, ik … wat …?'
Hij keek over mijn schouder en ik realiseerde me dat Sally ongegeneerd stond toe te kijken.
'Zal ik koffie zetten, mevrouw?' herhaalde ze met een veelbetekende flikkering in haar donkere ogen voor.
Ik keek verdwaasd naar Mac, die knikte alsof hij niet anders had verwacht.
'Dat is goed, Sally, dank je.'
'Wilt u de koffie in de woonkamer of in de serre, mevrouw?'
Ik bedwong een hoog nerveus giechellachje. Ze moest nu niet gaan overdrijven. Mac was niet achterlijk, die zou heus wel begrijpen dat ze een rol speelde.
'In de woonkamer,' zei ik kortaf en voordat ze me nog meer in verlegenheid kon brengen, loodste ik Mac de gang uit.
'Ik had er geen idee van, Sian,' zei hij. 'Dat je een huishoudster hebt, bedoel ik.'
Ik glimlachte en in de woonkamer trok ik de deur achter ons dicht. 'Ze vindt het leuk een rol te spelen. Ze is de werkster. Ze is er maar drie ochtenden in de week.'
We keken elkaar aan en barstten in lachen uit. Onze ogen ontmoetten elkaar en ik werd me weer bewust van dat alles verterende, verlammende gevoel dat me slap en kwetsbaar maakte. Op mijn uitnodigende gebaar ging hij op het midden van de bank zitten en, trots omdat ik zo verstandig was, liet ik mezelf op een stoel tegenover hem zakken, de stevige salontafel tussen ons in.
'Ik dacht dat ik je wel dat boek kon brengen waarover we het bij

Hayley hebben gehad,' zei hij, een pakje uit de zak van zijn regenjas halend. 'Je zei dat je het nog niet gelezen hebt.'
Hij wikkelde een stuk slordig afgescheurd bruin pakpapier van het betreffende boek dat hij op de salontafel in legde. 'De schaduw van de wind'. 'Dat is aardig van je, Mac.'
'Ja.' Hij begon aandachtig de kreukels uit het pakpapier op te strijken. 'Je hoeft er geen haast mee te maken. Ik bedoel, als je eerst nog wat anders te lezen hebt. Ik heb er geen haast mee het terug te krijgen.'
Ik keek naar de grond. Mijn vingers trilden en mijn handpalmen waren vochtig. 'Ik zou niet eens weten hoe ik het je terug moet geven,' zei ik schor.
'In het boek zit een briefje met mijn adres en telefoonnummer.'
Misschien was het verbeelding van me maar ik had de indruk dat hij even hard zijn best deed Hayley's naam te ontwijken als ik. Als hij haar echt als zijn vriendin beschouwde, dan was het logischer geweest het boek bij haar achter te laten ...
'Hoe ... hoe wist je waar ik woon?'
'Ik heb alle adressen van Lewis in het telefoonboek geprobeerd.'
De wetenschap dat hij moeite had gedaan me te vinden, wond me op. Evenals de vraag waarom hij niet gewoon mijn adres aan Hayley had gevraagd. Ik was geen schoolmeisje meer, maar zo voelde ik me wel. Ik was negenentwintig, voor de tweede keer getrouwd. Mijn eerste huwelijk met Billy was gestrand omdat we allebei te jong en te impulsief waren geweest. Die fout had ik niet gemaakt toen ik met Graham was getrouwd. Nu was ik al ruim twee jaar de vrouw van Graham, de tegenpool van Billy. Ik had van Billy gehouden, en ik hield van Graham, maar ik had me

nog nooit zo opgetogen, zo licht en blij gevoeld als nu. We keken elkaar aan. Ik wist dat ik iets moest zeggen om de spanning te doorbreken, maar ik kon niets bedenken.
Gelukkig koos Sally dat moment om binnen te komen. Ze duwde de deur met haar heup open en zette met een uitgestreken gezicht een dienblad op de salontafel. Haar ogen schoten tussen Mac en mij heen en weer. Ik wist hoe nieuwsgierig ze was. Inwendig moest ik haar bewonderen om de enorme zelfbeheersing waarmee ze zich onthield van dubbelzinnig commentaar en haar blik onderdanig neergeslagen hield. Alsof ze een dienstmeid was uit de tijd van Jane Austen en de zusters Brontë knikte ze en trok ze zich beheerst terug. Het ontbrak er nog net aan dat ze een klein buiginkje maakte. Waarschijnlijk zou ze achter de deur blijven rondhangen, de oren gespitst.
'Sian, over Hayley ... '
Ik schudde mijn hoofd. 'Ze is mijn beste vriendin, Mac.'
Hij knikte rustig. 'Hayley en ik zijn vrienden, Sian, niets meer dan dat.'
'Ik weet niet zeker of zij daar ook zo over denkt,' zei ik voorzichtig.
'Ik heb het haar duidelijk genoeg gemaakt.'
'Dinsdagnacht kwam ze heel laat bij je vandaan,' zei ik bijna beschuldigend, me tegelijkertijd afvragend hoe het mogelijk was dat we in deze situatie verzeild waren geraakt. Ik durfde hem niet aan te kijken. Het hele gesprek was absurd. We waren bezig alle excuses uit de weg te ruimen. Waarvoor? Voor een korte affaire waarmee we Hayley, Graham en Joost mocht weten wie zouden kwetsen?

'Heeft ze je dat verteld?'
Hem over Hayley's fobie vertellen was helemaal uit den boze. Het was een zwakte waarvoor ze zich diep schaamde. Ze zou het me nooit vergeven. En ik mezelf ook niet.
'Min of meer,' zei ik daarom.
Hij keek ongemakkelijk naar zijn handen. 'Ik weet niet wat ik moet zeggen, Sian. Maar Hayley en ik ... ze maakte er geen geheim van dat ze wilde blijven. Ik zag dat ze gek op mij was. Ik wilde haar niet kwetsen, maar ik wilde haar ook niet blij maken met een dode mus.' Hij pauzeerde even. 'Ik ben niet verliefd op haar.'
'Zij wel op jou.'
'Dat weet ik.'
Ik slikte. Zijn onthulling impliceerde consequenties die ik niet wilde overzien. Zeker niet in zijn bijzijn. Ik was getrouwd. Het zou mij niets mogen uitmaken of Hayley en Mac iets hadden.
Mac keek tersluiks om zich heen en schoof onbehaaglijk heen en weer. Hij had zijn lange benen uitgestrekt tot onder de koffietafel.
'Je hebt een mooi huis.'
Ik haalde vluchtig mijn schouders op. 'Het is van Graham. Er is weinig van mij bij.'
'Je hebt het toch wel zelf ingericht?'
'Dat had mijn voorgangster al door een binnenhuisarchitect laten doen,' zei ik droog. 'Grahams eerste vrouw.'
Hij glimlachte vluchtig. 'Dat verklaart veel. Op de een of andere manier kon ik geen verband leggen tussen jou en de keuze van het interieur.'
Ik had kunnen weten dat hij een oog had voor stijl en kleurcom-

binaties. Hij was kunstschilder. Noodgedwongen vulde hij zijn inkomen aan met werken in de keuken van een plaatselijk café om de enorm hoge huur van zijn studio in het centrum van St.Ives te betalen. Hij was juist gaan spelen met het idee om het riskante leven van kunstenaar op te geven toen hij een opdracht voor een dozijn schilderijen had gekregen van een gerenommeerde galerie in Londen. Hij had een voorschot gekregen en een stoot adrenaline, maar uit voorzichtigheid had hij zijn baantje in het café niet opgezegd. Misschien had hij toch meer weg van Graham dan ik dacht.

'Moet ik dat als een compliment opvatten?'

'Jazeker!' We lachten en keken elkaar aan en ik wist opeens precies wat de uitdrukking 'de vonken slaan over' betekende. Ik wilde hem aanraken, zijn huid voelen onder mijn vingers, zijn ogen heel dicht bij de mijne zien, met mijn handen door zijn haren woelen. Hij leek te voelen wat er door me heen ging want ik zag dat zijn adamsappel een paar keer heftig op en neer ging.

Van ons tweeën was hij de verstandigste. 'Ik denk dat het beter is dat ik ga,' zei hij met een zwak glimlachje.

'Nee.' Ik greep mijn koffiekopje. 'Je hebt nog niet eens je koffie gedronken.'

Hij stond met een flauw hoofdschudden op. 'Je bent getrouwd, Sian.'

'Ja, maar ...' Ik zweeg. Ik kon hem niet vertellen dat mijn huwelijk met Graham niets meer voorstelde, want dat was niet waar. Nauwelijks vierentwintig uur geleden hadden we nog met elkaar gevrijd en hoewel ik daarbij aan Mac had gedacht, was het zeker niet zo dat ik geen gevoelens meer had voor Graham.

Ik volgde hem naar de deur. 'Mac, ik … het boek … hoe … ?'
Hij knikte even naar het strookje papier dat ik tussen het boek vandaan had gehaald. 'Je hebt mijn adres. Je weet waar je me kunt bereiken.'
Ik slikte. 'Je weet dat ik je niet zal bellen,' zei ik ellendig, denkend hoe oneerlijk het was tegenover mijn beste vriendin. En tegenover mijn echtgenoot. Een reactie, welke dan ook, werd hem bespaard. De deur werd opengeworpen en Sally stond in de opening, een geagiteerde blik in haar donkere ogen.
'Is alles naar wens, mevrouw?' informeerde ze ademloos, op een toon die me bijna in lachen deed uitbarsten. Ik opende mijn mond om haar te vragen waarom ze zich zo idioot gedroeg, maar een beweging in mijn ooghoek deed me verstommen.
Graham stond op de drempel van de voordeur alsof hij een acteur was die een groots entree op het toneel maakte en nu verwachtte dat het publiek hem een staande ovatie zou geven. In een oogopslag nam hij de situatie in zich op en ik had het ellendige gevoel dat hij precies wist wat zich hier afspeelde.
Hij was in het voordeel, hij was in zijn eigen territorium. Hij maakte zich meteen meester van de situatie. 'Ik wist niet dat je bezoek had, schat.' Hij kwam rustig naar me toe en legde zijn arm om me heen. Op geen enkele andere manier had hij duidelijker kunnen maken dat ik de zijne was.
Ik moest moeite doen om zijn arm niet van me af te duwen. 'Dit is Connor Mackenzie,' zei ik zo kalm en waardig mogelijk. 'Hij is een vriend van Hayley. Mac, dit is Graham, mijn man.'
Ze schudden elkaar niet de hand, maar knikten elkaar toe als twee boksers die net voor de wedstrijd door de scheidsrechter

werden gedwongen elkaar ogenschijnlijk sportief te begroeten. Wederzijdse agressie en de wens om hard toe te slaan smeulden onder de oppervlakte.
‘Mac kwam me een boek lenen waar we het over hebben gehad toen ik bij Hayley was.’
Graham knikte slechts. Zijn aandacht leek verflauwd, maar ik kende hem goed genoeg om te weten dat hij alert was op elke beweging, elke stembuiging van mij, op elk teken dat erop kon duiden dat zijn huwelijk gevaar liep. Met afgrijzen dacht ik aan het papiertje waarop Mac zijn adres had achtergelaten. Welk excuus kon ik daarvoor hebben als hij alleen maar een vriend van Hayley was?
‘Laat ik jullie niet verder ophouden,’ zei hij, waarna hij bezitterig zijn lippen op de mijne drukte, lang genoeg om er de nadruk op te leggen dat hij elk recht had dat te doen. ‘Ik kom alleen iets ophalen.’
Zonder Mac en mij nog een blik waardig te keuren, rende hij de trap op en ik hoorde hem heen en weer lopen in onze slaapkamer. Ik was me ervan bewust dat Mac onbeweeglijk naast me stond. Mijn lichaam deed bijna pijn van spanning. Het leek alsof we elkaar niet meer durfden aankijken, laat staan iets zeggen. Ik vermoedde dat hij zich zo snel mogelijk uit de voeten wilde maken, voordat hij schade kon aanrichten. Hij kende Graham niet goed genoeg om te weten dat hij dat al had gedaan.

# ZEVENTIEN

Ik kon Mac niet uit mijn hoofd zetten. Ik wist hoe onmogelijk dit alles was, maar ik kon wel zingen van een vreugde die zich door mijn hele lichaam leek te hebben verspreid. Vermoedelijk was dat de reden dat ik de vrouw die nog geen uur later op de stoep stond, met enthousiasme begroette. Ze reageerde met een verraste glimlach en er laaide een hoopvolle glans op in haar donkere ogen.

'Mevrouw Lewis? Sian Lewis?'

'Dat ben ik.'

Ze was een jaar of 45, klein en slank, en ze had een massa goudblond haar om jaloers op te zijn. Haar glimlach zou warm en sympathiek zijn als ze niet zo nerveus was geweest. Iets in haar oogopslag kwam me bekend voor, maar ik wist zeker dat ik haar nog nooit had ontmoet.

'Ik geloof niet dat ik u ken,' zei ik weifelend, toen ze te lang naar me bleef staren.

'Ik kom voor Jeremy.' De glimlach had plaats gemaakt voor iets van een zielige teleurstelling.

'Jeremy? Het spijt me. Er woont hier geen Jeremy.'

Ze likte nerveus langs haar lippen. 'Nee, nee, ik bedoel dat ik voor Jeremy kom. Ik wil graag met u over hem praten.'

Er begon me iets te dagen. Ik dacht aan de waarschuwing van Graham. De moeder van Jeremy Parker, op het oorlogspad om alles voor haar zoon te doen wat in haar vermogen lag. Onwillekeurig trok ik de deur dichter tegen me aan, zodat de deuropening smaller, minder uitnodigend werd.

'Mijn man is er niet,' zei ik vriendelijk. 'U kunt hem beter zelf bellen als u een afspraak met hem wilt maken.'
'Ik wil hem niet spreken, maar u. Jeremy heeft me over u verteld. Hij zegt dat u heel aardig bent. Dat u hem kunt helpen.'
'Ik kan niets voor uw zoon doen, mevrouw Parker. Ik weet niet eens wat er precies gebeurd is. U moet echt ...'
'Mijn zoon is onschuldig, mevrouw Lewis.'
'Dan zal dat wel blijken als alles is onderzocht.'
Ze vertrok haar mond tot een verbitterde, cynische grimas. 'Denkt u nou echt dat Jeremy een kans heeft? In zijn eentje tegen dat machtige bedrijf?'
Ik zag de moedeloosheid, de vertwijfeling in haar ogen. 'Waarom denkt u dat ik kan helpen, mevrouw Parker?'
Ze schudde licht haar hoofd, verdedigend. 'Het was niet mijn idee om naar u toe te komen, mevrouw Lewis. Jeremy heeft me hiertoe overgehaald. Hij wil met u praten. Alleen met u. Hij zegt dat hij belangrijke informatie heeft. Hij heeft niets gedaan, maar hij denkt te weten wie er werkelijk achter zit.'
'Waarom komt hij daar dan niet zelf mee?'
'Omdat hij het niet kan bewijzen.'
Ik kreeg medelijden met haar omdat ze zo dapper voor een verloren zaak streed. Tegelijkertijd voelde ik bewondering voor haar trouw en haar onvoorwaardelijke geloof in haar zoon. 'Ik ben bang dat ik echt niets voor hem kan doen,' zei ik vriendelijk.
Tot op de dag van vandaag weet ik niet wat er gebeurd zou zijn als Sally niet dat moment had gekozen om zich klaar te maken voor vertrek. Ze knoopte haar jas tot onder haar kin dicht en keek nieuwsgierig langs mij naar mevrouw Parker die nog steeds op

de stoep stond.
'Er zit nog koffie in de pot,' zei ze met een lichte frons.
Ik perste mijn lippen op elkaar omdat ik in het bijzijn van mevrouw Parker niet tegen Sally wilde uitvallen. Tegelijkertijd keek ik mevrouw Parker aan. Ik merkte opeens hoe bleek en grauw haar gezicht was, de stille wanhoop in haar ogen, de handen die onrustig wriemelden met de zoom van haar mouwen.
'Dank je wel, Sally,' zei ik ironisch, me voornemend dat ik haar er later op moest wijzen dat ze buiten haar boekje was gegaan. Dat Graham me soms als een voetveeg of als een onmondig kind behandelde, betekende niet dat mijn werkster dat ook kon doen. Ik vond niet dat Sally het recht had zich te bemoeien met iemand die ze niet eens kende. En zeker wilde ik me niet laten dwingen mevrouw Parker binnen te laten. Noodgedwongen trok ik de deur verder open om Sally naar buiten te laten gaan.
'Tot maandag, Sian,' knikte ze wat stuurs en ze wierp mevrouw Parker een speculatieve, argwanende blik toe. Die ging gedwee een stukje opzij.
'Dag Sally. Bedankt.' Ik wendde me weer tot mevrouw Parker, die even geen raad wist met de situatie. Sally bleef staan alsof ze nog iets van me verwachtte, maar ik verdacht haar ervan mee te willen luisteren. Kennelijk was het haar ontgaan wie de vrouw op de stoep was en vond ze dat ze niet eerder naar huis kon gaan dan dat ze er het fijne van wist.
'Wilt u misschien binnenkomen?' zei ik opeens, met een vals lachje in de richting van Sally. 'Zoals u hebt begrepen, zit er nog koffie in de pot.' Mijn ogen ontmoetten die van Sally. Ze zag de uitdaging in de mijne, haalde haar schouders op en liep naar haar

auto op het garagepad.
Ik had niet verwacht dat mevrouw Parker zou weigeren. 'Nee, dank u wel. Aardig van u, maar dat is echt niet nodig. Ik moet terug naar huis, naar Jeremy. Hij is zo gedesillusioneerd en depressief dat ik hem niet te lang alleen wil laten.'
Haar laatste woorden troffen me. Ik had geen reden gehad te twijfelen aan Grahams woorden, aan zijn stellige overtuiging dat Jeremy Parker het bedrijf had bestolen, maar nu besefte ik dat ik me totaal niet had verdiept in de impact die dit alles had op Jeremy en zijn familie. Een jonge man aan de voet van de carrièreladder gevloerd door welke omstandigheden dan ook. Ik was er voetstoots van uitgegaan dat hij schuldig was en dientengevolge vond ik dat hij zijn straf niet mocht ontlopen. Waar ik niet aan had gedacht, was de mogelijkheid dat hij onschuldig kon zijn. Hoe het moest zijn om ergens van te worden beschuldigd waar je part noch deel aan had, onmachtig te zijn om je onschuld te bewijzen, terwijl iedereen argwanend en beschuldigend met de vinger naar je bleef wijzen.
Verward staarde ik naar mevrouw Parker. Deze vrouw kende haar zoon. Intuïtief wist ze dat hij onschuldig was. Als ze ook maar het geringste sprankje twijfel had, zou ze het kantoor van Graham niet ingestormd zijn, of zou ze niet naar mij toegekomen zijn voor de laatste strohalm.
'Het spijt me dat ik u lastig heb gevallen,' zei ze met een mat glimlachje en ik had het nare gevoel dat ik door haar op mijn plaats was gezet. In haar situatie zou ik niet meer tot zoveel beleefdheid in staat zijn geweest. Ze glimlachte triest en draaide me haar rug toe.

‘Laat Jeremy me maar bellen,’ zei ik impulsief. ‘Ik wil wel naar hem luisteren.’

Over haar schouders keek ze me een ogenblik aan alsof ze dacht dat ze me niet goed had verstaan. Toen vonden haar ogen de mijne en met een zwijgend knikje liep ze weg. Haar voeten knarsten op het witte grind van de oprijlaan in een uitgestelde echo van die van Sally.

# ACHTTIEN

Een van de taken die ik Sally niet had gegeven maar die ze eigenzinnig naar zich toe had getrokken, was het ophalen van de post. Ze genoot ervan naar het eind van de oprijlaan te gaan en de brieven en folders uit de brievenbus te halen, dit alles met het doel in een heel wat trager tempo terug te lopen zodat ze alle tijd had om de post te bestuderen. In het begin had dit aspect van haar eigengereide gedrag me geïrriteerd maar zo langzamerhand had ik me erbij neergelegd dat ze niet voor verbetering vatbaar was.
Zoals gewoonlijk had ze de brieven op het tafeltje in de hal gelegd. Er was een brief voor Ella, de rest was voor Graham. Ik bemoeide me nooit met de post voor Graham. Evenmin hield ik me bezig met de rekeningen die het huis betroffen, de verzekeringen, het elektriciteitsgebruik. Graham hield van dat soort zaken allerlei uiterst nauwkeurige schema's bij.
Hij gaf me maandelijks een royaal bedrag dat ik naar eigen inzicht kon besteden. De enige keer dat het tot een fiks meningsverschil had geleid, was toen ik mijn budget had overschreden. Hij had me een preek over de waarde van geld gegeven die me nog lang daarna heugde en vervolgens had hij een volledige stand van zaken geëist. Ik had de hele kwestie zo gênant en vernederend gevonden, dat ik er sindsdien wel voor zorgde dat zoiets nooit meer gebeurde.
Ik pakte de brief voor Ella en ging haar woongedeelte binnen. De envelop legde ik voor haar op tafel en ik vroeg of ze nog iets nodig had. Ze keek me aan alsof ze zich afvroeg wie ik was. Wanneer ze zo verward was, begon ze meestal over Clarissa. Uit

ervaring wist ik dat ons gesprek tot niets anders zou leiden dan irritatie en verdriet en daarom maakte ik me weer snel uit de voeten.

Toen ik even later in mijn eentje in de zonnige serre zat aan mijn gebruikelijke lunch, een schaaltje yoghurt met stukjes vers fruit, en met het boek van Mac op mijn schoot, ging de telefoon.

'U zei tegen mijn moeder dat u wel naar me wil luisteren,' zei Jeremy Parker voorzichtig.

'Ik weet niet zeker of ik wel iets voor je kan doen, Jeremy.' Ik had al lang spijt van mijn toezegging, maar er klonk onderdrukte wanhoop in zijn stem en ik kon me er niet toe brengen nu terug te krabbelen.

Ik zuchtte en legde mijn boek omgekeerd neer. Graham zou razend zijn als hij ontdekte dat ik achter zijn rug om contact had gehad met de uit de gratie geraakte collega die zo smadelijk was ontslagen.

'Ik wil alleen maar dat u naar me luistert, mevrouw Lewis.'

'Is dat alles? Ik moet je waarschuwen, Jeremy, dat ik geen invloed heb op Graham. Laat staan op de directie van Oldham & Firth.' Terwijl ik de woorden uitsprak, hoorde ik zelf hoeveel ze feitelijk zeiden over mijn huwelijk. Ik hoopte dat het Jeremy niet zou opvallen. 'Ik moet u iets vertellen, mevrouw Lewis, maar dat doe ik liever niet door de telefoon. Kunnen we misschien ergens afspreken?'

Met de telefoon tegen mijn oor liep ik naar de hal. Naast de trap bleef ik staan en ik keek naar boven alsof ik verwachtte dat Graham elk moment ten tonele kon verschijnen. Wat onzin was, want hij was op zijn werk.

‘Ik zou je ergens kunnen ontmoeten,’ zei ik voorzichtig.
Hij begreep heel goed dat ik hem niet thuis kon uitnodigen. ‘Komt u dan alstublieft naar mij toe. Ik begrijp dat u niet wilt dat iemand u met mij ziet.’ Met iemand bedoelde hij natuurlijk vooral Graham.
‘Dat is waar.’ Ik draaide me om. Jeremy stond op het punt me het adres te geven. Vanwege de hele toestand schaamde hij zich zo voor de buren dat hij zich in het flatje van zijn zus had teruggetrokken. Ik had niet meteen een pen en papier bij de hand. Mijn knie stootte tegen het haltafeltje en de brieven vielen op de grond. Een vage herinnering kwam opeens boven. Even vergat ik Jeremy.
‘Een bekeuring,’ had Sally met rollende ogen gezegd, toen ze de post had neergelegd.
‘Voor mij?’
‘Nee. Voor Graham.’
Ik pakte de brieven van de grond en legde ze zonder ze te bekijken terug op het haltafeltje. In de woonkamer noteerde ik Jeremy’s onderduikadres op de rand van de krant. Hij drong erop aan me zo spoedig mogelijk te ontmoeten, liefst dezelfde dag nog, maar om de een of andere reden hield ik de boot een klein beetje af.
‘Goed dan, Jeremy, maandagmiddag om half twee.’ Dan was Graham op zijn werk en Sally al weer naar huis vertrokken. ‘Maar Jeremy, verwacht er alsjeblieft niet te veel van. Ik heb niets met het bedrijf te maken,’ benadrukte ik ten overvloede.
‘Dat weet ik, mevrouw Lewis.’ Jeremy pauzeerde even. ‘Doet u alstublieft voorzichtig,’ voegde hij er toen aan toe. ‘Er gebeuren de laatste tijd vreemde dingen.’

Ik lachte toen ik de telefoon neerlegde. Ik kon geen enkele reden bedenken waarom ik me zorgen zou moeten maken. Op dat moment in elk geval nog niet.

# NEGENTIEN

'Heeft Jeremy Parker contact met je opgenomen?'
Met geen mogelijkheid was ik bedacht op zo'n directe vraag. Ik voelde mijn gezicht schuldig kleuren en ik kon me er niet toe kon brengen Graham recht in de ogen te kijken.
Hij bleef een paar tellen in de deuropening staan, zijn attachékoffer in zijn ene hand, in de andere de post van het tafeltje in de hal. Ik knipperde met mijn ogen en vroeg me af hoe ter wereld hij erachter was gekomen dat ik Jeremy had gesproken.
'Wel, Sian? Geef je nog antwoord?' Ik voelde me als een lam dat naar de slachtbank geleid wordt. Graham klonk koel en afstandelijk, bijna alsof het hem niet interesseerde tegen wie hij sprak, laat staan dat hij zich om mijn gevoelens bekommerde.
'Je weet kennelijk al wat het antwoord is,' zei ik effen.
'Ik wilde het van jou zelf horen.' Hij zette zijn koffertje op zijn stoel. Bij gebrek aan een adequate reactie zocht ik mijn heil achter sarcasme. 'Hallo Graham. Hoe was je dag vandaag?'
Toen we pas getrouwd waren had hij het plezierig gevonden met die vraag begroet te worden. Ik was er echter al gauw mee opgehouden omdat hij zich meestal beperkte tot een kort en algemeen antwoord. Soms wees hij me af met de opmerking dat het te ingewikkeld was om allemaal uit te leggen. Ik drong nooit aan. Ik had geen enkele affiniteit met cijfers. Woorden als budgetten, begrotingen en solvabiliteit interesseerden me niet. Ik vond echter dat hij me er niet van kon beschuldigen dat ik het niet had geprobeerd.
Hij reageerde niet, zijn gedachten waren ver weg.

'Wat denk je?' reageerde hij. 'Het is nog steeds een chaos op kantoor. Het werk gaat natuurlijk gewoon door, maar tegelijkertijd ben ik bezig in kaart te brengen welke schade Parker precies heeft aangericht.'
'Dat wisten jullie toch al?'
'Bij benadering, ja.' Hij trok aan zijn das en maakte het bovenste knoopje van zijn overhemd los. 'Ik beschouw het als mijn plicht om te proberen zoveel mogelijk van de schade te herstellen. Om het geld dat hij achterover heeft gedrukt, terug te krijgen. Het zal waarschijnlijk verspilde moeite zijn, want Parker is uiterst slim te werk gegaan, maar ik wil in elk geval mijn uiterste best doen.' Hij hield op en zijn mond krulde tot een humorloos lachje. 'Hoe is het met jou, mijn mooie vrouw?' Hij strekte zijn arm naar me uit en ik stapte gedwee naar hem toe. Zijn armen gleden om me heen, losjes maar met de overduidelijke boodschap dat ik het niet in mijn hoofd moest halen me los te wringen. Hij kuste me op mijn wang, toen in mijn hals en vervolgens trok hij met zijn lippen een vederlicht spoor naar beneden. Hij duwde de opening van mijn blouse opzij en kuste de aanzet van mijn borsten.
'Hm, je ruikt lekker,' zei hij goedkeurend. 'Wat wilde Parker van je, Sian?'
Het had geen zin er omheen te draaien. Bovendien was ik niet van mening dat ik iets verkeerds had gedaan. Als echtgenote van een directielid had Graham het altijd aangemoedigd dat ik me met het personeel bemoeide. Ik bracht bloemen naar personeelsleden die op de een of andere manier een mijlpaal in hun carrière hadden bereikt en ik bezocht de zieken met een fruitmand.
'Jeremy wil dat ik naar hem luister.'

'Waarnaar?'
Ik haalde mijn schouders op. 'Hij beweert dat hij onschuldig is. Dat hij het slachtoffer is van een samenzwering.'
Hij lachte honend. 'Zegt hij dat? En jij gelooft hem?'
'Dat heb ik niet gezegd. Hij belde me op en hij klonk zo depressief dat ik ermee instemde hem te ontmoeten.' Ik aarzelde en voegde er aan toe: 'Maar ik kan de afspraak afzeggen als jij het liever niet hebt.'
'Waar en wanneer heb je met hem afgesproken?'
'Zijn zus heeft tegenwoordig een vriend en ze schijnt meer bij die vriend te zijn dan in haar eigen huis. Jeremy wordt zo belaagd door nieuwsgierige buren dat hij zich nu min of meer schuilhoudt in het flatje van zijn zus. Ik ga er maandagmiddag om half twee heen.'
Zijn hand gleed van mijn schouder via mijn ruggengraat naar beneden, zodat, naar hij heel goed wist, er een plezierige tinteling door me heen ging. Een klein kneepje in mijn achterste werd gevolgd door een arrogant, wetend lachje. Hij was zich bewust van de reactie van mijn lichaam. Ik sloot even mijn ogen en haalde me het gezicht van Mac voor de geest.
Hij draaide zich om en opende zijn koffertje. 'Ik heb er niets op tegen dat je naar hem gaat luisteren, lieverd. Wie weet, vertelt hij jou wel waar hij dat verduisterde geld heeft gelaten. We hebben nog niet alles kunnen traceren, zie je. Maar let wel, niets van wat hij jou vertelt zal mij ertoe brengen zijn ontslag teniet te doen.'
Hij had een paar brieven gepakt en sloot het koffertje secuur af.
'Ik had medelijden met hem, Graham, dat is alles.'
'Medelijden met een oplichter?'

‘Hij zegt dat hij onschuldig is.’

‘Zelfs Josef Fritzl beweert dat hij het allemaal deed omdat hij zoveel van zijn familie hield. Dat maakt hem toch geen onschuldige?’

‘Hoe kun je dat zeggen? Hoe kun je iemand die zijn dochter jarenlang verborgen heeft gehouden in een kelder en haar daar misbruikte, vergelijken met iemand die geld heeft verduisterd?’

‘Het gaat om het principe. Iemand is schuldig of onschuldig. Excuses aanbieden en medelijden wekken zijn niet aan de orde.’

Hij liet me los en zette het attachékoffertje naast zijn stoel, waarna hij ging zitten. Hij legde de krant op zijn knie en begon met een frons de bovenste brief van de post te bekijken.

‘Whisky?’ Mijn vraag was lang geleden overbodig geworden, maar toch kwam het niet in me op om ongevraagd een glas voor hem in te schenken.

‘Graag, lieverd.’ Met zijn duim scheurde hij een van de enveloppen open, zoals gewoonlijk te ongeduldig om de moeite te nemen de brievenopener te pakken. ‘Was dat Hayley’s nieuwe vlam?’ vroeg hij langs zijn neus weg.

‘Wie? O Mac, bedoel je?’ Ik was blij dat ik met mijn rug naar hem toe stond.

‘Wie anders?’ reageerde hij ironisch.

‘De laatste keer dat ik haar sprak kon ze over weinig anders praten.’

‘Hij leek me niet echt haar type.’

‘Vind je?’

Ik draaide me om en zette zijn glas naast hem op een bijzettafeltje. Hij had een herinnering opengevouwen van een rekening van het bedrijf dat onlangs voor de tweede keer een lekkage had verholpen in de woning van Ella. Het was geen veelbelovend begin. Graham zou kwaad en geïrriteerd worden. Hij had al enige tijd een meningsverschil met dat bedrijf omdat hij van oordeel was dat de werkzaamheden onder de garantie vielen. De andere partij dacht daar anders over. Ik twijfelde er niet aan dat Graham als overwinnaar uit de strijd zou komen, maar voorlopig betekende het wel dat zijn humeur aan het zakken was.

Hij keek me over de rand van zijn leesbrilletje aan. 'Misschien is het juist beter dat hij haar type niet is. Ze heeft al zoveel mislukte relaties achter de rug dat ik me net begon af te vragen of er iets mis is met haar.'

Ik was niet van plan de relatie van Hayley en Mac met hem te bespreken. Tijdens het bezoek van Mac moest Graham iets gevoeld hebben van mijn ongewone spanning en ik kende hem goed genoeg om te weten dat hij er over zou doorgaan totdat hij alles tot op de bodem had uitgezocht.

'Er is niets mis met Hayley.'

'Dan kiest ze zeker steeds de verkeerde vrienden uit,' knikte hij losjes. 'Ik vraag me af hoe lang deze man het met haar uit zal houden. Wat zei je dat hij voor de kost doet?'

Op mijn rug balde ik mijn vuisten. 'Ik heb je niet verteld wat hij voor de kost doet, Graham.'

'O nee?' Ik kon de gladde glimlach wel van zijn gezicht slaan. 'Nou? Wat doet hij?'

'Dat weet ik niet precies,' antwoordde ik ontwijkend.

Graham was een man van cijfers en reeksen, van kille logica. Hij kocht kunst omdat hij het als een goede belegging beschouwde,

niet omdat hij er de schoonheid van zag. Iemand die niet volledig zijn brood kon verdienen met kunst stond wat Graham betreft gelijk met een bedelaar.
'Heeft hij dat niet verteld?'
'Nee.' Ik wilde niet meer over Mac praten. Ik produceerde een glimlach en informeerde liefjes: 'Is dat geschil over die lekkage nu nog niet opgelost?'
'Nee.' Hij leek niet van plan de zaak weer met mij te bespreken. Hij vouwde de brief op, duwde hem terug in de envelop en begon de volgende open te scheuren.
'Wàt?' riep hij opeens uit. Zijn gezicht, zelfs de huid onder zijn dunne blonde haar was rood.
'Wat is er?' Ik was er maar gedeeltelijk met mijn aandacht bij.
'Wat zullen we nu beleven?' Hij sprong op en begon heen en weer te lopen. Intussen probeerde hij de brief nog eens goed te bekijken. Toen dat niet lukte bleef hij staan. Ongelovig schudde hij zijn hoofd.
'Dit moet een vergissing zijn.'
'Wat is er, Graham?'
'Dit is echt volkomen belachelijk!' Hij wierp de brief bijna op een agressieve manier naar me toe. Het witte bedrukte vel papier dwarrelde neer op mijn schoot. Alsof hij tot het besluit was gekomen dat de brief te belachelijk was om verder aandacht aan te besteden, begon hij de laatste envelop open te maken.
Ik pakte de brief op en deed mijn best te begrijpen waarover hij zich zo druk maakte. Het was een bekeuring voor te hard rijden. Dat kon de beste gebeuren en ik kon me niet voorstellen dat hij daar zo kwaad om was. Hij was een voorzichtige chauffeur die

zich gewoonlijk keurig aan de regels hield omdat hij vond dat die niet voor niets waren gemaakt. Ik verwachtte niet dat hij veel te hard had gereden. Ik had gelijk. Op het punt waar hij was geflitst had hij maar zeven kilometer te snel gereden.
'Het valt toch wel mee?' zei ik sussend.
'Wat valt wel mee?'
'Die bekeuring. Hier staat dat je de toegestane snelheid maar met zeven kilometer hebt overschreden. Na aftrek van de marge blijft er bijna niets van over. En zo hoog is het bedrag ook weer niet.'
Hij keek me aan alsof ik een kleuter was die nog niet had leren praten.
'Ik hoef je toch niet uit te leggen wat er mis is met die bekeuring, Sian?' zei hij met zoveel minachting in zijn stem dat ik de neiging moest onderdrukken de brief te verfrommelen en de prop in zijn arrogante gezicht te gooien.
'Ze verlangen nota bene dat ik mijn rijbewijs ga opsturen omdat ik er nu drie punten op heb! Kijk alsjeblieft niet alsof dat niet erg is, Sian! Als dit nog een paar keer gebeurt raak ik mijn rijbewijs kwijt! En waarvoor? Omdat iemand kennelijk mijn nummerplaat heeft vervalst!'
'Hoe kan dat nou?'
Hij ontplofte bijna van woede. In zijn blik was te lezen dat hij zich niet kon voorstellen dat hij met zo'n dom wezen als ik was getrouwd.
Zijn toon was zo minachtend dat zijn woorden door mijn ziel sneden. 'Heb je naar de datum van die bekeuring gekeken? Nee? Dat dacht ik wel. Nou, ik ben blij dat jij voor mij zult kunnen getuigen als het erop aankomt dat we naar de rechtbank moeten.'

Ik maakte de fout naar hem te kijken, en niet naar de brief.
'Rechtbank?'
'Ja, rechtbank! Je denkt toch niet dat ik dat accepteer? Die bekeuring is van de vijfentwintigste van de vorige maand. Om bijna half vijf in de ochtend, nota bene!' Hij pauzeerde even om er met triomf aan toe te voegen: 'Dat kan ik onmogelijk geweest zijn!'

# TWINTIG

Ik was totaal niet voorbereid op het telefoontje van Mac. Of ik het boek al uit had. Hij kon het komen ophalen, want hij moest toch in de buurt zijn. Er waren nog een paar boeken van de zelfde schrijver en die kon hij dan meteen voor me meebrengen. En hij was benieuwd wat ik van het boek vond, wilde graag mijn mening horen. Van pure nervositeit hakkelde ik een onverstaanbaar antwoord.

Voor een buitenstaander leek het gesprek misschien onschuldig genoeg maar mijn rode gezicht, mijn glanzende ogen, de taal van mijn lichaam, maakten Sally duidelijk dat er iets aan de hand was. Ze keek me aan met een zonderlinge mengeling van verbazing en voldoening, de slang van de stofzuiger in haar hand, wachtend tot ik het gesprek had beëindigd voordat ze hem weer aanzette. Een prima excuus om mee te luisteren. Ik was niet snel, niet slim genoeg om uit haar gehoorsafstand weg te lopen. Wanneer ik me nu nog ergens terugtrok, zou ze weten dat ik iets te verbergen had. Ze was te pienter, haar brein werkte te snel. Ik was me voortdurend bewust van de argwaan in haar pientere donkere oogjes en van de diepe nadenkende rimpel tussen haar dikke zwarte wenkbrauwen.

Ik wist niet wat ik moest zeggen met Sally binnen gehoorsafstand. 'Heb je het nog niet uit?'

'Jawel, maar ...' Ik haalde diep adem. 'Ik laat het boek wel voor je achter bij Hayley,' zei ik, ten einde raad.

'O.' Hij klonk teleurgesteld en ik kon mezelf wel om de oren slaan. 'Ben je soms niet alleen?'

'Nee.'
Iets van de teleurstelling verdween. 'Sorry. Daar heb ik niet aan gedacht.'
'Geeft niet.'
'Ik bel je een andere keer, goed?'
'Ja, prima.'
Ik schakelde mijn mobieltje uit en duwde het in mijn zak. Met een soort macabere humor bedacht ik dat als ik het ergens neerlegde, Sally heel goed in staat was het te pakken en stiekem het nummer van Mac op te zoeken, om hem vervolgens te bellen met de mededeling dat mijn man het niet zo'n goed idee vond als hij mij belde. Dat zou echt iets voor haar zijn: bemoeizuchtig en kwaadaardig naar mij toe, beschermend jegens Graham.
'Zullen we een kopje koffie nemen?' stelde ze onschuldig voor, terwijl ze de slang van de stofzuiger al neerlegde.
Ik stemde in omdat ik zo gauw geen uitvlucht kon bedenken. De wind waaide dus uit die hoek. Onder het genot van een kopje koffie zou ze me uithoren over Mac. Tien tegen een dat ze had begrepen wie hij was en welk effect hij op me had. 'Zet jij de ketel op, Sian? Dan zuig ik eerst nog even de serre,' zei ze met een tevreden knikje en ze schakelde de stofzuiger in voordat ik iets terug kon zeggen.
Gedwee ging ik naar de keuken. Ik vulde de waterkoker en schepte alvast koffie in onze mokken. Graham, die regelmatig voor zijn werk naar het vasteland van Europa reisde, had me verteld hoe ik koffie moest zetten, met een papieren filter, maar Sally trok er haar neus voor op. Ze nam alleen genoegen met oploskoffie.
Met een diepe zucht zeeg ze op een keukenstoel neer. Ze blies

een paar zwarte krulletjes van haar voorhoofd en veegde denkbeeldig zweet weg.
'Ik heb dat boek ook gelezen.' Dat verbaasde me, want ik vond haar meer een type dat al haar vrije tijd voor de tv doorbracht. Ze wist alle bijzonderheden van de acteurs in elke soapserie en van de tegenwoordig zo populaire reality-programma's.
'Welk boek?' vroeg ik onschuldig.
'Dat wat die man laatst kwam brengen.' Ze pauzeerde weloverwogen en keek me nauwlettend aan. 'Dat was toch de man die je daarnet belde?'
'Ja.' Het had geen zin iets te ontkennen. Als ik dat deed, zou ze des te achterdochtiger worden en nog meer vastbesloten om het naadje van de kous aan de weet te komen.
Ze liet twee klontjes suiker in haar koffie vallen. Een paar druppels koffie kwamen op het tafelblad terecht en ze veegde ze met de zijkant van haar hand weg. 'Ik dacht dat hij de nieuwe vriend van Hayley was,' zei ze, achteloos roerend.
'Dat is hij ook.'
'O ja? Ik heb anders een heel andere indruk gekregen.'
Ik vroeg me af of ze iets aan Graham zou vertellen over het telefoontje van Mac en over haar verdenkingen. Meestal was hij 's morgens al weg wanneer ze kwam, maar soms had ik het benauwende gevoel dat ze achter mijn rug om contact met elkaar hadden. Tot nu toe had ik er weinig aandacht aan besteed; tenslotte betaalde hij haar.
Ik vroeg haar niet naar een verklaring hoe ze die 'andere indruk' had gekregen. De wetenschap dat ik niet in staat zou zijn op onschuldige toon over de relatie van Mac en Hayley te praten, drong

me in de verdediging. Totdat ik bedacht dat ik mijn werkster geen enkele verantwoording schuldig was. Ik rechtte mijn rug en begon over de boodschappen. Of ze dacht dat ik nog iets nodig had.
Ze fronste haar wenkbrauwen. 'Je mag blij zijn dat die vriendin van je iemand heeft.'
Ik keek op. 'Hoezo?'
'Vanwege Graham,' zei ze duister.
'Graham? Hayley en hij zien elkaar bijna nooit. Hij mag haar niet eens. En zij hem ook niet.'
Ze haalde haar schouders op. 'Soms doet ze me aan Clarissa doet denken.'
'Lijkt Hayley op Clarissa?'
'Uiterlijk niet.' Met een voldane blik keek ze me aan. Alsof ze er genoegen in schepte mij een paar vage aanwijzingen te geven en er nu minzaam op wachtte tot ik zou vragen om een nadere uitleg. 'Clarissa had zulk prachtig blond haar,' zei ze langzaam. 'Ze ging eens naar de kapper toen het behoorlijk lang was geworden. Ze vroegen haar of ze het kort wilde hebben. Dan gaven ze haar er geld voor. Voor pruiken, zeiden ze, zo mooi was het!'
Ik was me ervan bewust dat Sally heel goed wist hoe nieuwsgierig ik was. Clarissa was een onderwerp dat voor Graham taboe was. In het begin van ons huwelijk had hij me duidelijk gemaakt dat hij liever niet over haar sprak. Ze was dood, ze was geschiedenis en bovendien had ik niets met haar te maken. Hoewel Sally graag kletste, leek ze de mening toegedaan dat ik ten opzichte van mijn voorgangster ver in de minderheid was. Voor haar een reden om zich in eerbiedig stilzwijgen te hullen.
Ik waagde het erop. 'En deed ze het? Haar haren verkopen?'

'Natuurlijk niet! Ze was er veel te trots op! Het was echt blond, zie je, niets uit een flesje.' Sally gluurde veelbetekenend naar mijn hoofd. Onlangs had ik, naar de laatste mode, een paar lokken in een lichtere, kastanjebruine kleur laten verven. Niet opvallend, maar ik vond dat het wel goed was gelukt. Zelfs Graham had er iets positiefs over gezegd. Uit de blik van Sally kon ik opmaken dat ik het nooit zou winnen van Clarissa.

'Ze had eigenlijk filmster moeten worden,' vervolgde ze diep in gedachten. 'Ik heb nooit begrepen wat ze zag in een baan als accountant. Wat had een mooie, aantrekkelijke vrouw als zij nou met die droge cijfers? Ze verspilde haar schoonheid maar met de boekhoudingen van anderen!'

'Ik dacht dat ze heel goed was in haar vak.'

'O ja. Echt Clarissa. Die nam nooit halve maatregelen.' Ze schudde spijtig haar hoofd. 'Zo zonde! Ze was zo'n prachtige vrouw! Niemand kon aan haar tippen!'

'Hoe lang heb je eigenlijk voor haar gewerkt, Sally?' Het kwam in me op dat ze elkaar waarschijnlijk niet zo goed hadden gekend. Clarissa was niet, zoals ik, elke dag thuis geweest. Evenals Graham had ze bij Oldham & Firth een fulltime baan gehad. Waarschijnlijk waren ze samen van huis gegaan voordat Sally arriveerde.

'Vanaf hun huwelijk, toen ze hier kwamen wonen,' zei Sally met een klein handgebaar.

'Haar dood moet voor jou ook een enorme schok geweest zijn,' zei ik meelevend.

'Natuurlijk. Het was een moeilijke tijd. We konden gewoon niet geloven dat ze er niet meer was. We hebben heel lang de over-

tuiging gehad dat ze op een dag plotseling voor onze neus zou staan.'
Ik knikte langzaam. 'Dat heeft Graham me verteld. Ik denk dat je dat altijd hebt, omdat je niet echt afscheid van haar hebt kunnen nemen.' Clarissa's lichaam was nooit gevonden.
'Dat is het.' Ze stond op en veegde denkbeeldige kruimels van haar jurk.
'O sorry, Sally, we hebben de koek vergeten.'
Ze lachte me toe op haar zonderlinge, bijna afstandelijke manier.
'O, dan drinken we straks toch nog een kopje!'
Ik fronste. We hadden deze ochtend al twee keer gezeten voor een kop koffie. Graham betaalde haar om te werken, niet om met mij te zitten kletsen.
'Ik ga even naar de supermarkt,' verklaarde ik, vastbesloten mijn tijd, en die van Sally, beter te besteden.
Ze knikte rustig. 'Neem je wc-papier mee? Het is nog niet helemaal op, maar ik vind het altijd handig om wat in voorraad te hebben.'

Toen ik bij mijn auto kwam, dook Ella plotseling naast me op.
Ik schrok. Ik moest diep in gedachten verzonken zijn geweest want het kwam me voor dat ik zelfs het grind onder haar voeten niet had horen knerpen. 'O hallo Ella, ik had u niet gezien.'
Haar haren vielen futloos langs haar gezicht dat bleker was dan gewoonlijk, maar haar wangen vertoonden twee kleine ronde blosjes. Haar ogen schitterden koortsachtig achter een paar grote, dikke brillenglazen.
'U heeft uw leesbril nog op,' zei ik vriendelijk.

Ze negeerde mijn opmerking. Met een beschuldigend uitgestoken wijsvinger zei ze luid: 'Ik heb het wel gezien, hoor!'
Afwezig wierp ik een blik op mijn horloge. Ik had geen zin in een praatje met Ella die de helft van de tijd onzin uitkraamde en in herhalingen viel. Ik reageerde echter alsof iemand ongemerkt mijn automatische piloot had ingeschakeld. 'Wat heeft u dan gezien?'
Ze schudde haar hoofd en ik nam me voor haar er bij de eerstvolgende gelegenheid diplomatiek aan te herinneren dat ze weer een afspraak moest maken bij de kapper. Ze had steil haar dat ze halsstarrig in een dusdanig model liet knippen dat ze er onverzorgd uitzag zodra het te lang werd.
'Graham zegt dat ik niet goed bij mijn hoofd ben.' Verbeten perste ze haar dunne bleke lippen op elkaar. Haar lichtblauwe ogen, het wit roze van gesprongen adertjes, schitterden me opstandig toe. 'Maar ik ben echt niet achterlijk!' Het laatste werd uitgesproken met nadruk op elke lettergreep.
'Natuurlijk bent u dat niet,' zei ik geduldig.
'En ik ben ook niet in de war!' Alsof ze haar woorden kracht bij wilde zetten trok ze haar leesbril van haar neus. Uit de zak van het mouwloze wollen vest dat ze elke dag droeg, ongeacht het weer, haalde ze haar andere bril tevoorschijn.
'Graham bedoelt waarschijnlijk alleen maar ...'
'Ik weet wat hij bedoelt!' viel ze me strijdlustig in de rede. 'Hij wil me laten geloven dat ik dingen zie die er niet zijn.'
'Natuurlijk heeft hij niet ...'
Ze duwde haar bril recht en schudde zo heftig haar hoofd dat de te lange slierten haar om haar hoofd waaiden. 'Ik heb haar ge-

zien. Graham kan zeggen wat hij wil, maar ik weet het zeker.' Ik herademde. Ze was er bijna in geslaagd me een schuldig geweten te bezorgen. Maar wat ze ook bedoelde, dit had niets met Mac te maken.
'Aan jou heb ik ook helemaal niets!' beet ze me vernietigend toe. Ze wachtte mijn reactie niet af. Ze draaide zich om en begon weg te lopen.
Ik haalde mijn schouders op en stapte in mijn auto. Toen ik het garagepad afreed stond ze halverwege het tuinpad tussen de rozenperken en ze keek me na met een sombere, ondoorgrondelijk uitdrukking op haar magere gezicht.

Ik slaagde erin Veronica Fielding te ontlopen en ongezien de supermarkt binnen te komen. Het was rustig en ik stond sneller bij de kassa dan ik verwacht had. Ik voelde een vreemde tegenzin om weer naar huis te gaan. Ik bracht mijn aankopen naar mijn auto en toen ik terugliep om het boodschappenwagentje terug te brengen, besloot ik het restaurant in te gaan. Ik bestelde een cappuccino en toen ik die betaalde, kon ik geen weerstand bieden aan de chocolade muffins. Ik leek opeens een onverklaarbare trek te hebben in alles wat met chocola te maken had. Als ik de oplettende blik van de vrouw achter de zelfbedieningsbalie had durven trotseren, zou ik nog meer chocolade muffins hebben gehaald. Ik ging aan een tafeltje bij het raam zitten en ik voelde me opeens zo alleen dat ik bijna hoopte dat Veronica Fielding me zou zien.
Ik dacht aan mijn afspraak met Jeremy Parker en vroeg me af wat hij me te vertellen had. Waarschijnlijk zou hij me van zijn

onschuld willen overtuigen zodat ik moest beloven dat ik een goed woordje voor hem zou doen bij Graham. Ik keek op mijn horloge. Het was net twaalf uur geweest. Ik had om half twee met hem afgesproken, maar ik nam aan dat hij weinig anders te doen had. Zolang hij nog niet van alle blaam was gezuiverd, zou het moeilijk, zo niet onmogelijk, voor hem zijn een andere baan te vinden. En zolang Graham nog bezig was met zijn onderzoek, wist Jeremy ook niet zeker of er een officiële aanklacht tegen hem ingediend zou worden. In welk geval hem zelfs een gevangenisstraf boven het hoofd kon hangen.

Graham was niet zo ingenomen geweest met de gedachte dat ik min of meer heulde met de vijand. Hij had wat ingebonden toen ik had uitgelegd hoe moeilijk ik Jeremy had kunnen weigeren en hij had zich min of meer tevreden gesteld met mijn voorzichtige toezegging dat ik Jeremy een beetje zou uithoren.

Plotseling nam ik het besluit eerder naar Jeremy toe te gaan. Wat maakte een uurtje uit voor iemand die toch niet hoefde te werken? Ik belde hem niet om te controleren of hij er was. Ik twijfelde er niet aan dat ik hem in de flat van zijn zus zou treffen. Zonder er nog een gedachte aan te wijden, reed ik naar het adres dat hij me had gegeven.

Toch aarzelde ik toen ik mijn auto parkeerde op een klein pleintje tussen een paar moderne gebouwen met appartementen. Het was bijna half een, ik was een uur te vroeg. Ik keek omhoog en telde drie etages met galerijen aan deze kant, de deuren waren afwisselend geel en groen geschilderd.

Secuur sloot ik mijn auto af. Het naambordje in de kleine hal vertelde me dat Sharon Parker op de derde etage woonde. Om geen

andere reden dan wat tijd te rekken besloot ik niet met de lift naar boven te gaan. Er was een bel met een intercom naast de brievenbussen, maar die liet ik ongemoeid. Als Jeremy niet in de flat was, zou ik teruggaan naar mijn auto en daar op hem wachten.
Ik was buiten adem toen ik boven kwam. Er moest dringend iets aan mijn conditie gedaan worden. Onlangs had Hayley voorgesteld elke week te gaan zwemmen, maar tot nu toe was er niets van gekomen. Ik drukte op de bel en om een reden die ik niet kon uitleggen, stapte ik opzij zodat ik niet kon worden gezien via het kijkgaatje in de deur. Ik drentelde wat heen en weer en betastte bewonderend een enorme plant die zich koesterde in de stilte van de betonnen omgeving.
Jeremy deed niet open. Ik belde nog eens, al half van plan om naar mijn auto terug te keren. In een opwelling klopte ik met mijn knokkels op de deur en tot mijn verrassing voelde ik die onder mijn hand bewegen.
Ten overvloede drukte ik nog eens op de bel om te waarschuwen dat ik binnenkwam. 'Jeremy!'
Ik duwde de deur verder open en bleef volkomen verbijsterd op de drempel staan.

# EENENTWINTIG

De flat was een complete ravage.
Met open mond staarde ik naar de grond, naar de verzameling jassen, handschoenen, sjaals, oude sleutelbossen en een kaart met instructies wat te doen bij rampen en calamiteiten. Er bovenop lagen de drie omgekeerde laden van het kastje dat onder de nu lege kapstok stond.
'Jeremy?' Zijn naam echode tegen de wanden.
Behoedzaam stapte ik over de verspreid liggende attributen heen. Het halletje was rechthoekig, met deuren in elke muur. Die pal links van de voordeur had een grappig bordje dat aangaf dat zich daar de badkamer bevond. Weifelend keek ik naar de gesloten deuren.
'Jeremy? Hallo? Is daar iemand?'
Ik duwde de deur naar de huiskamer open. De kussens van een moderne crèmekleurige bank waren in het wilde weg opengesneden en plukken van de inhoud staken er als groteske uitwassen uit. Alle boeken, cd's en dvd's waren uit de rekken gehaald, neergesmeten als een berg lastermateriaal, klaar om te worden verbrand. Er was een zwarte buffetkast waarvan de deurtjes open stonden. Ervoor lagen de scherpe splinters van een compleet glasservies, alsof iemand met zijn arm over de planken was gegaan en alle glazen had weggemaaid. Een ronde vaas van Venetiaans glas, met nog twee zielig neerhangende gele tulpen, stond midden op een salontafel van chroom en glas, tot halverwege gevuld met troebel water en daarin de afstandsbediening van de tv. De rest van de tulpen was door het vertrek gestrooid als rozenblaadjes bij

een bruiloft, de stengels met de verslapte bladen kriskras op de tafel alsof iemand had geprobeerd er Mikado mee te spelen. Een moderne, witte laptop was van het beeldscherm ontdaan, de twee helften lagen half op elkaar.
Het beeldscherm van de televisie was met een zwaar voorwerp kapotgeslagen, waarschijnlijk met het bronzen kinderkopje dat er nu bovenop lag. Een gloednieuwe geluidsinstallatie was van een bijpassende unit getrokken, de speakers waren van de muur gerukt, twee waren op de grond gevallen en de andere twee hingen nog aan hun snoertje aan de muur.
Ik geloof dat ik een geluidje maakte. Het was een kreet van afschuw bij het zien van deze ravage, of een snik omdat dit alles zo verschrikkelijk en zo zinloos leek.
'Jeremy?' riep ik nog eens.
Werktuiglijk liep ik naar de salontafel en ik viste de afstandsbediening uit de vaas. Heel kort kwam het in me op om te proberen of hij nog werkte. Belachelijk. De tv deed het niet eens meer. Een kriebel rees omhoog in mijn keel en ik moest mezelf uit alle macht beheersen om niet hardop, waarschijnlijk hysterisch, in lachen uit te barsten. Dit gebeurde in films, in boeken, niet in mijn rustige, eenvoudige leventje. Ik knipperde met mijn ogen en keek nogmaals rond, heimelijk met de flauwe hoop dat ik in een nachtmerrie verzeild was geraakt en dat ik gewoon in mijn bed wakker zou worden.
Geen moment kwam het in me op de flat te verlaten en in mijn auto te wachten op de terugkeer van Jeremy. Om een reden die alleen maar nieuwsgierigheid kon zijn, hervatte ik de inspectie. Glas knerpte onder mijn schoenen. Een grote ingelijste zwart-wit

foto van een besneeuwde bergpiek en silhouetten van een paar klimmers, stond verwrongen tegen de muur onder het haakje waar hij had gehangen. Vreemd genoeg was het deurtje van de muurkluis nog gesloten. Was de inbreker zo boos geweest dat hij de kluis niet kon openen dat hij in razernij de boel maar had vernield?
'Waarom doet iemand zoiets?' vroeg ik me onbewust hardop af.
Ik ging terug naar de hal, me afvragend waar Jeremy was. Hij logeerde hier. Had de inbreker dat geweten en gewacht tot hij weg zou gaan? Een inbraak op klaarlichte dag? Ach, waarom niet? Tegenwoordig was alles mogelijk.
Ik ging naar de keuken. De deur stond op een kier, hoewel ik zou kunnen zweren dat hij bij mijn binnenkomst dicht was geweest. Op de drempel bleef ik staan. Ook hier niets dan ravage. Borden en schalen lagen in grote scherven op de grond, te midden van keukenbestek en gedeukte pannen. De broodrooster was omgekeerd, omringd door kruimels. De waterkoker lag midden in een plas water op de grond. Op het aanrecht, tussen scherven en de inhoud van pakken macaroni, suiker en koffie lag een kapotte jampot met een brei marmelade die zich gedeeltelijk over de kookplaat had verspreid. Een dikke zwarte vlieg deed zich tegoed aan een laagje vet in een koekenpan.
Mijn mond was droog en ik werd mij er opeens van bewust dat mijn hart wild in mijn keel klopte. Ik wist dat ik de flat beter kon verlaten. Het was duidelijk dat Jeremy er niet was en iets anders had ik er niet te zoeken. De ravage leek echter een vreemde aantrekkingskracht op me uit te oefenen.
Zodra ik de deur van de badkamer opende ging het licht auto-

matisch aan en het afzuigsysteem begon zoemend te werken. Ik schrok van het plotselinge geluid en deed onwillekeurig een stapje terug.
Ook hier was alles overhoop gehaald. De volledige inhoud van het medicijnkastje lag op de grond. Een van de flesjes was op de betegelde vloer kapot gevallen en overal lagen kleine gele pillen. Alle keurig opgevouwen handdoeken waren op de grond gegooid en de wasmand was er bovenop omgekeerd. Toen ik de deur weer achter me dichtdeed, constateerde ik dat het afzuigsysteem nog een poosje zou blijven werken.
De slaapkamer naast de keuken was oorspronkelijk bedoeld als logeerkamer. Nu was hij voornamelijk in gebruik als rommelkamer. Er stond een strijkplank met een paar kreukelige overhemden die waarschijnlijk van Jeremy waren. Verder waren ook hier de kasten opengetrokken, zelfs de koffers waren onder het logeerbed vandaan gehaald en opengemaakt.
Ik slikte. Mijn mond was kurkdroog. Mijn hoofd bonsde en mijn gezicht was verhit. Nu de grote slaapkamer nog; ik had geen enkele illusie over de staat waarin het vertrek verkeerde.
'Jeremy?' Mijn stem kraakte van nervositeit en angst. Ik had de malle gedachte dat ik Jeremy in bed zou aantreffen, onkundig van wat zich om hem heen had afgespeeld. Opnieuw bedacht ik dat het beter zou zijn als ik wegging. Ik kon de politie bellen vanuit de veilige beslotenheid van mijn auto. En misschien Jeremy's moeder; zij zou wel weten waar haar zoon was. Haar dochter moest ook ingelicht worden, die zou verbijsterd zijn.
'Jeremy? Ben je hier?' Ik plaatste mijn vingertoppen tegen de deur en met mijn andere hand duwde ik de deurknop naar beneden.

Plotseling leek alles tegelijk te gebeuren. De deur ging zo hard open dat hij tegen de wand erachter knalde en weer terugkwam. Ik deinsde geschrokken achteruit en in mijn plotselinge paniek struikelde ik bijna over de drempel. Op hetzelfde moment kwam er een gestalte achter de openstaande deuren van de kledingkast vandaan.

'Jeremy!' Ik was nog bezig mijn evenwicht te herstellen, toen ik ruw opzij werd geduwd. Een vuist met harde knokkels raakte mijn wang. Opnieuw wankelde ik en ik viel met de zijkant van mijn gezicht tegen de scherpe rand van het deurkozijn. Pijnscheuten joegen door mijn hoofd en plotseling zag ik overal vuurrode, exploderende sterretjes. Iemand gaf me een harde duw tegen mijn schouder waardoor ik opnieuw uit balans raakte. Mijn brein registreerde een onderdrukte verwensing die ik niet verstond. Daarna waren er haastige voetstappen en een voordeur die hard in het slot knalde. Mijn knieën sloegen pijnlijk tegen de rand van een tweepersoonsbed en ik tuimelde voorover. Ik betastte een bonzende, pijnlijke plek aan de zijkant van mijn hoofd. Mijn vingertoppen raakten iets dat nat en warm was. Idioot genoeg was mijn laatste gedachte dat ik gelijk had gehad over de deur van de keuken.

# TWEEËNTWINTIG

Toen ik bijkwam lag ik voorover op het bed, mijn gezicht op een laken van zacht wit en grijs gestreept katoen. Het bijpassende dekbed was aan de andere kant half van het bed geschoven. Langzaamaan keerden mijn herinneringen terug. En daarmee mijn angst. Haastig krabbelde ik overeind. De plotselinge bewegingen bezorgden me duizelingen. Mijn hoofd bonkte. Automatisch bracht ik opnieuw een hand naar de zijkant van mijn hoofd. Er kleefde bloed aan mijn vingers, maar het meeste was opgedroogd.

Vreemd genoeg had ik nog steeds de afstandsbediening van de tv in mijn hand, alsof ik onbewust had gedacht de gebeurtenissen te kunnen regisseren. Ik liet het ding vallen en het kwam kletterend op de laminaatvloer terecht. Het dekseltje ging eraf en de batterijen rolden over de gladde vloer, onder het bed.

Jeremy. Waarom had hij me geslagen en weggeduwd? En waar was hij nu?

Heel even raakte ik in paniek. Heldhaftig hield ik mezelf voor dat het geen zin had medelijden met mezelf te hebben of me dramatische angstbeelden in het hoofd te halen. Weliswaar had ik een klap op mijn hoofd gehad en was ik een poosje buiten bewustzijn geweest, maar ik leefde nog en voor zover ik kon nagaan had ik geen levensbedreigende verwondingen opgelopen.

Verdwaasd keek ik in de spiegel van een elegante witte kaptafel. Hij was kapotgeslagen maar het glas hing nog in de randen en ik zag mezelf er vervormd en verwrongen in weerspiegeld: een niet al te lange vrouw met een spierwit gezicht. Mijn groene ogen waren wijdopen gesperd en ze staarden me verbijsterd aan. Mijn haar, tussen bruin en zwart, hing verward en slordig om mijn gezicht. Ik draaide mijn hoofd een klein beetje opzij. Aan de zijkant ontdekte ik inderdaad een korst bloed.

Ik probeerde de gebeurtenissen op een rijtje te krijgen. Iemand had zich toegang verschaft tot de flat en alles overhoop gehaald. Kapot gemaakt. Waarom? Een inbreker? Nee, want het was duidelijk dat er niet was gezocht naar iets van waarde. De televisie, de laptop, de dure geluidsinstallatie, alles was vernield, niet gestolen. Geld? Waarom was de kluis ongemoeid gelaten? Juwelen? Die lagen verspreid op het blad van de kaptafel, een Oosters juwelenkistje met gekleurde steentjes en spiegeltjes lag tussen de splinters van de spiegel. Een gouden ring met een donkerrode steen was precies op de rand blijven liggen. Mijn eerste gedachte was dat het Jeremy was geweest die me had geslagen, maar dat kwam niet overeen met de ravage in de flat. Ik kon me tenminste niet voorstellen dat hij de flat van zijn zus zou vernielen. Zeker niet nadat ze hem er zo genereus onderdak had verleend. Iemand anders was de flat binnengedrongen en had alles overhoop gehaald. Ik had alleen maar de pech gehad dat ik hem had betrapt.

Automatisch wreef ik mijn met bloed besmeurde handen in elkaar. Toen ik naar de rode vlekken op het laken keek, realiseerde ik me opeens dat ik op verboden gebied was. Ik was een flat binnengedrongen van iemand die ik niet eens kende, waar ik niets te zoeken had.

Ik vond mijn handtas waar ik hem had laten vallen: op de grond bij de deur van de woonkamer. Een lippenstift en mijn mobiele

telefoon waren eruit gevallen. Ik vroeg me af of ik iemand moest bellen. Maar wie? Ik had geen nummer van Jeremy's zus, noch dat van zijn ouders. Toch vond ik dat ze moesten weten wat er was gebeurd. Waarschijnlijk zouden ze zo gauw mogelijk de politie willen bellen. Ik pakte mijn mobieltje en drukte op de ontgrendelknop. Het schermpje bleef donker: de batterij was leeg. Ik nam aan dat er een telefoontoestel in de huiskamer stond. Ik hoopte dat de inbreker dat ongemoeid had gelaten en dat ermee getelefoneerd kon worden. Het toestel had een val op de grond overleefd en behalve een barst in de hoorn had het geen schade opgelopen. Ik legde de hoorn terug en pakte hem meteen weer op. De kiestoon had een geruststellende monotone klank.
Wie kon ik bellen? De politie? Maar hoe kon ik mijn aanwezigheid hier verklaren? Graham? Hij was altijd bedaard en praktisch, hij zou precies weten wat ik moest doen.
Ik was al bezig zijn nummer in te toetsen toen ik me realiseerde dat ik hem zou moeten uitleggen waarom ik eerder dan afgesproken naar Jeremy was gegaan. Hoe kon ik hem uitleggen dat Sally's bedekte toespelingen over Mac me zo onrustig hadden gemaakt dat ik het huis was ontvlucht? Voordat de verbinding tot stand was gekomen, drukte ik haastig op de rode knop.
Met een gevoel van schuld bekeek ik het lijstje contactpersonen in de telefoon. Er stonden namen en nummers in van mensen die ik onmogelijk kon kennen, maar ook van Jeremy's mobieltje. Ik herkende het nummer van het papiertje in mijn tas. Kort verwonderde ik me erover dat ik er niet eerder aan had gedacht Jeremy's mobiele nummer te bellen.
Ik drukte de knop in en aan de andere kant van de lijn hoorde

ik de telefoon overgaan. Met een vage glimlach moest ik opeens denken aan het opgewekte melodietje van een bekende popgroep dat Hayley onlangs van het internet had overgenomen als beltoon voor haar mobieltje. Wanneer ik het nummer op de radio hoorde, moest ik altijd aan haar denken.
Terwijl ik wachtte op Jeremy's stem keek ik afwezig om me heen. Ik kreeg een brok in mijn keel toen ik het hoesje herkende van een cd waarnaar Graham en ik samen vaak hadden geluisterd. Gekocht tijdens een vakantie in Spanje, waar we tijdens de zwoele avonden dicht tegen elkaar aan op die muziek hadden gedanst. Voor onze terugkeer naar huis hadden we de cd gekocht om de herinnering te bewaren. Jeremy of zijn zus was kennelijk ook op vakantie geweest in Spanje.
Ik weet niet wat me ertoe bracht, maar ik liet mijn arm langzaam naar beneden zakken zodat de hoorn niet meer tegen mijn oor drukte. Ik snakte naar adem en mijn hart bonkte plotseling in mijn keel. Ergens dichtbij, ergens in de flat ging een telefoon af.
Jeremy!
Mijn eerste gedachte was dat hij terug was gekomen. Ik had de voordeur niet gehoord maar dat zei niets. Ik was zo opgelucht dat ik de telefoon teruglegde en het toestel weer op de grond zette tussen de boeken, dvd's en cd's. Ik draaide me om en keek verwachtingsvol naar de deuropening, maar tegelijkertijd was ik bang voor zijn reactie. Hij zou toch niet denken dat ik deze chaos had aangericht?
Er gebeurde echter niets. Er klonken geen voetstappen in de hal, geen uitroepen van verbazing, boosheid of schrik bij het zien van de ravage. Geen Jeremy. Niemand.

Ik merkte dat mijn handen trilden en dat mijn hart tegen mijn ribben bonsde. Ik haastte me naar de hal en keek naar de deuren terwijl ik zijn naam riep, eerst behoedzaam, maar daarna steeds luider. Het was alsof een ijskoude windvlaag rechtstreeks van de Noordpool langs mijn rug ging. Kippenvel zette de fijne haartjes op mijn huid overeind. Ik rilde en bedacht onwillekeurig dat ik nu aan den lijve ondervond wat het betekende als je nekharen overeind gingen staan. Ze stonden rechtop van een angst die langzaam maar zeker naar de oppervlakte kwam. Ik weigerde te denken aan de mogelijkheid dat de inbreker, de man die mij had geslagen, terug was gekomen.
Ik haastte me naar de woonkamer, pakte de telefoon op en drukte op de herhaaltoets. Daarna legde ik de hoorn op de grond. Een vrolijke beltoon speelde opgewekt door de flat, ik hoefde het mobieltje van Jeremy alleen maar te vinden. Ik hield mezelf voor dat Jeremy het op een oplader had achtergelaten of had vergeten het mee te nemen. Waarschijnlijk lag het nu ergens verborgen onder de puinhopen. Ik probeerde mezelf daar tenminste van te overtuigen, terwijl ik intuïtief wist dat er een andere verklaring voor moest zijn.
Het stak half uit zijn broekzak. Gebiologeerd staarde ik naar het herhaalde oplichten van het beeldschermpje, telkens wanneer de stilte werd doorkliefd door het melodietje.
Mijn knieën begaven het bijna en ik leunde slap voorover. Met mijn ene hand steunde ik op de rand van het bed, met de andere hield ik de knop van een kastdeur vast. Ik hoorde een geluid dat op een snik leek maar ik reageerde er niet op: ik wist dat ik het zelf was.

Ik huilde geluidloos. Tranen stroomden onafgebroken over mijn gezicht. Zo nu en dan vertroebelden ze mijn zicht, maar ik deed geen moeite ze weg te vegen.
Jeremy lag languit op zijn rug op de grond aan de andere kant van het bed. Ik had hem niet eerder gezien omdat het dekbed gedeeltelijk over hem heen hing.
Ik rilde en hoorde mijn tanden op elkaar klapperen. Ik was flauw gevallen op het bed, minutenlang had ik vlakbij hem gelegen zonder me te realiseren dat hij daar tussen het bed en het raamkozijn op de grond lag.
Zijn gezicht zag er wonderlijk schoon en glad uit, ontspannen bijna. Zijn ogen waren gesloten. Ik bukte me en beroerde voorzichtig een stukje van zijn been waar zijn broek een stukje naar boven was geschoven. Zijn huid voelde koel en strak aan en ik deinsde geschokt achteruit. De vredige uitdrukking op zijn gezicht had me op een zijspoor gezet. In een enkel waanzinnig moment had ik geloofd dat hij alleen maar bewusteloos was en dat hij elk ogenblik kon bijkomen.
Ik wist niet waarom ik er zo zeker van was, maar ik wist dat hij dood was. Ik slikte een paar keer snel achter elkaar om opkomende misselijkheid te onderdrukken. Ik trok het dekbed op het bed en staarde naar de wond aan de zijkant van zijn hoofd, naar de plas bloed ernaast op de grond. Op zijn borst stond een asbak van dik groen glas met gouden luchtbelletjes gevangen in de bodem. Aan de rand ervan zat gedroogd bloed. Werktuiglijk pakte ik de asbak op en zette ik hem op het nachtkastje, waar ik veronderstelde dat hij hoorde.
Mijn lichaam begon hevig te schokken. Ik had er helemaal geen

controle meer over. Ik moest iets doen, maar ik wist niet wat. Jeremy was dood. Ik merkte dat ik iets mompelde. Jeremy had iets in zijn linker hand, half verscholen onder zijn andere arm. Met afgrijzen herkende ik niet alleen de envelop, maar ook het logo van Oldham & Firth. Hij was precies zo'n envelop als die ik in de auto van Graham had gevonden, die thuis nog steeds in een schoenendoos onder in mijn kast lag. Zonder erover na te denken boog ik me voorover en ik trok de envelop onder zijn arm vandaan. Zonder erin te hoeven kijken, wist ik wat de inhoud was. Donkerrood bloed kleefde aan mijn vingers en op het moment dat ik mij ten volle realiseerde dat het Jeremy's bloed was begon mijn maag op te spelen. Gal brandde in mijn slokdarm en ik rende naar de badkamer.

# DRIEËNTWINTIG

'Lieve help! Wat is hier gebeurd?'
Ik had niets gehoord, geen deur, geen voetstappen, niets. Mijn eerste reactie was dan ook dat de inbreker, en de moordenaar van Jeremy, was teruggekomen.
Tegelijkertijd besefte ik dat ik de envelop nog in mijn hand had. Zonder me af te vragen waarom ik dat deed, duwde ik hem vlug in mijn handtas.
Voetstappen, en de stem, kwamen dichterbij.'Wie is daar? Jeremy? Wat is er gebeurd?'
Ik was nog in de badkamer en veegde over mijn natte gezicht. In de spiegel zag ik een spierwit gezicht met nog verbijsterde ogen. Ik had overgegeven in de wasbak. De zurige brokstukjes uit mijn maag waren verdwenen in de gaatjes van de afvoer. Een beweging in mijn ooghoek en ik zag een gestalte die midden in de rommel in de hal was blijven staan. Ze had de voordeur onberispelijk achter zich dicht gedaan. Ik had haar naderende voetstappen wel degelijk waargenomen maar ik was zo verdwaasd geweest dat het niet tot me was doorgedrongen. Nu pas herkende ik haar stem.
Ik schraapte mijn keel en ze draaide zich met een ruk om. 'Mevrouw Lewis? Wat doet u hier?' De blik van mevrouw Parker liep over van een mengeling van ongeduld en verwarring, dwaalde af en ging naar mijn hoofd.
'Is dat bloed?' vroeg ze toen met iets van beginnende ontzetting.
Ik bedacht me dat ze Jeremy niet mocht zien. Niet zo, niet zonder waarschuwing. Voor zover ik dat kon, moest ik haar eerst uitleg-

gen wat er was gebeurd. Ik veegde mijn vochtige gezicht af met een handdoek die ik in het wilde weg uit de wasmand viste.
Terwijl ik naar haar toe liep keek ik haar aan. Ik slikte een brok in mijn keel weg. Ik wist niet hoe ik het haar moest vertellen, hoe ik haar kon voorbereiden op het feit dat haar zoon dood was. Opnieuw schraapte ik mijn keel en ik zocht vergeefs naar de juiste woorden.
Haar blonde haar zat nu strak naar achteren, op haar achterhoofd vastgemaakt met een grote goudkleurige speld. Zelfs bij haar oren en in haar nek waren geen kleine lokjes ontsnapt.
'Wat doet u hier, mevrouw Lewis? En waar is Jeremy?'
Zonder waarschuwing begon ik te huilen. Ik kon geen woord uitbrengen, in plaats daarvan schudde ik mijn hoofd. Vagelijk was ik me ervan bewust dat ze moest weten wat er met Jeremy was gebeurd. Ik kon haar niet naar de slaapkamer laten gaan, maar haar het vreselijke nieuws brengen kon ik ook niet.
'Wat is er gebeurd?' Ze kwam op me af en greep hardhandig mijn bovenarmen beet. 'Wat heeft u gedaan?'
'Gedaan? Ik?' Er schoot een vreemd hysterisch lachje uit mijn keel. 'U denkt toch zeker niet dat ik deze ravage heb aangericht?'
De schok van het aantreffen van het lichaam van Jeremy woog bijna niet op tegen de beschuldiging in haar ogen. 'Dat gelooft u toch zeker zelf niet?'
'Als jij dit niet hebt gedaan, wie dan wel? Waarom zeg je niets? Je staat daar maar naar me te kijken alsof ik van de maan kom. Wáár is Jeremy?' Ze greep opnieuw mijn arm en begon me zachtjes door elkaar te schudden. 'Wat is er gebeurd?'
Ik rukte me los. Demonstratief wreef ik over mijn bovenarmen

maar ze keek naar mijn hoofd en leek zich toen pas te realiseren dat ik gewond was.
'Je hebt een wond op je hoofd. En er zit allemaal bloed aan je handen.'
Door haar plotselinge komst had ik mijn handen niet goed gewassen. Ik slikte en voelde me weer misselijk worden. Hoe kon ik haar uitleggen dat het bloed aan mijn handen van haar zoon was? Mijn ogen werden voortdurend in de richting van de slaapkamer getrokken. Automatisch volgde ze mijn blik en ik zag dat haar ogen zich een beetje verwijdden. Het moest zo langzamerhand tot haar doordringen dat er iets vreselijks was gebeurd.
Ze deed een paar stappen opzij en omdat ik vreesde dat ze de slaapkamer binnen wilde gaan, stak ik mijn hand uit om haar tegen te houden. Ik stootte een onsamenhangend geluid uit. 'Nee! Niet doen. Wacht.'
Ze zuchtte met iets van gelatenheid, alsof ze blij was dat ik haar tegenhield. 'Dit leidt tot niets,' zei ze ferm. 'Moeten we de politie niet bellen? En hen laten weten dat er is ingebroken?' Geleidelijk had ze de gedachte laten varen dat ik voor dit alles verantwoordelijk was.
Opeens sloeg ze haar hand voor haar mond. 'Jeremy is … lieve help, Sharon! Wat zal zij hiervan zeggen?'
'Mevrouw Parker, er is iets wat u moet weten.'
Ze keek me aan en moest de ernst op mijn gezicht zien want haar ogen werden donker van angst. Ze opende haar mond maar er kwam geen geluid uit.
Ik kon haar niet aankijken. 'Ik … het spijt me zo verschrikkelijk, mevrouw Parker.'

Ze schudde koortsachtig aan mijn arm. 'Waar heb je het over? Er is wat gebeurd, hè? Er is iets ergs gebeurd! Zeg het dan toch, mens!' Haar stem schoot schril uit en eindigde bijna in een schreeuw.

Ik slikte. De juiste woorden wilden me niet te binnen schieten. Ik wist dat er geen enkele vriendelijke, voorzichtige manier was. Daarom zei ik plompverloren: 'Hij is dood. Jeremy.'

Ze maakte een beweging alsof ze me wilde slaan. 'Je liegt! Jeremy kan niet dood zijn! Waar is hij? Waarom is hij er niet? Hoe ben jij hier binnengekomen?'

Ik wilde me losrukken, maar ze liet me abrupt los en duwde me zo hardhandig weg dat ik met mijn rug tegen de muur viel. Door de klap snakte ik naar adem. Mijn benen werden slap en ik liet me op de grond zakken. Ik kon haar niet meer tegenhouden. Zonder dat ik het haar had verteld wist ze waar ze Jeremy kon vinden. Me voorbereidend op haar reactie luisterde ik naar haar snelle voetstappen tot ze stilhielden naast het voeteneinde van het bed. Een schijnbaar eindeloze stilte vulde de flat. Toen begon ze te gillen.

## VIERENTWINTIG

Toen mevrouw Parker eindelijk ophield met jammeren drukte ik haar een plastic bekertje met water in de handen. Haar lichaam schokte zo hevig dat ze het bijna niet kon vasthouden. Mijn eigen ontzetting had inmiddels plaatsgemaakt voor een dodelijke kalmte, waarschijnlijk een reactie op haar enorme verdriet.

Ik dirigeerde haar naar de woonkamer en deed de deur van de slaapkamer achter ons dicht. Ik pakte een kussen van de grond en duwde zo goed en zo kwaad als dat ging de plukken vulling naar binnen zodat ze op de bank kon gaan zitten. Zelf bleef ik staan, besluiteloos omdat ik snakte naar een kop thee maar haar niet alleen wilde laten.

'Ik zal thee gaan zetten. Maar eerst moeten we de politie bellen.'

Ze keek me aan met grote ronde ogen en met een blik die me vertelde dat de afschuwelijke waarheid nog niet goed tot haar was doorgedrongen. Even leek het erop dat ze op het punt stond me verwonderd te vragen waarom ik de politie wilde bellen. Toen slikte ze haar woorden in en knikte ze alleen maar apathisch.

Ik pakte de telefoon weer van de grond en belde de politie. Zo kort en beheerst mogelijk vertelde ik dat er een ongeluk was gebeurd. Toen me werd verzocht een korte uitleg van het gebeurde te geven en ik wel moest antwoorden dat er iemand was overleden, begon mevrouw Parker als een gewond moederdier te kermen.

Ik liet haar alleen om thee te zetten. Haar gehuil was bijna onverdraaglijk, ik wist niet hoe ik haar kon troosten. Ik viste de waterkoker van de grond en inspecteerde het apparaat. Ik veegde

de scherven van het aanrecht in de gootsteen, vulde de waterkoker en stak de stekker in het stopcontact. Tussen de rommel op de grond vond ik een paar theezakjes. Ik schudde ze zo goed mogelijk uit om ze te ontdoen van scherfjes en vuil. In afwachting van het koken van het water ging ik met tegenzin terug naar de huiskamer. Mevrouw Parker had zich in zoverre hersteld dat ze op felle, beschuldigende toon een verklaring van me eiste. Waarom had ik Jeremy gedood? Ik schudde mijn hoofd, maar ik zei niets. Aan haar ogen zag ik dat ze mijn ontkenningen niet wilde horen. Ze zocht een zondebok en voorlopig was ik de eerste en enige die voorhanden was.
'Jullie hadden hier afgesproken,' beet ze me toe. 'Je zou met hem praten.'
'Dat hadden we inderdaad afgesproken.'
'Je zou vanmiddag pas komen.'
'De plannen waren gewijzigd.' Ik vertelde haar niet wat de reden daarvoor was. Evenmin dat Jeremy er niets van had geweten.
Ze begon weer te huilen en omdat ik het niet kon aanhoren ging ik terug naar de keuken. Ik wist niet wat ik voor haar kon doen. Geen woord, geen gebaar leek op zijn plaats bij het verschrikkelijke nieuws van de dood van een kind.
Tussen de rommel op de grond vond ik twee mokken zonder oor, maar verder leken ze me nog wel bruikbaar. Ik spoelde ze onder de kraan om voordat ik er heet water in goot. Om tijd te rekken keek ik aandachtig toe hoe het water de kleurstoffen uit het theezakje opnam. Ik roerde totdat de thee donker en sterk was geworden. Er was geen melk in de koelkast. Ik wist niet of ze suiker gebruikte maar het leek me een goed idee een paar klontjes in

haar mok te gooien.
Ze keek niet op toen ik de mokken op de salontafel zette. Volkomen wezenloos zat ze naar de grond te staren en ze leek zich niet bewust van mijn aanwezigheid. Ik zette een stoel rechtop en ging zitten.
Na een eeuwigheid werd er gebeld. 'Dat is de politie.' Omdat ik opeens op de gedachte kwam dat ik niet het recht had om als gastvrouw op te treden, zei ik: 'Wilt u open gaan doen?'
Ze verroerde zich echter niet en nadat er nog eens langer en dooringender was gebeld, stapte ik tussen de rommel door naar de voordeur.
Twee agenten, allebei in uniform. Een al wat oudere man en een vrouw van mijn eigen leeftijd. Ze noemden hun naam en hielden me legitimatiebewijzen voor die ik geen blik waardig keurde. Ze keken me verwachtingsvol aan, maar ik deed zwijgend een stap achteruit en gebaarde dat ze binnen konden komen. Ik vroeg me af of ik hen thee moest aanbieden, maar de gedachte aan het gebrekkige servies deed me ervan afzien.
'Wat is hier gebeurd?' vroeg de mannelijke helft van het duo.
Ik hikte en bedwong een nerveus lachje. Domme vraag, zeker voor een politieman. Elke leek kon zien dat hier een inbreker aan het werk was geweest. En had ik niet duidelijk genoeg verteld dat er iemand dood was?
'Inbraak,' zei ik binnensmonds.
'We hebben een melding gekregen van een ongeluk,' zei zijn collega terechtwijzend alsof ze de inbraak niet van belang vond. 'Heeft ù de politie gebeld?'
'Ja.'

‘Woont u hier?’
‘Eh … nee.’
‘Wat is uw naam?’
‘Sian Lewis,’ zei ik na een korte aarzeling. Graham zou me niet in dank afnemen dat onze naam hierin werd betrokken.
De mannelijke agent was voorzichtig naar de huiskamer gelopen en ik hoorde mevrouw Parker naar hem krijsen dat ik haar zoon had vermoord.
Alsof ze op de gedachte was gekomen dat ik er wel eens vandoor kon gaan, posteerde de agente zich tussen mij en de deur. Ze keek me fronsend aan. ‘U bent niet alleen?’
Domme vraag. Ik slikte een hysterisch lachje weg. Tegen wie dacht ze dat haar collega sprak?
‘Dat is mevrouw Parker. Ze is de moeder van het slachtoffer. Of eigenlijk van allebei de slachtoffers.’ Ik dacht aan Sharon Parker, die haar broer had verloren en wier bezittingen grotendeels waren vernietigd.
‘Ik begrijp het,’ zei ze kortaf en ik dacht bij mezelf dat ze er juist niets van begreep.
Haar collega kwam terug. De uitdrukking op zijn gezicht vertoonde een mengeling van onbehagen en ongeduld. ‘U zegt dat er ingebroken is en zij zegt dat u haar zoon hebt vermoord.’
‘Dat is waar.’ Ik probeerde zo rustig en beheerst mogelijk over te komen. ‘Ik bedoel … het is waar dat er hier is ingebroken. En dat er iemand dood is. Maar ik heb het niet gedaan.’
‘We zullen even gaan kijken,’ zei de vrouwelijke agent sussend alsof ze het nodig vond me gerust te stellen. ‘Waar kunnen we het slachtoffer vinden?’ Ze keek me aan alsof ze sterk twijfelde aan

mijn verstandelijke vermogens.
'De slaapkamer.' Met mijn duim wees ik over mijn schouder. Verder verroerde ik me niet. Voor geen goud zette ik nog een voet in die kamer. Ik wist dat ik dan weer naar Jeremy zou moeten kijken. Dat wilde ik niet meer. Zijn beeld stond toch al in mijn geheugen gegrift.
'Weet u wie het slachtoffer is?'
'Natuurlijk.' Wat een belachelijke vraag. Of misschien ook niet, want het zou ook nog de inbreker zelf kunnen zijn. 'Het is Jeremy Parker. Hij woont hier. Tijdelijk. Dit is de flat van zijn zuster.'
Om beurten gingen ze de slaapkamer in. De ander bleef bij mij staan alsof ze bang waren dat ik ervandoor zou gaan. Het kwam kennelijk niet in hen op dat ik dat al lang voor hun komst kon hebben gedaan. De gedachte me terug te kunnen trekken, te doen alsof er niets gebeurd was, lokte me eigenlijk wel aan. Ik snakte naar een paar momentjes rust.
Ze kwamen pas goed in actie toen ze op gedempte toon hadden vastgesteld dat er geen sprake was van een ongeluk, maar van moord. Of het een ongelukkige samenloop van omstandigheden was geweest of een koelbloedige moord, deed op dit moment nog niet ter zake. Ze belden om versterking en om een ambulance en daarna nog eens om de technische recherche voor sporenonderzoek.
Niet lang daarna liepen er allerlei vreemde mensen in en uit. Er waren mensen in witte pakken die onzichtbare pluisjes in plastic zakjes deden en alle aanwijzingen zorgvuldig in een zwarte koffer legden. Er waren agenten in uniform die probeerden nieuwsgierige buren op afstand te houden. Er was een fotograaf die alle

vertrekken in ging en voortdurend met zijn camera flitste. Er kwam een man met een platte tas die hij angstvallig vasthield. Hij hield hem onder zijn arm toen hij weer uit de slaapkamer tevoorschijn kwam. Aan niemand in het bijzonder, aan alle toehoorders die toevallig aanwezig waren, deelde hij formeel mee dat het slachtoffer inderdaad was overleden. Daarna verschenen er twee mannen van een ambulancewagen met een brancard waarop een opgevouwen grijze deken lag. Ik zat naast mevrouw Parker die leek te zijn gereduceerd tot de helft van wat ze was geweest.
Toen de man met de platte tas op het punt stond weg te gaan verscheen er een donkere man in een lange zwarte regenjas. Hij stelde me dezelfde vragen als zijn geüniformeerde collega's al eerder hadden gedaan.
Het leek er veel op dat de agenten de hysterische beschuldigingen van mevrouw Parker aan mijn adres serieus namen, maar deze man bleef naar me glimlachen en slaagde erin de indruk te wekken dat hij mijn vriend was en dat ik hem kon vertrouwen.
Op een zeker moment merkte iemand op dat ik een wond aan mijn hoofd had. Na enig overleg werd ik onder begeleiding van de vrouwelijke agente van het eerste uur naar de Eerste Hulp van het ziekenhuis gebracht. Ze week geen moment van mijn zijde, zelfs niet toen ik in de behandelkamer op een bed werd gelegd. Een assistent-arts maakte mijn wond schoon, haalde voorzichtig wat van mijn haar weg met een soort scheermesje. Ik had me niet gerealiseerd dat het zo erg was tot hij me kortaf vertelde dat er twee hechtingen nodig waren. Met een flauwe glimlach vertelde hij me dat de wond niet zo heel erg was, maar dat hij op een lastige plek zat. Zijn ervaring was dan ook dat de hechtingen noodzakelijk

waren om te voorkomen dat ik weer terug moest komen.
De politieagente hoorde alles met samengeknepen mond aan. Ze had haar mening over mij nog niet aangepast. Uiteindelijk begon de arts-assistent te vermoeden dat er meer aan de hand was dan mijn hoofdwond, want hij ontweek mijn blik en maakte zijn karweitje verder zwijgend af.
'Waar brengt u me eigenlijk heen?' vroeg ik toen we in de politiewagen van het ziekenhuisterrein weg reden. Ik kon me niet herinneren dat ze mijn adres had gevraagd.
'Naar het politiebureau.' Ze keek even snel opzij en voor het eerst bespeurde ik iets van sympathie in haar blik. 'U moet nog een officiële verklaring afleggen. Daarna zal iemand u wel naar huis brengen.'
Ik greep naar mijn tas en probeerde niet aan de envelop van Jeremy te denken. Ongetwijfeld zouden er wenkbrauwen opgetrokken worden en verdenkingen rijzen zodra iemand de inhoud zou zien.
Zonder logische reden herinnerde ik me dat de batterij van mijn mobiele telefoon leeg was. 'Ik wil iemand bellen.'
'We kunnen misschien wel iets regelen,' zei ze ontwijkend. 'Dat moet u op het bureau maar even vragen. Wie wilt u bellen?'
Ik aarzelde. Vreemd genoeg sprong de naam van Hayley het eerst bij me naar voren. Ik had haar zo vaak uit een netelige situatie gered dat ze op zijn minst nu iets voor me terug kon doen. Maar wat kon ze doen behalve mijn hand vasthouden en me bemoedigend aankijken? Graham was misschien een logischer keuze, maar ik voelde me niet opgewassen tegen zijn reactie zodra hij vernam in welke situatie ik verzeild was geraakt. Hij was mijn man, hij zou

het niet leuk vinden dat ik niet hem belde maar Hayley. Zodra hij zich de ernst van de situatie realiseerde, zou hij een rots in de branding voor me worden. Hij zou me door dik en dun steunen en me niet aankijken met de speculerende blik van iemand die niet zeker wist of ik wel onschuldig was.

De stem van de agente rukte me uit mijn overpeinzingen. 'U hoeft echt nog geen advocaat te bellen,' zei ze met een vleugje humor. 'Voorlopig moet u vertellen wat u in de flat deed, hoe u het slachtoffer aantrof. Dan wordt er daarna een officiële verklaring opgesteld die u moet ondertekenen.'

Ik ging niet op haar woorden in. 'Is het gek dat ik eigenlijk het idee heb dat ik iemand moet bellen maar ik zou niet weten wie?'

'Dat is niet gek, dat komt door de schok,' zei ze sympathiek en plotseling barstte ik in huilen uit.

# VIJFENTWINTIG

De man had de lange regenjas uitgetrokken. Eronder zat een zwart pak, een zwart overhemd en een dito stropdas. Hoewel de kleur tijdloos was, wekte hij op de een of andere manier de indruk dat hij een periode achterliep in de mode. Hij had een smal gezicht met oren die iets te ver van zijn hoofd stonden. Zijn blik was scherp en onderzoekend, maar om zijn mond lag een zweem van een vriendelijkheid die direct vertrouwen inboezemde.

De agente gaf me een bemoedigend hoofdknikje. Voordat ze zich terugtrok gaf ze haar superieur een summier verslag van mijn bezoek aan de Eerste Hulp. Hij luisterde geconcentreerd en liet me met een vluchtig handgebaar plaatsnemen aan een tafel tegen de muur. Het vertrek was kaal en saai. Er stond niets anders dan een lange tafel met een computer en een printer en aan weerszijden twee stoelen. De deur viel met een deurdranger geruisloos achter me in het slot.

Ik probeerde me te ontspannen. Toen mijn blik op een klok aan de muur viel, was ik verbaasd dat het al vier uur was geweest. Ik meende me te herinneren dat het ongeveer half een was geweest toen ik naar Jeremy's logeeradres was gegaan. De tijd was omgevlogen zonder dat ik er erg in had gehad.

De man in het zwart ging zitten en trok een toetsenbord naar zich toe.

'Heeft de agente uitgelegd dat we samen uw verklaring gaan doornemen, mevrouw Lewis?'

Ik staarde hem aan. Zijn ogen waren van een soort rokerig grijsblauw en zijn huid zag eruit of hij veel buiten was.

‘Wie bent u?’ vroeg ik abrupt. Ik besefte terdege dat hij zich wel had voorgesteld maar ik had niet naar hem geluisterd en ook niet naar zijn politiepasje gekeken.
Zijn mond krulde geamuseerd. ‘Inspecteur Miller.’
Hij nam een bundeltje aan elkaar geniete papieren in zijn hand en met een somber voorgevoel schoof ik naar het puntje van de stoel. ‘Ik heb al een verklaring afgelegd,’ zei ik op ongeduldige toon. ‘Een van de agenten heeft alles opgeschreven. Ik ben moe. Wanneer mag ik naar huis?’
‘Dat klopt. Ik wil nog even een paar punten van uw verklaring met u doornemen. Daarna zal ik alles uitprinten en kunt u het nog eens nalezen voordat u het ondertekent.’
‘Ik heb honger en dorst en ik ben moe,’ zei ik weerspannig.
Zijn uitdrukking veranderde niet. ‘Helaas kan ik u alleen koffie of thee of water aanbieden.’
‘Koffie dan maar.’
Hij fronste licht en voegde er bijna verontschuldigend aan toe: ‘Het komt uit een automaat.’
Ik liet me niet uit het veld slaan door zijn duidelijke tegenzin. ‘Alles wat goed genoeg is voor de politie is dat ook voor mij,’ mompelde ik sarcastisch.
Hij liet de deur openstaan en ik hoorde hem een groet wisselen met iemand die kennelijk naar huis ging. Ik zuchtte. Plotseling voelde ik me uitgeput en ik wist dat ik nog maar weinig kon verdragen. De omvang van de gebeurtenissen overviel me en het had een verwoestend effect op wat er nog over was van mijn energie. Ik kon niet meer helder nadenken. Waarom lieten ze me niet naar huis gaan en morgen terugkomen? Jeremy was dood, daaraan

was toch niets meer te veranderen. Ik kon me niet voorstellen dat er iets was dat niet tot de volgende dag kon wachten.
Miller zette twee plastic bekertjes op de tafel tussen ons in en liet zich zakken op een stoel die er net zo oncomfortabel uitzag als de mijne. Hij was er kennelijk aan gewend want hij vertrok geen spier.
'Waarom laat u me niet naar huis gaan? Ik kan morgen terugkomen.' Er viel me iets in. 'Is mevrouw Parker hier ook?'
'Nee. Haar dochter heeft haar opgehaald.'
'Waarom mag zij wel naar huis en ik niet?'
'Wij hebben haar verklaring al,' antwoordde hij neutraal.
'U heeft de mijne ook.'
Ik greep mijn bekertje koffie en slaakte een gilletje toen ik mijn vingers bijna brandde.
'Het is heet,' zei hij ten overvloede, met een zweem van een glimlach in zijn ogen. Hij leunde achterover en vouwde zijn handen achter zijn hoofd. Zijn lange benen strekte hij uit alsof hij me duidelijk wilde maken dat hij volkomen ontspannen was en alle tijd van de wereld had.
'Mevrouw Lewis, zullen we beginnen? Des te eerder is dit gesprek ten einde.'
'Oké,' zei ik tam. 'Vraagt u maar.'
Ik had verwacht dat hij iemand was die met twee wijsvingers typte en zo nu en dan naar de juiste toets moest zoeken maar hij werkte met verrassende snelheid. Hij draaide het beeldscherm van de computer zodanig dat we het allebei konden zien en hij begon met het doornemen van mijn eerder afgelegde verklaring. Alles was kort en bondig opgesteld en ik kon er weinig fouten

of onwaarheden in ontdekken. Op vragen van Miller kon ik wat details toevoegen, maar dat was dan ook alles.

Toen we bijna aan het eind van mijn verklaring waren, kwam hij terug op de reden voor mijn bezoek aan Jeremy.

'U heeft eerder verklaard dat u om ongeveer half een in het appartement van meneer Parker kwam.'

'Dat klopt.'

Hij knikte onverstoorbaar. 'Waarom ging u naar hem toe?'

'Hij wilde met mij praten.'

'Waarover?'

Ik gaf niet meteen antwoord. Tot nu toe had ik het onderwerp van de verduistering bij het bedrijf waar Graham werkte handig kunnen omzeilen, maar ik realiseerde me dat er nog heel wat meer lastige vragen zouden komen zodra Miller ontdekte dat Jeremy op staande voet was ontslagen. Tegelijkertijd begreep ik dat ik er weinig aan kon doen om het verborgen te houden. Het was niet mijn verantwoordelijkheid. Dat Graham en zijn bazen nog geen officiële aangifte hadden gedaan was omdat ze huiverig waren voor negatieve publiciteit. Dat leek nu onontkoombaar. Ongetwijfeld zou er iemand komen die zijn dood in verband bracht met zijn ontslag. Was dat verband er ook echt of berustte alles op toeval?

Ik had de indruk dat Miller vermoedde dat ik een relatie had met Jeremy. Hij herhaalde zijn vraag niet, maar Miller trok zijn eigen conclusies. In plaats daarvan vroeg hij: 'Vond u het niet vreemd dat hij er niet was?'

'Eigenlijk hadden we een uur later afgesproken, maar ik was toevallig in de buurt en ik nam aan dat hij er wel zou zijn.'

Hij knikte bedaard. 'Mevrouw Lewis, u hebt al in uw verklaring gezegd dat u in alle vertrekken was geweest voordat u meneer Parker aantrof. Ik wil graag dat u een lijst maakt van alles wat u hebt aangeraakt. Uiteraard zullen we uw vingerafdrukken controleren.' Hij boog zich naar voren en de klank van zijn stem onderging een subtiele verandering. 'Mevrouw Lewis, legt u mij alstublieft eens uit waarom u de asbak pakte en terugzette. U zag het bloed eraan, u begreep toch wel dat dat waarschijnlijk het moordwapen was?'

Het koude zweet brak me uit. Hij bedoelde toch niet dat ik iets met de dood van Jeremy te maken had?

'Ik heb er helemaal niet aan gedacht, inspecteur. Ik dacht gewoon dat de asbak daar niet hoorde.'

Hij knikte met een blik die aangaf dat hij mijn verhaal zonderling en verdacht vond. Het begon er op te lijken dat hij nog lang niet met me klaar was.

Voor het eerst kreeg ik het benauwende gevoel dat het er wel eens niet zo rooskleurig voor me uit kon zien. Ik wilde naar huis, in bed kruipen, het dekbed over mijn hoofd trekken en doen alsof er niets met Jeremy was gebeurd. Als hij echt geld had verduisterd, dan was zijn ontslag verdiend, maar moord was heel iets anders.

Ik moest ook nadenken over de envelop die ik bij Jeremy vandaan had gehaald. Niemand had er nog aan gedacht de inhoud van mijn tas te willen zien. Dat kon echter elk moment gebeuren en ik wilde een logische verklaring bij de hand hebben. Maar hoe ter wereld kon ik uitleggen dat het bloed erop van Jeremy was zonder mezelf verdacht te maken?

Miller veranderde abrupt van onderwerp. 'Heeft u uw mobiele

telefoon bij u?'
Ik pakte mijn tas van de grond naast me en begon er zenuwachtig in te grabbelen. Mijn vingers trilden zo hevig dat ik ze niet onder controle had. Toen het me niet meteen lukte het mobieltje te vinden, werd ik duizelig van angst bij de gedachte dat hij zou aanbieden me te helpen.
'De batterij is leeg.' Met een kinderachtig triomfantelijk gebaar hield ik het apparaatje met het blanco schermpje omhoog. Hij schudde echter zijn hoofd en stak zijn hand ernaar uit. 'Daar weten wij wel raad mee.'
Voordat hij het mobieltje kon pakken, trok ik mijn hand vlug terug. 'Wacht eens even. Jullie kunnen niet zomaar naar mijn berichten kijken. Dat is schending van mijn privacy.'
Hij zuchtte vol ongeduld. 'Mevrouw Lewis, doet u altijd zo moeilijk? Natuurlijk heeft u recht op uw privacy, maar ik ben bezig met een onderzoek naar een moord.'
'Waarvoor heeft u mijn mobieltje nodig?'
'Ik controleer alles, mevrouw Lewis.'
'Gelooft u me soms niet?'
Opnieuw zuchtte hij. 'U beweert dat Parker u belde om een afspraak met u te maken. Ik wil vaststellen of dat waar is.'
'Hij belde niet naar mijn mobieltje, maar naar de huistelefoon.'
Hij knikte alsof ik hem niets nieuws vertelde. 'We gaan ook de telefoon van Parker na.'
Ik moest opeens aan Mac denken. Ik had hem op het hart gedrukt me niet thuis te bellen, maar altijd naar mijn mobieltje.
'Dan heeft u mijn mobieltje niet nodig.'
Zijn mond krulde. 'Geloof me, mevrouw Lewis, we kunnen een

schat aan informatie uit uw mobiele telefoon halen.'
'Toch begrijp ik niet waarom ik ...'
Hij onderbrak me met een diepe zucht. 'Mevrouw Lewis, waarom werkt u niet gewoon mee?'
Opeens voelde ik me beschaamd. 'Oké, u heeft gelijk. Het spijt me. Ik wil echt wel meewerken aan uw onderzoek, maar ik ben zo ontzettend moe.'
Hij bleek een man van snelle besluiten. 'Goed, mevrouw Lewis, we zullen het er voor vandaag bij laten. U kunt gaan op voorwaarde dat u zich morgenochtend om tien uur bij mij meldt. En ik moet u vragen uw mobiele telefoon hier achter te laten voor nader onderzoek.'
'De batterij is leeg,' herhaalde ik.
Ik kwam haastig overeind, bang dat hij van gedachten zou veranderen.
'Dat is geen probleem voor ons.' Hij aarzelde even. 'Ik moet u formeel vragen het land niet te verlaten.'
Ik draaide me op mijn hakken om en zei ironisch: 'Ik zou niet weten waar ik naar toe moest gaan, inspecteur.'
Voortvarend pakte ik mijn jasje en stak ik mijn armen in de mouwen. Hij was blijven zitten en keek onaangedaan toe.
'Kan ik ergens een taxi bellen?'
Hij kwam ook overeind. Met een blik op de klok aan de muur zei hij losjes: 'Ik zal u even thuisbrengen.'
'Dat is helemaal niet nodig,' sputterde ik. 'Als ik ergens een taxi kan bellen …'
'Ik moet toch uw kant op.' Om me de mond te snoeren greep hij mijn elleboog en door een wirwar van gangen leidde hij me naar

een deur die toegang gaf tot een parkeerplaats achter het gebouw.
'Heeft u uw man al gebeld?' vroeg hij plotseling.
'Nee.'
'Misschien is het verstandig dat te doen,' zei hij op vriendelijke toon, terwijl hij een donkerrode auto opende. 'U heeft heel wat te verwerken gehad.' Ik was er net even in geslaagd de gedachte aan het lichaam van Jeremy naar de achtergrond te schuiven. Later, wist ik, zou de reactie op dit alles me overvallen. Het hele verhaal opnieuw te moeten vertellen zou alles oprakelen en dat wilde ik niet. Daarom had ik tot nu toe niemand willen bellen. Zelfs Graham niet. Juist Graham niet. Ik snakte naar een beetje rust. Ik wilde eerst alle gebeurtenissen van die dag de revue te laten passeren voordat ik Graham alles vertelde.
'U kunt gebruik maken van Slachtofferhulp. Mevrouw Parker doet dat ook.'
Ik stapte in. 'Misschien later, maar nu niet.' Ik keek hem van opzij aan. Hij was achter het stuur gaan zitten, maar maakte geen aanstalten de auto te starten.
'Beschouwt u mij als een verdachte, inspecteur Miller?'
Hij bleef recht voor zich uit kijken en het duurde zo lang voordat hij antwoord gaf dat ik begon te geloven dat hij mijn vraag niet had gehoord.
'In dit stadium is elke betrokkene een verdachte,' zei hij diplomatiek
'Het was niet handig van me om de asbak terug te zetten,' zei ik een beetje beschaamd. 'Heb ik belangrijk bewijsmateriaal vernietigd?'
Hij startte de auto en wierp me van opzij een vluchtige blik toe.

'Dat kan ik nu nog niet beoordelen. Ik wacht op de rapporten van de Technische Recherche.'
Hij reed kalm en beheerst en hij reageerde totaal niet toen de automobilist voor ons zijn motor liet afslaan. Graham zou van ergernis op het stuur trommelen, misschien zelfs claxonneren om de bestuurder zenuwachtig te maken. De rustige vioolmuziek uit Millers autoradio was maar net hoorbaar op de achtergrond. Een vreemd gevoel van rust overviel me. Ik leunde met mijn hoofd achterover tegen de hoofdsteun en sloot mijn ogen. Vreemd genoeg gaf zijn aanwezigheid me de rust die ik zo nodig had. Ik ontspande me, maar daarmee kwam ook de ontlading. Zonder mij ervan bewust te zijn, begon ik weer te huilen. Hij merkte het pas toen ik onelegant mijn neus ophaalde en zwijgend stak hij me een pakje papieren zakdoekjes toe. Omslachtig snoot ik mijn neus en toen hij mijn straat in reed, verzocht ik hem te stoppen voor het huis van de buren. Graham was er waarschijnlijk nog niet maar ik wilde geen enkel risico nemen. Stroef en nerveus bedankte ik hem voor de lift. Hij glimlachte bij wijze van afscheid en keek over mijn schouder naar de oprit van ons huis. Toen ik met onzekere passen weg liep, bedacht ik dat hij onmogelijk kon vermoeden dat zijn ondervraging een peulenschilletje was vergeleken bij wat me bij Graham te wachten stond.

# ZESENTWINTIG

Graham kwam zo kort na mij thuis dat ik het idiote gevoel had dat hij op de hoek van de straat op me had gewacht. Hij gaf geen verklaring voor het feit dat hij voor zijn doen vroeg thuis kwam en na een blik op zijn strakke gezicht zag ik er vanaf er een opmerking over te maken. Uiteraard was hij kwaad op me toen ik hem vertelde wat er met Jeremy was gebeurd. Allereerst verweet hij me dat ik hem niet veel eerder had gebeld. Het kwetste hem dat ik me niet in eerste instantie tot hem had gewend. Hij kalmeerde enigszins toen ik hem over de wond op mijn hoofd vertelde en hij rustte niet voordat hij, tegen de instructies van de assistent van de Eerste Hulp in, onder de pleister had gekeken. Vervolgens wilde hij tot in het kleinste detail weten wat ik allemaal in de flat van Jeremy had aangetroffen. Omdat ik nog geen tijd had gehad om na te denken over wat ik zou doen met de envelop, zei ik daar niets over.

‘Waarom ging je eerder dan afgesproken naar hem toe, Sian? Je zou toch pas ’s middags gaan?’

Ik haalde mijn schouders op. Ik begreep niet goed wat dat er mee te maken had. ‘Ik dacht niet dat het veel uitmaakte. Ik nam aan dat hij er zou zijn omdat ik vermoedde dat hij nog geen ander werk had gevonden.’

Hij streek bedachtzaam met zijn duim en wijsvinger over zijn kin. ‘Sian, heb je enig idee waarom hij zo graag met je wilde praten?’

‘Ik nam aan dat hij me wilde vertellen dat hij onschuldig was. En misschien wilde hij mij gebruiken om te proberen jou daar ook van te overtuigen.’

'Dat was nogal een naïeve gedachte, vind je ook niet? We hebben bewijzen gevonden dat hij geld doorsluisde naar andere rekeningen. Helaas hebben we nog niet alles kunnen traceren.' Hij pauzeerde even en keek me scherp aan. 'Weet je toevallig of hij geld in huis had? Ik bedoel, veel geld? Geld dat van Oldham & Firth zou kunnen zijn? Heb je daar toevallig iets van gezien?'
Ik slikte. Ik had nog geen gelegenheid gehad de envelop uit mijn tas te halen en hem te verstoppen, laat staan hem te openen en te controleren of mijn vermoeden omtrent de inhoud juist was. 'Er was ingebroken, Graham, als er al geld was, dan heeft die inbreker het natuurlijk meegenomen. Bovendien was het de flat van zijn zus. Jeremy zal toch geen geld in haar huis verstopt hebben?'
Hij leunde achterover. 'Het was maar een idee van me.'
'Ik heb de politie niets verteld over zijn ontslag. Had ik dat wel moeten doen, Graham?'
'Natuurlijk niet! Die twee zaken hebben toch niets met elkaar te maken?'
'Hoe weet je dat zo zeker? Misschien kan de politie uitzoeken of er een verband is tussen zijn dood en wat er op jouw kantoor is gebeurd.'
'Wat een onzin, Sian! Natuurlijk is er geen verband. Jeremy heeft gefraudeerd, geld gestolen van het bedrijf. Je zei net zelf dat er iemand heeft ingebroken en nog wel in de flat van Parkers zus. Wie denk je dat dat geweest is? Robert, George?'
Als de situatie niet zo ernstig was geweest, was ik bijna in de lach geschoten. De gedachte dat de kleine, zenuwachtige Robert zo wraakzuchtig was om in te breken om het gestolen geld terug te krijgen, was ronduit lachwekkend.

'Vergeet niet dat hij niet in zijn eigen huis was, Sian. Het kan zo zijn dat iemand wist dat zijn zus er een poosje niet was. Jeremy had alleen maar de pech dat hij op het verkeerde moment op de verkeerde plek was.'
'In elk geval was dat wat mij betreft wel het geval.' Werktuiglijk tastte ik naar de pleister op mijn hoofd en Graham besloot meteen dat er een eind aan het gesprek moest komen.
'Ik begrijp dat je nu geen zin meer hebt om te koken, lieverd. Zullen we maar iets bestellen bij de Italiaan? Een pizza?' Zonder op antwoord te wachten kwam hij overeind. 'Ik loop even naar Ella om te vragen wat zij wil.'
Hij was net weg toen de telefoon ging. Ik hoorde Graham iets roepen, waarschijnlijk dat hij wel zou opnemen, of dat we niemand wilden spreken, maar ik had de telefoon al opgepakt.
'Hallo?'
Ik hoorde niets, alleen wat geritsel op de achtergrond waardoor ik begreep dat ik wel degelijk iemand aan de lijn had. Op zeker moment meende ik onderdrukt gemompel te horen.
'Hallo? Wie bent u?' riep ik luider.
Een diepe trillende zucht. 'Sian? Is dat Sian Lewis?'
'Dat ben ik, ja. Wie bent u?'
'Ik moet je waarschuwen, Sian.'
'Waarschuwen? Mij? Waarvoor?'
'Je loopt gevaar. Alles is nu veranderd, zie je. Je bent niet meer veilig.'
Ik huiverde en onderdrukte de neiging de verbinding te verbreken. 'Met wie spreek ik? Wat wilt u van me? Probeert u me soms bang te maken?'

'Nee nee! Ik waarschuw je alleen, Sian. Je bent niet veilig. Je moet goed op jezelf passen.' Het klonk hijgend, ademloos.
'Wie bent u?' vroeg ik nog eens.
Een kort lachje dat zo vreemd gesmoord klonk dat ik niet zeker wist of het een man of een vrouw was. De stem die me had gewaarschuwd was ongetwijfeld van een vrouw, maar het lachje klonk zwaarder. Alsof er vlak bij haar een man stond.
Een lange aarzeling. 'Ik ben iemand die het goed met je voorheeft, Sian. Dat is alles wat je moet weten.'
De verbinding werd verbroken. Hoewel ik wist dat het vergeefse moeite was, controleerde ik toch even snel of er een nummer was achtergelaten. Ik dacht aan de telefoontjes die Sally eerder had beantwoord. Altijd was het een vrouw geweest die mij wilde spreken. Iemand die geen naam achterliet. Was dit die vrouw geweest?
'Wie was dat?' Graham was geruisloos naderbij gekomen.
Ik keek geschrokken op. 'Wat?'
'De telefoon. Wie was het?'
'O. Iemand die het verkeerde nummer had gebeld.' Ik glimlachte onschuldig naar hem, maar om de een of andere reden had ik het gevoel dat hij wist dat ik niet de waarheid sprak. Het verbaasde me zelf ook. Juist in een situatie als deze zou je zo'n zonderlinge telefonische waarschuwing moeten bespreken met degene van wie je hield.
Hij had het onderwerp nog niet laten varen. 'Sally had het laatst ook al over anonieme telefoontjes.'
'Dat klopt. Kennelijk was er een vrouw die steeds naar mij vroeg. Ongelukkig genoeg was ik toevallig net niet thuis toen ze belde.'

Hij glimlachte me warm en teder toe. 'Je moet het me vertellen als er iets is, Sian. Dat doe je toch wel?'
Ik keek hem recht aan. 'Natuurlijk doe ik dat Graham. Je bent mijn man, tot wie zou ik me anders moeten wenden?'
'Is er iets dat je voor me verborgen houdt, Sian?' drong hij aan. 'Je bent toch wel eerlijk?' Ik wel, dacht ik, maar jij?
'Waarom vraag je dat, Graham?'
'Dat telefoontje heeft toch niets met die man te maken?'
Mijn hart stond stil. 'Welke man?'
'Die hier laatst was. Zogenaamd om je een boek te lenen.'
Ik hapte naar adem en vocht voor een achteloze klank in mijn stem. 'O, je bedoelt Mac?'
'Dat kan. Ik ben zijn naam vergeten.'
'Mac is een vriend van Hayley. Je bedoelt toch niet dat je denkt dat er iets tussen Mac en mij is, Graham?'
Zijn blik flitste naar me toe, zijn lichtblauwe ogen scherp en onderzoekend, zijn glimlach voldaan en zelfverzekerd. 'Natuurlijk denk ik dat niet, lieve schat. Ik weet, en jij weet dat ook, dat jij voor honderd procent van mij bent.' Om de een of de andere reden klonk het als een dreigement dat niets te maken had met liefde.

# ZEVENENTWINTIG

Graham legde bezitterig zijn arm om me heen. Zijn adem speelde zachtjes door mijn haar.
'Hm, zoals altijd ben je heerlijk warm en zacht,' mompelde hij voldaan. Hij bracht zijn hoofd dichter bij het mijne. Zijn lippen beroerden de zijkant van mijn gezicht, bewogen met zuivere precisie naar mijn oor. Zijn vingers kropen onder mijn hemdje en speelden met mijn tepel. Natuurlijk reageerde mijn lichaam onmiddellijk op zijn ervaren aanrakingen. Hij wist precies hoe hij me kon verleiden, maar deze keer reageerde mijn lichaam sneller en heviger. Het moest door de hormonen komen, dacht ik met enig afgrijzen. Ik had nog nooit zo gretig en wellustig op zijn aanrakingen gereageerd, zelfs niet toen we pas getrouwd waren. Ik moest weer aan Mac denken, maar uiteindelijk maakte het niet uit wie het was die bij mij binnendrong en wiens heftige bewegingen mij opzweepten. Ik sloot mijn ogen, lachte naar Mac en schreeuwde.
Later toonde Graham zich uiterst voldaan. Na een vrijpartij ging hij altijd meteen naar de badkamer om zijn bezwete lijf af te spoelen. Toen hij weer naast me kwam liggen zei hij met een tevreden lachje: 'Je ging als een wilde te keer, lieveling, het was geweldig.' Ik duwde mijn gezicht in mijn kussen en schaamde me diep. Uit alle macht probeerde ik de indruk te wekken dat ik al bijna in slaap was. Ik gruwde van mijn eigen gedrag en het allerlaatste dat ik wilde was erom geprezen worden door een man die arrogant genoeg was om te denken dat hij zo geweldig was dat hij dat in mij teweeg kon brengen.

‘Sian?’

‘Mm?’

Hij streelde mijn rug. ‘Ik heb het niet zo precies bijgehouden, maar zou je een dezer dagen niet ongesteld moeten worden?’

‘Mm?’ Ik verstrakte. Misschien was dit het moment om eerlijk tegen hem te zijn. De gelegenheid om hem te vertellen dat ik inderdaad over tijd was, was daar, maar ik kon het niet. Ik realiseerde me dat ik met een zwangerschap voorgoed aan Graham verbonden zou zijn, hetgeen me opeens met twijfel vervulde.

‘Sian?’ Hij herhaalde zijn vraag met ongekend geduld en ik slaagde erin doezelig te murmelen: ‘Ik weet het niet.’

Zo’n antwoord was gewoonlijk uit den boze voor hem. Hij beschouwde het als een ontwijking, waardoor hij zich buitengesloten voelde. Het gevolg was dat het hem onmachtig en kwaad maakte. Hij bewoog zijn hand over mijn heup en herhaalde zijn vraag luider, vastbesloten ervoor te zorgen dat ik niet in slaap viel voordat hij een duidelijk antwoord had gekregen.

Op de meest onverwachte manier werd het antwoord me bespaard. Want op dat moment klonk er een knal, gevolgd door glasgerinkel.

‘Wat zullen we nu beleven?’ Hij vloog uit bed, rende naar het raam en rukte de gordijnen opzij.

‘Wat was dat?’

‘Blijf hier,’ zei hij kort en gebiedend. ‘Ga niet uit bed en blijf uit de buurt van het raam!’

‘Je staat zelf voor het raam, Graham.’

‘Ja.’ Hij bleef enkele ogenblikken roerloos naar buiten kijken. ‘Ik ga poolshoogte nemen.’

Hij griste zijn badjas van het haakje van de aangrenzende badkamerdeur en haastte zich onze slaapkamer uit. Ik draaide me op mijn rug en staarde naar het plafond. Ik luisterde naar zijn snelle voetstappen op de trap en naar zijn humeurige verwensingen.

Ik wist niet hoeveel tijd er verstreken was, maar toen ik wakker werd, was de plek naast me koud en leeg. De laatste tijd gebeurde het steeds vaker dat ik 's nachts naar de wc moest. In het donker schuifelde ik naar de badkamer en ik gaapte ongegeneerd toen ik op het toilet ging zitten.

Ik kroop weer terug in het warme bed, me afvragend waar Graham was. Ik herinnerde me een klap, gevolgd door glasgerinkel. Het was ongelooflijk dat ik in slaap was gevallen terwijl Graham naar beneden was gegaan om te kijken wat er aan de hand was. Ergens in huis was een gedempt geluid te horen en ik besefte dat ik daarvan wakker was geworden. Graham moest nog steeds beneden zijn.

Misschien was er iets met Ella en was hij een poosje bij haar gebleven. Voorheen had ze ons 's nachts wel eens laten schrikken door verdwaasd door het huis te scharrelen, maar sinds Graham de deur naar haar woongedeelte had laten voorzien van een slot dat alleen aan onze kant een sleutelgat had, was het niet meer gebeurd.

Ik trok het dekbed tot aan mijn kin. Gevoelens van schuld en schaamte bekropen me. En daarna onbehagen en angst. Op zijn minst had ik Graham rugdekking kunnen geven. Ik had ervoor moeten zorgen dat hij niet door hetzelfde lot werd getroffen als Jeremy. Tenslotte had die ook een inbreker betrapt.

Opnieuw hoorde ik een geluid. Het leek mal maar het klonk alsof iemand met meubilair aan het schuiven was, alsof er laden open en dicht werden geschoven.
Ik kon me niet langer aan de indruk onttrekken dat er iets niet in orde was. Erger, ik meende dat het geluid uit het vertrek naast onze slaapkamer kwam. Oorspronkelijk was het een kleine slaapkamer geweest. Graham had hem laten voorzien van laden en kasten die zich in de loop van ons huwelijk hadden gevuld met mijn garderobe. De kleren van Graham zaten achter de grote schuifdeuren in onze slaapkamer. Hayley noemde het met spottende jaloezie mijn garderobekamer. Haar kleine flatje had, afgezien van de huiskamer en een klein keukentje, alleen maar een slaapkamer, een benauwd badkamertje en een rommelhok.
Ik ging rechtop zitten. Iemand was in mijn garderobekamer in mijn kasten aan het zoeken! Ik onderdrukte een nerveus giechellachje. Niet zo lang geleden was daar een dikke envelop met een klein fortuin aan bankbiljetten in verstopt geweest. De angst dat Graham of Sally het geld in mijn bezit zou vinden en een verklaring zou eisen, had me doen besluiten tot een riskante, drastische actie. Ik had de envelop in een plastic zak gestopt en in een doos gelegd die ik bij het postkantoor had gekocht. Vervolgens had ik mijn naam erop geschreven en het pakje naar het adres van Hayley gezonden. Als ze mijn instructies goed ter harte had genomen, lag het pakje ergens ongeopend in haar woning op mij te wachten. Bij wijze van verklaring had ik iets over een verrassing voor Graham gemompeld. De gedachte dat we een geheimpje ten koste van Graham deelden, had haar doen gniffelen. Ik was er zeker van dat ze de doos niet had geopend, anders zou ze me al

lang gebeld hebben met de vraag wat ik met al dat geld van plan was. Ze zou niet begrijpen dat ik het nog steeds niet wist.
Het vreemde geluid werd herhaald. Ik duwde de opkomende angst weg. Ik was in mijn eigen huis, mijn man was bij me. Ik kon hem van veel dingen beschuldigen, maar niet dat hij niet voor me zou zorgen, niet dat hij me niet zou verdedigen tegen een indringer met kwalijke bedoelingen.
Graham. Wie anders kon het zijn dan Graham die in mijn kasten aan het snuffelen was? Wat dacht hij er te vinden? Als hij vermoedde dat ik iets van hem had, dan kon hij er toch gewoon om vragen? Maar wat als het niet Graham was, maar iemand die ons huis was binnengedrongen? Wat als diegene Graham onschadelijk had gemaakt en nu in mijn garderobekamer naar iets zocht?
Daar was het weer. Ik had het me dus niet verbeeld. Het geluid kwam wel degelijk uit mijn garderobekamer. Omdat de kamer van oorsprong een slaapkamer was geweest was er geen directe toegangsdeur vanuit onze slaapkamer. Ik liep dus geen direct gevaar. Maar waar was Graham?
Ik klemde mijn handen om de rand van het dekbed en staarde in het donker omhoog. Het licht van de lantaarn op straat scheen door een kier tussen de gordijnen door naar binnen en wierp een korte strook licht op het plafond. Ik probeerde mezelf ervan te overtuigen dat er niets aan de hand was. Dat Graham om de een of andere reden naar iets op zoek was. Misschien dacht hij dat Sally per ongeluk een kledingstuk van hem tussen mijn kleren had gestopt. Nee. Hij was uit bed gegaan om te kijken wat de klap en het glasgerinkel te betekenen hadden. Dan was het niet logisch dat hij iets in mijn garderobekamer ging zoeken.

Ik keek naar de stoel waarop ik mijn kleren had gelegd. Ik wist dat ik moest gaan kijken wie er binnen was en wat Graham aan het doen was. Om de een of andere reden leek me dat een onmogelijke opgave zonder de bescherming van mijn kleren. Ik droeg een dun kort hemdje en een slipje, geen outfit om door het huis te dwalen terwijl ik er geen idee van had wie ik kon tegenkomen. Voorzichtig kroop ik over het bed naar het voeteneinde. Het bed had nog nooit een geluidje gemaakt, maar nu kraakte het luid en protesterend toen ik haastig mijn armen in mijn duster stak en de ceintuur om mijn middel knoopte.

Ademloos wachtte ik tot ik hetzelfde geluid weer hoorde. Ik stapte uit bed, dankbaar dat het dikke tapijt elk geluid dempte.

Heel even overwoog ik of ik iets kon pakken waarmee ik me in geval van nood zou kunnen verdedigen. Zenuwachtig onderdrukte ik de neiging te gaan giechelen. Er was niets aan de hand. Ongetwijfeld zou ik Graham in mijn garderobekamer aantreffen, op zoek naar iets onschuldigs. Of ik had het geluid niet goed geïnterpreteerd en het kwam ergens anders vandaan.

Misschien was het glasgerinkel iets volkomen onschuldigs. Een open raam, van de haak losgeraakt en met zo'n harde klap dichtgevallen dat het raam gesprongen was. Waarschijnlijk was het in Ella's woongedeelte gebeurd. Dan was Graham nu op zoek naar iets om het provisorisch te repareren.

Ik stak mijn hand uit naar de deurknop. Verbeeldde ik het me of zag ik die langzaam naar beneden gaan? Ik legde mijn hand op het koele metaal en wachtte tot ik een beweging voelde. Niets. Opnieuw onderdrukte ik de neiging om hardop te gaan giechelen. Fantasie en zenuwen, van beide had ik meer dan genoeg.

Ik was al half van plan om weer onder de dekens te kruipen, toen ik plotseling iets anders hoorde. Een bons, een deur, een kreet. Gevolgd door een krachtige verwensing die ik niet verstond maar waarvan me de strekking duidelijk was.
Ik stond doodstil, mijn hand lag nog roerloos op de deurknop en de andere klemde zich om de kraag van mijn duster. Ik dacht aan Graham. Hij was geen type om de held uit te hangen, maar als het erop aankwam zou hij wel zijn bezittingen beschermen en verdedigen. Had hij een insluiper betrapt, was er een kort gevecht geweest en had hij het onderspit moeten delven? Betekende het automatisch ik nu aan de gratie van de inbreker was overgeleverd?
Er liep iemand op de trap. Iemand die zo voorzichtig was en zijn best deed onhoorbaar te lopen, dat hij wel iets kwaads in de zin moest hebben. Mijn neiging om te giechelen was geheel verdwenen. Zweet stond in mijn handpalmen en op mijn voorhoofd. Ik likte nerveus langs mijn lippen en proefde iets zouts. Was het zweet of waren het de tranen die van pure angst over mijn wangen liepen?
De voetstappen werden minder duidelijk. Ze gingen naar beneden! De opluchting was zo enorm dat ik mijn benen slap voelde worden. Tegelijkertijd begon zich een woede in mij te vormen. Ik dacht aan de insluiper in de flat van Sharon Parker, aan de gewelddadige dood van Jeremy. Als het dezelfde persoon was zou hij er niet voor terugdeinzen ook Graham te grazen te nemen. En mij.
Met de moed der wanhoop trok ik de deur op een kier, ver genoeg om er met een oog doorheen te kijken. De deur van mijn gar-

derobekamer was dicht. Waar was Graham? De overloop werd flauw verlicht door het schijnsel van de maan dat door het raam boven de trap naar binnen viel. De trap zelf was daardoor een angstaanjagend zwart gat. Ik wist dat ik mijn hoofd verder om de hoek van de deur moest steken om over de balustrade te kunnen kijken. Te laat dacht ik eraan dat ik toch iets had moeten pakken dat ik als wapen kon gebruiken. Desnoods een flesje deodorant of een bus haarlak waarmee ik iemand in de ogen kon spuiten. Ik moest naar de wc maar ik durfde geen tijd te verspillen door naar de badkamer te gaan. Me zo dicht mogelijk tegen de muur drukkend, sloop ik naar een plek op de overloop waar ik naar beneden kon kijken.

Koude lucht stroomde naar boven en het duurde even voordat ik besefte dat de voordeur open stond. Plotseling hoorde ik het voorzichtige geknars en geschraap van grind.

Voetstappen die zich verwijderden. In een opwelling sloop ik zo snel ik durfde naar de slaapkamer aan de andere kant van het huis. Er stonden een hometrainer van Graham, die hij zeker het laatste jaar niet meer had gebruikt, en dozen met spulletjes die we van plan waren naar een winkeltje met tweedehands spullen te brengen. Op het bed lagen een paar koffers, achtergelaten na onze laatste vakantie naar Spanje, nu alweer ruim een half jaar geleden.

Op goed geluk stapte ik over de spullen heen en door een spleet naast het open gordijn gluurde ik naar buiten.

Mijn auto stond op de oprijlaan. Zoals gewoonlijk was hij zodanig geparkeerd dat ik er niet mee weg kon rijden voordat Graham zijn zwarte monster had weggehaald. Dat stond met de neus naar het huis toe. De klep van de kofferbak stond open, maar hij werd net gesloten door een man die ik zonder moeite herkende. Met een mengeling van afgrijzen en opluchting zag ik dat Graham een ogenblik bleef staan en omhoog keek. Ik had het gevoel dat hij recht in mijn ogen keek. Hij kon me, veilig teruggetrokken achter het gordijn, onmogelijk zien. Toch had ik de neiging ze naar elkaar toe te trekken, een beweging die zeker zijn aandacht zou trekken.

Mijn hart klopte in mijn keel. Ik wist maar een ding en dat was dat ik wilde weten wat hij in de kofferbak van zijn auto had verstopt.

# ACHTENTWINTIG

Achteraf begreep ik niet waarom en hoe ik tot het besluit was gekomen achter Graham aan te gaan. Als er meer tijd was geweest zou ik me misschien hebben bedacht, maar op dat moment kon ik maar aan een ding denken. Razendsnel stak ik mijn benen in een spijkerbroek, ik schoot mijn pantoffels aan en verruilde mijn duster voor een trui die ik uit de wasmand viste. Ik griste mijn handtas en autosleutels van het tafeltje in de hal en stormde naar buiten, net op tijd om hem weg te zien rijden. We woonden aan een lange straat zonder zijwegen en tegen de tijd dat ik het garagepad afreed, kon ik zijn auto gemakkelijk in de verte zien rijden. Het leek erop dat hij van plan was de stad te verlaten. Ik begon me net een beetje te ontspannen toen we de buitenwijken achter ons lieten. Daarmee diende zich een volgend probleem aan. Zonder de bescherming van de huizen en gebouwen kostte het me minder moeite hem in de gaten te houden, maar tegelijkertijd was het voor hem gemakkelijker mij te ontdekken.

Ik durfde niet te dicht achter hem te rijden, maar evenmin wilde ik teveel ruimte tussen ons laten. Alles wat ik hoefde te doen was zijn achterlichten te volgen. Hoewel er natuurlijk altijd een kans bestond dat er ergens een andere auto tussen ons kwam rijden, verwachtte ik niet dat dat zou gebeuren. Er was op dit tijdstip nauwelijks ander verkeer.

Ik begon wat meer op mijn omgeving te letten. De weg slingerde zich door een kaal, verlaten stuk van het binnenland. Zo nu en dan passeerde ik een groepje in duisternis gehulde huizen of een boerderij. In de verte zag ik tegen de heuvels op het veelvuldig onderbroken lint van verkeer op de snelweg. Hier was geen verkeer. Ik begon te vrezen dat Graham me zou ontdekken en ik besloot wat meer afstand van hem te nemen. Ik rekende erop dat ik hem zo nu en dan voor me kon zien rijden. Bij elke scherpe bocht zag ik zijn remlichten tussen de begroeiing in de berm opgloeien. We hadden ongeveer een kwartier gereden en ik begon me net in alle ernst af te vragen waarom ik achter hem aan was gegaan, toen ik in een slapend gehucht bij een rotonde kwam. Ik remde en keek beurtelings naar de andere twee wegen die erop uitkwamen. Nergens waren de achterlichten van een auto te zien. Op een hoek stond een hoog gebouw, volledig in het donker gehuld. Aan de andere kant was een dorpscafé, de zijgevel verlicht door geelachtige lampen.

Ik staarde naar de wegwijzer en opeens herkende ik de rotonde. Een van de wegen leidde naar een dal waar zich nu het Eden Project bevond, een nieuwe toeristische trekpleister. Eens was daar een van de groeven geweest waar de porseleinaarde werd gewonnen, nu waren er glazen koepels waaronder complete tuinen waren nagebouwd uit de tropen, subtropen en zelfs uit de woestijn. Ik was er wel eens geweest en ik meende me te herinneren dat de weg ernaartoe uiteindelijk bij het project doodliep. Daarom koos ik voor de andere weg die door het tamelijk kale gebied ging waar zich porseleinaardegroeven bevonden die nog in bedrijf waren.

Ik was heel wat minder zeker van mijn zaak toen ik de weg naar het Eden Project links liet liggen. Nog steeds kon ik geen achterlichten ontdekken. Een eindje verderop was een scherpe bocht en daarna ging de weg omhoog langs de spookachtige, puntige

heuvels. Na een poosje stopte ik bij een oprit naar een van de groeven toe. Het ijzeren hek was afgesloten met een dikke ketting en een hangslot. De smalle weg erachter was grijs en stoffig en leek in een soort mist te eindigen. Nergens was een andere auto te bekennen.
Ik wist dat het geen zin meer had. Met gemengde gevoelens keerde ik en reed ik terug naar huis. Nu de spanning enigszins van me af begon te vallen, vroeg ik me serieus af waarom ik Graham achterna was gegaan. Wat had ik verwacht? Zijn schichtige blik toen hij de kofferbak had gesloten, bleef me echter haarscherp bij. Wat had hij meegenomen en waar bracht hij het naartoe? Had John gebeld? Was er iets met Lucie?
Ik drukte het gaspedaal zo diep in als ik durfde en reed terug naar huis. Het was alsof de koude, spottende lach van Graham me achtervolgde.

Toen ik mijn auto terugzette op de plek waar ik dacht dat hij had gestaan, zag ik iets bewegen in de tuin. Iets roods. Rood en glanzend. Ik moest terugdenken aan de idiote woordenwisseling die ik die ochtend met Sally had gehad.
Inzet van de strijd was mijn wasgoed geweest. Niet zo lang geleden had Graham me verrast met een nieuwe jurk. Het was een lange, diep uitgesneden jurk van een nachtblauwe stof die uit je vingers glipte als je hem niet stevig vasthield. Uiteraard had Graham die niet zomaar gekocht: hij was bestemd om door mij gedragen te worden tijdens een dineetje met zijn bazen. Hij had met me willen pronken en dat was gelukt, dankzij de donkerblauwe jurk, een witgouden kettinkje met een kleine parel en een

bijpassende oorbellen. Aan het eind van de avond had iemand tegen mijn arm gestoten en er was witte wijn op de zoom terecht gekomen. Er was nauwelijks iets van te zien maar Sally stond erop de jurk zelf te wassen en ze negeerde mijn voornemen hem naar de stomerij te brengen. Ze had gezien dat ik mijn ondergoed apart had gelegd om te wassen en ze rukte de wasmand bijna uit mijn handen toen ik ermee naar beneden kwam. De blauwe jurk deponeerde ze erboven op en ze verzekerde me dat alles goed zou komen.

Hoe ter wereld kon iemand verwikkeld raken in een oeverloze strijd over wasgoed? Sally kreeg meestal haar zin en ik had kunnen weten dat het geen zin had om tegen haar in te gaan. Ze won, natuurlijk. Met rollende ogen en een triomfantelijke grijns deponeerde ze de blauwe jurk bij mijn ondergoed in de wasmachine.

Soms vroeg ik me af of het leven zonder Sally niet veel eenvoudiger zou zijn, maar ik durfde het niet tegen Graham te zeggen. Ik had zeeën van tijd en ik kon het huis gemakkelijk zonder haar hulp schoonhouden. Sally was echter een onderwerp waarover hij niet met mij wenste te discussiëren.

Omdat het zulk mooi weer was, had Sally besloten het wasgoed aan de droogmolen in de tuin te hangen in plaats van de droger te gebruiken. Ze had me nog op het hart gedrukt het vooral niet te vergeten en het binnen te halen voor de avond viel.

Ik had er geen moment meer aan gedacht.

Behoedzaam liep ik om het huis heen. De droogmolen stond in een beschutte hoek waar veel zon kwam. Hij was leeg. Aan de groene lijnen hingen nog een paar houten knijpers, alle andere lagen op de tegels eronder. Ik fronste. Sally liet nooit de knijpers

aan de lijnen zitten. En ze liet ze al helemaal niet op het straatje achter. Werktuiglijk pakte ik ze op en ik legde ze op het muurtje naast de plek waar Graham een barbecue had laten metselen. Terwijl ik dat deed zag ik opnieuw iets roods. Ik wist precies wat het was. Over het gazon liep ik naar een perk met rozenstruiken en ik plukte het kledingstuk van een van de doornige takken waaraan het was blijven hangen. Het was een van mijn slipjes. Het rode satijn glansde in het licht van de halve maan, het kant van de roesjes bewoog zachtjes in de wind. Het was een beetje vochtig en er zat een klein scheurtje waar het aan een doorn was blijven hangen. Ik frommelde het tot een kleine bal in mijn hand en ging naar binnen. In de bijkeuken vond ik, naast de wasmachine, de lege wasmand die Sally had gebruikt om het wasgoed op te hangen.
Met een vreemd, onwerkelijk gevoel ging ik naar boven. Voordat ik in bed kroop, deponeerde ik het rode slipje in de afvalbak in de badkamer.
Ik hoorde Graham die nacht niet thuiskomen.

# NEGENENTWINTIG

Er lag een briefje van Graham op de keukentafel met de mededeling dat Lucie 's nachts weer een inzinking had gehad. John had hem gebeld en op diens verzoek was Graham naar hen toe gegaan. Hij had mij niet wakker willen maken, ook niet toen hij 's morgens vroeg thuis was gekomen om zich te verkleden en zijn attachékoffertje op te halen. Het zijraampje in de eetkamer was kapot. Hij had er een stuk karton voor geplakt en hij zou regelen dat er iemand langskwam om er nieuw glas in te zetten. Vergat ik niet dat we aanstaande zaterdag bij Robert en Jenny werden verwacht ter ere van hun 25-jarige huwelijk? Hij zou zelf wel voor een cadeau zorgen.

Ik verfrommelde zijn briefje en dacht aan de blauwe jurk die ik niet in de kasten terug kon vinden. Dat had ik ook niet verwacht, want ik was er zeker van dat hij aan de droogmolen had gehangen toen ik 's middags weg was gegaan. Gelukkig zou Graham niet van me verwachten dat ik die jurk zou dragen.

Het verlies van de jurk kon me niet zoveel schelen maar de gedachte dat mijn ondergoed van de waslijn was gestolen door de een of andere engerd, was iets waarover ik liever niet wilde nadenken. Toch moest ik op de proppen komen met een verklaring voor het feit dat de jurk verdwenen was. Mijn ondergoed zou Graham niet missen, maar hij zou een punt maken van de jurk omdat hij die persoonlijk voor mij had uitgekozen. Bovendien zou hij razend zijn wanneer bij begreep dat er een gestoorde man in onze tuin had rondgeslopen.

Na lang nadenken belde ik het politiebureau. Ik vroeg naar Miller, de inspecteur die me de dag van Jeremy's dood zo vriendelijk naar huis had gebracht, die me daags erna eerder als een slachtoffer had behandeld dan als een verdachte of medeplichtige, waarvoor ik zo bang was geweest. Eerst kreeg ik te horen dat hij er niet was, maar toen ik mijn verhaal deed tegen iemand anders, werd het gesprek al snel overgenomen door Miller zelf.

'Waarmee kan ik u helpen, mevrouw Lewis?'

Afwezig tekende ik poppetjes met lange armen en benen op een lege, opengescheurde envelop. 'Ik denk dat mijn wasgoed is gestolen,' zei ik lichtelijk beschaamd, me ervan bewust dat hij belangrijker zaken aan zijn hoofd moest hebben.

Het duurde even voordat hij reageerde en toen hij dat deed, hoorde ik een vage teleurstelling in zijn stem. 'Ik hoopte dat u zich iets herinnerde over Jeremy Parker.'

'Nee.' Ik liet me even afleiden. 'Bent u al verder gekomen met het onderzoek?'

'Niet zover dat we iemand kunnen aanhouden.' In gedachten zag ik hem fronsen. 'Weet u bij benadering wat er gestolen is?'

'Ondergoed.'

'Er is dus een seksmaniak in de buurt.' Uit de klank van zijn stem was niet op te maken hoe hij mijn mededeling interpreteerde. 'Alleen ondergoed? Alleen dat van u? Of ook van uw man?'

'Alleen van mij.'

'Het beste is als u naar het dichtstbijzijnde politiebureau gaat en daar aangifte doet. En raadpleeg uw verzekering of dit ook gedekt is.'

'Ja.' Zijn reactie stelde me teleur. Ik vond dat hij het geval afdeed alsof er weinig aan de hand was. Dat er een seksueel gestoorde man in mijn tuin was geweest, dat die met zijn vingers aan mijn slipjes en beha's zat, vond ik beangstigend. Waarschijnlijk had Miller echter belangrijker zaken aan zijn hoofd. Vergeleken bij de dood van Jeremy was dit misschien ook wel een futiliteit. Kort overwoog ik hem te vertellen over het kapot gemaakte raam, maar omdat ik niet direct een verband kon zien met mijn gestolen ondergoed, zag ik daar vanaf. Ik zei tam: 'Alles is weg. Ondergoed en een jurk.'

'Ook een jurk? Dus niet alleen ondergoed?'

'Nee.'

Hij zegde half toe dat hij zou informeren of er meer klachten uit de buurt waren gekomen. Meestal stond een geval als dit niet op zichzelf.

'Als het u kan geruststellen, mevrouw Lewis, mannen die damesondergoed van waslijnen stelen, zijn natuurlijk gestoord, maar meestal doen ze niemand kwaad.'

'Dat hoop ik dan maar,' zei ik sarcastisch.

Andere vrouwen zouden het misschien een geweldig excuus vinden om naar de stad te gaan en nieuw ondergoed aan te schaffen. Ik niet.

# DERTIG

De regen hing als een waas over de stad. Het benadrukte mijn sombere stemming.
Ik had met Hayley afgesproken dat ik aan het eind van de middag naar haar toe zou gaan. Normaal gesproken keek ik daarnaar uit, maar nu voelde ik een vreemde tegenzin die alles te maken had met Mac. Ik kon geen onschuldige reden bedenken haar te beletten over hem te praten, integendeel, in elk ander geval zou ik haar aanmoedigen alles te vertellen. Het zou des te meer opvallen als ik dat nu niet deed.
Nadat Sally naar huis was gegaan, was ik zo moe geweest dat ik even op bed was gaan liggen. Het gerinkel van de telefoon maakte me wakker uit een diepe droomloze slaap. Ik fronste slaperig terwijl ik op mijn horloge keek. Bijna half vier. Vermoeid streek ik de losgeraakte slierten haar achter mijn oren. Ik had de lunch overgeslagen en mijn maag knorde in luid protest tegen die verwaarlozing. Mijn mond was kurkdroog. Het dutje had me eerder vermoeider gemaakt dan verkwikt. Moeizaam kwam ik overeind en ik overwoog serieus of ik me zou haasten om de telefoon op te nemen. De gedachte aan de vervelende telefoontjes van eerder ontnam me echter al gauw de energie om me in te spannen.
'Bel me een andere keer maar terug,' zei ik hardop.
Toen ik opstond deed ik dat te snel, want ik voelde meteen een golf van misselijkheid opkomen. Ik voelde me moe en beroerd en het liefst was ik teruggekropen in bed.
Zonder veel enthousiasme verwisselde ik mijn verkreukelde kleren voor een spijkerbroek en een dunne trui. Ik poetste mijn tan-

den, haalde een borstel door mijn verwarde haar en bond het losjes vast met een elastiekje. De telefoon rinkelde weer. Een ogenblik bleef ik onbeweeglijk staan. De narigheid met onze huistelefoon was dat je niet kon zien wie er belde. Ik klemde mijn handen zo stijf in elkaar dat ik schrok toen ik een afdruk van mijn nagels in mijn huid zag staan. Ik voelde me niet opgewassen tegen een telefoongesprek en ik nam dan ook niet op.

Zodra ik buiten kwam sloeg een windvlaag met fijne waterdruppeltjes in mijn gezicht. Ik haastte me naar mijn auto. Met mijn gedachten was ik al bij een patisserie waar ze chocoladetaarten verkochten. Ik gebruikte Hayley als excuus voor het feit dat ik niet bestand was tegen de verleiding van chocolade.

Het regende, maar de temperatuur moest ook behoorlijk gedaald zijn. De vochtige lucht drong door mijn kleren heen en ik verwenste het feit dat ik een dun zomerjasje had aangetrokken.

De patisserie was gevestigd in het centrum van Newquay, in een smal zijstraatje tussen de belangrijkste winkelstraat en een stille straat die alleen gebruikt werd door bussen, taxi's en vrachtwagens om de winkels te bevoorraden. Omdat ik er niets voor voelde om mij een weg te moeten banen door het winkelende publiek, of om mensen uit de weg te moeten gaan die onbewust de vervelende gewoonte hadden pal voor mij te blijven staan praten, koos ik de stille straat.

Aanvankelijk vielen de andere voetstappen me helemaal niet op. Het geluid van mijn hakken weerkaatste tegen de muren van de gebouwen. Een grote regenplas merkte ik te laat op en ik uitte een verwensing toen ik het water door het dunne leer van mijn schoenen voelde binnendringen. Wrang dacht ik aan de stevige muilen

die ik voor dit type weer achter in de auto had staan. Serieus overwoog ik om terug te gaan naar mijn auto en de schoenen te verruilen voor de muilen. De dikke zolen zouden me in elk geval behoeden voor natte voeten en bedorven schoenen.
Ik bleef abrupt stilstaan. Het geluid van de voetstappen hield een onderdeel van een seconde na de mijne op. Er viel een stilte waarin ik mij opeens bewust werd van de verlaten straat. Misschien had ik beter de winkelstraat in kunnen gaan en verderop een ander zijstraatje in slaan. Ik schudde mijn hoofd. Het leek wel of ik last kreeg van paranoia. Toch verwierp ik de gedachte om terug te gaan en de muilen te halen. Ik vervolgde mijn weg, nu sneller dan daarnet. Verbeeldde ik het mij nu of gingen de voetstappen achter mij ook sneller?
Behoedzame keek ik over mijn schouder. De wind rukte aan mijn paraplu en ik greep het handvat met beide handen vast. Een eind achter mij deed iemand anders hetzelfde. Een man, donker gekleed. Ik kon alleen de onderste helft van zijn lichaam zien, want hij verborg zich achter een grote zwarte paraplu.
Ik wist niet goed wat ik verwacht had, maar ik herademde. Het was gewoon een man die zich door de regen haastte. Net als ik. Niets bijzonders. Dat ik hier liep betekende niet dat de man niet het recht had door dezelfde straat te lopen. Ik vermande me, weigerde te denken aan de donkere schim die achter de deur van de slaapkamer van Jeremy's zus vandaan was gesprongen en mij in zijn vlucht tegen de grond had geslagen.
De politie beschouwde de inbreker als de meest voor de hand liggende verdachte voor de dood van Jeremy. Als hij mij had bestemd als zijn volgende slachtoffer, dan had hij niet hoeven wach-

ten tot zich een nieuwe gelegenheid als deze voordeed. Er kon dus niets verdachts zijn aan een man die toevallig in dezelfde straat liep als ik.
Ondanks al die dappere gedachten ging ik steeds sneller lopen. Hij ook. Ik keek achterom, maar ik kon weinig zien. De regendruppels vormden een gordijn van mist. Er was niets opvallends, niets bekends aan hem. De bovenste helft van zijn lichaam was verborgen onder de paraplu, twee benen in een donkere broek, een paar zwarte schoenen. Voor zover ik kon zien droeg hij een donker, onopvallend jack. Een man van dertien in een dozijn.
Met kloppend hart besloot ik een laatste poging te doen om mezelf te overtuigen dat mijn fantasie op hol was geslagen. Met opzet zette ik mijn voet midden in een regenplas en ik uitte een verwensing die tegen de muren schalde. Het gaf me echter de gelegenheid me te bukken en te doen alsof ik mijn natte voet inspecteerde. Ik bleef gebukt staan en keek vanuit mijn ooghoek naar mijn vermeende achtervolger. Ik was er zeker van dat hij even had geaarzeld, maar hij liep toch gewoon door. Of ging hij langzamer? Nee, hij stopte. Ik zag hem in zijn zakken tasten en vervolgens draaide hij zich om om zijn neus te snuiten. Dat kon toch onmogelijk toeval zijn?
Ik raakte in paniek. Jeremy was vermoord. Had zijn moordenaar het nu op mij gemunt? Ik gunde mezelf geen tijd om lang na te denken. Ik klapte mijn paraplu dicht omdat die me maar onnodig hinderde en ik zette het op een lopen. Mijn voetstappen klonken luid in de stille straat. Aanvankelijk leek het er op dat ze de enige waren en ik was er al bijna van overtuigd dat ik me als een idioot aanstelde. Jeremy's dood had me dieper geschokt dan ik had ge-

dacht. Dat ik in zijn vlucht opzij was geduwd door de moordenaar betekende niet dat ik in elke schaduw een belager moest zien.
Mijn achtervolger rende nu ook. Koortsachtig keek ik om me heen. De straat was helemaal verlaten. Er stonden een paar lantaarnpalen die een flauw geelachtig licht wierpen op het natte asfalt. De straat liep dwars langs de helling van de heuvel waarop Newquay was gebouwd. Aan de ene kant was een lange, metershoge muur; aan de andere kant waren de levenloze achterkanten van de winkels in de hoofdstraat. De lege ramen, veelal dichtgemetseld, gaapten me treiterig toe. Voor mij uit zag ik de kruising met de winkelstraat, zo nu en dan reed er een auto of een bus voorbij. De bewoonde wereld leek me onbereikbaar,
Ik rende of mijn leven ervan afhing. Ik was ervan overtuigd dat dat ook zo was. De man rende nu ook. Tenzij hij iemand was die het allemaal als een enorme grap beschouwde, was het geen verbeelding van me dat hij weinig goeds met mij voor had.
Na wat een eeuwigheid leek bereikte ik de hoek van de straat. Daar begon de winkelstraat, waar ik te midden van het winkelend publiek betrekkelijk veilig zou zijn. Daar zou hij me niets durven doen.
Bang dat ik over mijn eigen voeten zou struikelen, durfde ik niet meer over mijn schouder te kijken. Mijn adem ging met horten en stoten. Mijn hart bonkte tegen mijn ribben en het bloed suisde in mijn oren. Maar ik haalde het. Ik keek naar de argeloze voorbijgangers die zich met starre, sombere blikken door de regen haastten. Ik hoopte dat er iemand zou zijn die reageerde wanneer ik om hulp schreeuwde.
Terwijl ik langzamer ging lopen en mijn ademhaling weer onder

controle probeerde te krijgen, zag ik dat er een bus bij de halte op de hoek was gestopt. Het licht van de koplampen sneed door het grijze regengordijn. Toen de bus weer optrok, kwam er een wolk hete, zwarte rook uit de uitlaat. Kennelijk kwam er nog een bus aan want er was nog een rij wachtenden achtergebleven. Een enkeling keek uitdrukkingloos van mijn verregende haar naar de gesloten paraplu in mijn hand. Een peuter in een wandelwagen, verborgen onder een doorzichtig regenscherm, staarde me met grote verwonderde ogen door het beregende plastic aan. Achter me was een groepje luidruchtige jongelui opgedoken en ik ontspande enigszins toen ze om mij heen drongen om me te passeren.

Mijn achtervolger leek in het niets opgelost en ik kon al bijna lachen om mijn eigen verbeeldingskracht. Toch kon niets ter wereld me er op dat moment toe brengen om terug te lopen naar mijn auto op de stille, donkere parkeerplaats. De wachtende passagiers drongen bij elkaar toen de volgende bus er aan kwam. Vluchtig overwoog ik om met hen in de bus te stappen en ik ging opzij, ontweek een diepe regenplas naast het trottoir, om me keurig achter de laatste passagier in de rij te scharen.

Plotseling voelde ik dat er een hand op mijn schouder werd gelegd. Automatisch probeerde ik om hem af te schudden. Het volgende moment gaf diezelfde hand me een harde duw. Ik was me plotseling heel sterk bewust van het aanzwellende geluid van de motor van de bus. In een flits begreep ik dat ik mijn evenwicht zou verliezen en dat er een grote kans was dat ik onder de wielen van de bus terecht zou komen. In paniek draaide ik me half opzij. Terwijl ik koortsachtig probeerde op de been te blijven zag ik de enorme voorkant van de bus dreigend op me afkomen. Twee grote zwarte ruitenwissers zwiepten driftig heen en weer. Een ogenblik keek ik recht in een donker, door een capuchon overschaduwd gezicht met een vreemd verwrongen grijns. In dat ene moment wist ik dat de chauffeur niet op tijd zou kunnen remmen. Ik geloof dat ik gilde en ik zag dat enkele passagiers voor me verschrikt naar me keken. Vreemd genoeg dacht ik aan Jeremy en vroeg ik mij af wat er gedurende zijn laatste momenten door hem heen was gegaan. Had hij, net als ik nu, geweten dat het zijn laatste zouden zijn?

# EENENDERTIG

Als door een wonder kwam ik niet onder de zware wielen van de bus terecht. Ook was ik niet aan de laatste minuut van mijn leven bezig. Een hand schroefde zich om mijn arm en hoewel ik uit balans was geraakt en bijna op straat tuimelde, slaagde die hand er nog net in mij voor de neus van de bus vandaan te trekken.
Verward en verbijsterd staarde ik in een lijkbleek gezicht.
'Wat denk je dat je aan het doen bent?' beet Sally me kwaad toe. Ze veegde haar handen aan elkaar af alsof er viezigheid aan haar vingers zat.
Ik kon haar alleen maar aanstaren. Mijn hart bonkte in mijn keel en ik stond nog te trillen van schrik. Voordat ik haar woede kon trotseren, moest ik mijn schrik te boven komen.
Ze herstelde zich snel. 'Sian! Je was toch niet echt van plan er een eind aan te maken?'
We stonden in de stromende regen. Alle passagiers waren ingestapt en zaten warm en droog in de bus. Enkelen staarden mij meewarig aan door ramen waarop zich kleine stroompjes regenwater vormden. Ze hadden hun glazige vooruitstarende blikken behouden; misschien hadden ze niets gezien. Ik dacht aan het gemopper van Graham, zijn opmerkingen over de veranderende mentaliteit in de maatschappij. De mensen laten je tegenwoordig gewoon dood gaan op straat. Niemand steekt meer een hand uit om te helpen. Dat was vroeger wel anders. Hoeveel van die buspassagiers hadden gezien dat ik aan een wisse dood was ontsnapt? Wie van hen zou me gered hebben als Sally er niet was geweest? Ik keek de buschauffeur recht aan. Zijn blik was uit-

drukkingloos. Ik was er niet zeker van of hij wel had gezien wat er gebeurd was. Hij gebaarde ongeduldig of ik wilde instappen. Toen ik niet reageerde haalde hij zijn schouders op en de deuren gingen met een lange diepe zucht dicht.

Verdwaasd keek ik naar het optrekken van de bus. De remlichten lichtten even op toen er een licht gekraak klonk. De chauffeur stopte niet voor mijn paraplu, die vermorzeld op het natte asfalt achterbleef.

'Sian?' Sally's gezicht was bleek en stond strak gespannen, haar ogen waren donker van emotie. Ze legde een hand op mijn arm en schudde die zachtjes. 'Je deed het toch niet expres, hè?'

'Iemand gaf me een duw.'

Daar reageerde ze niet op. 'Ben je wel in orde, Sian?'

'Natuurlijk ben ik in orde,' reageerde ik, plotseling geïrriteerd. 'Ik werd geduwd.'

'O. Ik dacht even ...'

Ik viel haar in de rede. 'Ik weet het zeker, Sally. Iemand gaf me een duw. Ik heb het heel duidelijk gevoeld.'

'Sian,' begon ze en tot mijn ergernis gebruikte ze dezelfde kinderlijk geduldige toon als tegen Ella.

Geïrriteerd schudde ik de druppels uit mijn haren en stapte ik bij haar vandaan om te schuilen onder de overkapping van het bushok.

Ze keek omhoog, alsof ze tot op dat moment niet had gemerkt dat het regende. Haar haren en schouders waren doorweekt. Door de dunne stof van haar lichte jas heen herkende ik het patroon van haar jurk. Afwezig vroeg ik me af of ze het niet koud had. Ze leek helemaal niet gekleed op een wandeling in de regen, ze had

zelfs geen paraplu bij zich. Aan haar hand bungelde een plastic tasje met een logo van een bekend sportmerk. Vaag verwonderde ik me erover, want ze was niet iemand die de mode op de voet volgde, laat staan dat ze haar inkopen deed in de dure sportzaken.
'Waar kom je eigenlijk vandaan, Sally?'
Mijn vraag bracht haar even uit haar evenwicht. 'Hè?'
'Ik vroeg wat je hier in de stad doet. Je hebt niet eens een paraplu bij je.'
Ze keek achterom en wees achteloos met haar duim over haar schouder. 'Ik kom net bij de drogist vandaan. Ik moest oordruppels hebben voor Brendan. Hij heeft regelmatig last van zijn oren maar hij weigert naar een dokter te gaan.' Ze kneep haar ogen halfdicht. 'Realiseer je je wel wat er had kunnen gebeuren als ik je niet toevallig had gezien? Toen ik je naar de bushalte zag lopen, ging ik achter je aan om je een lift aan te bieden. Het leek alsof ...'
Ik viel haar bruusk in de rede. 'Heb je hem gezien?'
'Wie moet ik gezien hebben?'
'Ik werd achtervolgd door een man met een zwarte paraplu. Hij moet degene geweest zijn die probeerde me voor de bus te duwen.'
'Waar heb je het over, Sian?'
'Die man achtervolgde me. Ik ging ...'
Ze schudde aan mijn arm. 'Lieve help, Sian, houd toch eens op met die malle verzinsels van je. Sinds de dood van die collega van Graham denk je zeker dat iedereen het op je heeft gemunt. Ik begrijp dat je geschokt bent, maar ik vind je reactie wel een beetje overdreven.'

'Het is niet alleen Jeremy,' begon ik lamlendig, maar ik zweeg abrupt toen ik haar mond zag verstrakken. Het had geen zin haar een opsomming te geven van de vreemde gebeurtenissen van de laatste tijd: het geld, de inbraak bij Jeremy en zijn zus, mijn gestolen ondergoed, de door het raam gegooide steen, het voortdurende bellen door iemand die niets zei of die me waarschuwde voor onbekend gevaar. En nu de duw tegen mijn schouder. Voor mij waren het aanwijzingen dat er iets aan de hand was, maar Sally deed alles af als toevallige gebeurtenissen.
Ze greep me bij mijn elleboog en dirigeerde me in de richting van de achterkant van een warenhuis. Ik was er voorbij gekomen, maar ik had me niet gerealiseerd dat de openstaande nooddeuren ook dienden als achteringang. 'Laten we even ergens gaan zitten,' zei ze op een toon alsof ze geen tegenspraak accepteerde.
'Je doet alsof ik een klein kind ben.' Nijdig rukte ik me los uit haar greep.
'Is dat dan niet zo? Is het niet, Sian, omdat Graham de laatste tijd zo weinig tijd voor je heeft? Volgens mij probeer je zijn aandacht te trekken!'
Ik bleef zo plotseling staan dat een vrouw met een kinderwagen me ternauwernood kon ontwijken. 'Hoe haal je dat in je hoofd, Sally?'
Ze bond enigszins in. 'Kom, Sian, je bent kennelijk jezelf niet.' Ze legde haar hand op mijn arm en glimlachte verontschuldigend naar de vrouw die de kinderwagen met een nijdig gezicht om ons heen manoeuvreerde.
'Met mij is niets aan de hand!' Het leek alsof ik geen controle meer had over mezelf. Ik stampvoette van boosheid en merkte

nauwelijks op dat we midden in een plas regenwater stonden. De modderige spatten kwamen op onze benen terecht. 'Ik weet zeker dat iemand me een duw gaf. Dat verzin ik heus niet, Sally. Waarom zou ik?'
'Ik denk dat we allebei geschrokken zijn,' zei ze sussend. Met de rug van haar hand veegde ze de regendruppels van haar voorhoofd.
'Je moet me geloven, Sally.'
'Ja.' Ze aarzelde. 'Luister, we worden kletsnat, zullen we een kopje koffie nemen? Voor de schrik?'
'Ik ga liever naar huis.' Ik was vergeten dat ik op weg was geweest naar de patisserie om chocoladepunten mee te nemen naar Hayley.
Ik keek Sally doordringend aan. 'Je moet me geloven,' herhaalde ik.
'Ik kan me niet voorstellen dat iemand jou moedwillig voor de bus wilde duwen, Sian. Waarschijnlijk was het iemand die voor jou in de bus wilde stappen. Misschien was het een van die jongelui. Tegenwoordig hebben ze niet meer het fatsoen om beleefd hun beurt af te wachten.'
Ze begon te lopen en ik volgde gedwee. De regen was langzaam maar zeker bezig door mijn jas heen te kruipen en ik voelde een straaltje water uit mijn haar in mijn nek lopen. Ik huiverde en Sally wierp me een bezorgde blik toe.
'Zo word je nog ziek, Sian.
'Mijn auto staat hier vlakbij. Ik moet nog even een boodschap doen en dan ga ik naar Hayley.'
Ze keek me strak aan. 'Ik vind het geen goed idee dat je niet naar

huis gaat, Sian. In jouw toestand ...'
Toestand? 'Wat bedoel je, in mijn toestand?'
Ze aarzelde en stootte een vreemd hoog lachje uit. 'Ik bedoel dat je er uitziet als een geest. Ik denk dat je beter naar huis kunt gaan en in bed kruipen!'
'Ik ben geen kind meer, Sally.'
Ze wierp een snelle blik opzij. 'Nee, maar als je je zo dwars blijft gedragen, lijk je er wel erg veel op.'
Bij de hoek bleven we staan. Ze wierp me een lange, ondoorgrondelijke blik toe. Toen haalde ze berustend haar schouders op. Omdat ik bang was dat ze zou blijven aandringen en dat ik me uiteindelijk zou laten verleiden met haar mee te gaan naar het restaurant in het warenhuis en daarna naar huis, draaide ik me om en liet ik haar staan. Deze keer koos ik ervoor door de winkelstraat naar mijn auto te lopen. Ik had zo'n haast om weg te komen dat ik uiteindelijk geen chocoladepunten kocht.

# TWEEËNDERTIG

Ik werd me pas van de vrouw bewust toen ze een hangertje met een bloes uit mijn handen rukte. Op aandringen van Graham was ik naar de stad gegaan om iets te kopen voor het feestje van Robert en Jenny. Ik had net het hangertje met de bloes uit het rek gehaald en hield het keurend omhoog, me afvragend of de bijzondere groene kleur me zou flatteren. Terwijl de vrouw aan een punt van het hangertje rukte, stamelde ze een weinig gemeend excuus. Ze staarde me aan met iets fanatieks in haar blik dat me deed verkillen. Op dat moment realiseerde ik me dat ik al eerder tegen haar was opgebotst. En ze had ook al een keer haar elleboog in mijn zij gepord toen we elkaar passeerden in een andere winkel.

'Neem me niet kwalijk.' Ze sliste een beetje.

Ze was iets kleiner dan ik. Haar ronde gezicht zou misschien mooi kunnen zijn als er geen norse, onvriendelijke uitdrukking op had gelegen. Ze had lichte blauwe ogen die klein leken achter een bril met een doorzichtige vleeskleurige rand die de fletsheid van haar huid benadrukte. Zwart haar, dik en dof, was slordig verborgen onder een kleurig sjaaltje dat ze schijnbaar in haast om haar hoofd had gewikkeld.

Ze bleef me zo lang en bijna beschuldigend aankijken dat ik de strijd om de blouse won. Half in de verwachting dat zij het hangertje weer zou pakken, hing ik het terug in het rek. Ze verroerde zich echter niet en bleef me aankijken alsof ze verwachtte dat ik iets ging zeggen. De gedachte kwam in me op dat ze haar best had gedaan mijn aandacht te trekken. Ik was echter zo in gedach-

ten verzonken geweest dat ik niet op haar had gelet.
Haar blik was zo intens dat ik me onbehaaglijk voelde. Ik wilde doorlopen, maar ze hield me tegen door midden in het smalle gangpad tussen de kledingrekken te blijven staan.
'Wat ...?' begon ik.
'Ik heb u gewaarschuwd,' beet ze me plotseling toe. Haar stem was luid en krachtig, het slissen viel nog nauwelijks op.
Verbluft gaapte ik haar aan. Om hulp zoekend keek ik om me heen. Ik vroeg me af of ze alleen was. De uitdrukking op haar gezicht deed me opeens denken aan iemand met wat minder goed ontwikkelde verstandelijke vermogens.
'Pardon,' zei ik beleefd. 'Mag ik er even langs?'
Ze verroerde zich niet. Ze bleef pal voor me staan, alsof ze me tartte haar opzij te duwen. Ik was niet iemand die snel geïrriteerd raakte, en al helemaal niet iemand die zich tot een ruzie liet verleiden. Toch had ik even een mal visioen van twee vrouwen die vechtend tussen de rekken in de kledingzaak rolden. Met een klein glimlachje haalde ik mijn schouders op en ik wilde me net omdraaien toen ze siste: 'Ik heb je gewaarschuwd, Sian. Waarom wil je niet naar me luisteren?'
Op hetzelfde moment dat het tot me doordrong dat ze wist wie ik was, herkende ik haar stem. Ik bleef verrast staan. 'Heeft u mij gebeld? Was u dat?'
Ze keek behoedzaam om zich heen en liet haar stem dalen. 'Ik heb je gebeld om je te waarschuwen, Sian Lewis, maar je hebt niet naar me geluisterd.' Ze klonk als een schooljuf die een opstandig kind berispt.
'Wie bent u?' vroeg ik.

Ze schudde haar hoofd en keek me aan alsof ze me stiekem uitlachte.
'Je moet op je tellen passen, Sian.' Ze liet haar stem dalen en boog zich naar me toe. Uit haar mond kwam een muffe geur van knoflook en pepermunt. Een golf van misselijkheid overviel me en ik moest de neiging onderdrukken voor haar terug te deinzen.
'Ik heb het toch duidelijk tegen je gezegd? Waarom doe je het dan niet?'
Enerzijds wilde ik weglopen, maar anderzijds was ik nieuwsgierig. 'Ik weet niet waarvoor ik moet uitkijken,' zei ik zo vriendelijk en rustig mogelijk.
Ze keek snel om zich heen. 'Kom mee, Sian.' Ze pakte mijn arm in een stevige greep en sleurde me bijna de winkel uit. Haar passen waren lang en bijna mannelijk krachtig en ze trok zich er weinig van aan dat ik bijna met haar mee moest hollen. Buiten de winkel keek ze om zich heen en vervolgens wees ze naar een cafeetje. 'Zullen we daar even gaan zitten, Sian?'
Haar gewoonte om achter elk zinnetje mijn naam te noemen, begon me nu al te irriteren. Ze had echter iets over zich dat me voorzichtig maakte om haar niet tegen de haren in te strijken.
Ze koos een tafeltje aan de zijkant, tegen de muur, ver van het raam maar pal naast een gezin met een paar vervelende, luidruchtige kinderen. Het drukke gedrag van de kinderen begon haar bijna meteen te ergeren, maar hoewel er nog diverse vrije tafeltjes waren, stelde ze niet voor ergens anders te gaan zitten.
Ik besloot het heft in handen te nemen. 'Thee? Of wil je liever koffie?'
'Cola,' antwoordde ze als een recalcitrante puber.

'Ook goed.' Ik bestelde cola en thee en een schaaltje kleine chocolade muffins. Ze keek er met opgetrokken wenkbrauwen naar alsof ze zich afvroeg of het wel veilig was haar tanden daarin te zetten, maar ze genoot er net zo van als ik.
'Wil je er nog een?' Vriendelijk schoof ik het schoteltje naar haar toe.
'Nee. Ze zeggen dat ik te dik word, Sian.' Ze was niet superslank, stevig maar zeker niet te dik.
'Vertel me eerst eens hoe je heet,' stelde ik vriendelijk voor.
Ze rechtte haar rug en stak haar plompe ronde kin in de lucht. 'Ik heet Lucinda.'
'Oké, Lucinda. Hoe ken je mij? Waarom heb je me gebeld om me te waarschuwen? Waarvoor?'
'Iedereen noemt me Lucie,' zei ze, zonder op mijn andere vragen in te gaan.
'Lucie?' Er begon me iets te dagen. 'Van John?'
'John is mijn vader!' zei ze trots.
'Dat weet ik, Lucie.' Ik verborg mijn verbazing. Uit de opmerkingen van Graham had ik begrepen dat Lucie in bepaalde mate verstandelijk gehandicapt was en geen moment alleen gelaten kon worden. Ze was moeilijk en suïcidaal. Volgens Graham leefde haar vader met de voortdurende angst dat ze zou proberen zichzelf iets aan te doen. De vrouw die tegenover me zat en van haar cola nipte, leek helemaal niet te voldoen aan het beeld dat ik me van haar had gevormd.
Vluchtig vroeg ik me af of Graham me met opzet een verkeerde indruk van haar had gegeven, om mijn vragen en verzoeken om kennis te maken met John en Lucie de grond in te boren.

‘Ik vind het leuk je eindelijk te ontmoeten, Lucie. Ik heb al heel vaak aan Graham gevraagd of hij me eens mee wil nemen als hij naar jullie toe gaat.’
‘Dat kan niet,’ zei ze heel beslist.
‘Waarom niet?’
‘Dat wil Graham niet.’
‘Ik kan toch wel een keer thee bij jullie komen drinken?’
‘Dat wil zij niet.’
‘Wie wil dat niet?’
‘Clarissa natuurlijk.’
Ik glimlachte geduldig. ‘Clarissa is dood, Lucie. Dat weet je toch? Graham is nu met mij getrouwd.’
Ze schudde weerspannig haar hoofd en haar ogen begonnen fanatiek te glanzen terwijl ze haar bovenlip kwaad optrok. ‘Clarissa haat jou.’
‘Lucie, Clarissa is dood.’
‘Ze is jaloers,’ hield ze vol.
Ik haalde diep adem en deed mijn best om mijn geduld niet te verliezen. Ik begon te begrijpen waarom haar vader uitkeek naar de wekelijkse bezoeken van Graham. Hij moest de vrijdagavonden zien als een manier om energie op te doen om de rest van de week met haar door te kunnen komen.
‘Clarissa kan niet meer jaloers zijn. Lucie. Ze is dood.’
‘Je hebt het helemaal mis, Sian. Begrijp je het dan niet? Ik probeer je te waarschuwen, maar je wilt niet luisteren. Het brengt mij ook in moeilijkheden. Vorige week hebben ze me opgesloten.’
‘Wie heeft jou opgesloten?’
‘John. En Graham.’

Het leek me weinig nut te hebben haar er nog eens aan te herinneren dat Clarissa dood was. Ik herinnerde me dat Graham onlangs nog naar John was gegaan nadat hij een alarmerend telefoontje van John had gekregen. Er was een calamiteit met Lucie, had hij gezegd. Misschien hadden ze haar opgesloten omdat er niets met haar te beginnen was. Geen actie die ik kon aanmoedigen, maar ik besefte terdege dat ik de omstandigheden niet kende. In de winkel had ik even kennisgemaakt met haar onverzettelijkheid en ik kon me er gemakkelijk een voorstelling van maken dat ze iemand tot de rand van zelfbeheersing kon brengen.

'Waarom hebben ze je opgesloten?'

'Omdat Clarissa kwaad was, Sian. Op mij.'

Ik meende me te herinneren dat er soms een vrouw kwam om John te helpen. Iemand van de een of andere verzorgingsinstantie. Misschien heette die ook toevallig Clarissa. Of ze leek op haar, waardoor Lucie in verwarring werd gebracht.

'En waarom was ze dan kwaad op je? Wat had je gedaan, Lucie?'

'Ik weet dat ze naar jullie huis is gegaan.'

Ik nam haar nog steeds met een flinke korrel zout. Van Graham had ik al begrepen dat ze erg lastig kon zijn en dat ze zich oneindig lang kon blijven vastbijten in hetzelfde onderwerp.

'Ons huis? Wie is naar ons huis geweest, Lucie?'

Ze schoof naar de achterleuning van haar stoel en begon als een kind met haar benen te zwaaien. 'Ik mag het niet vertellen.'

'Als het een geheim is, mag je het inderdaad niet doorvertellen.'

Ik had gedacht haar met die woorden op haar gemak te stellen, maar ze hadden een tegenovergestelde uitwerking. Volkomen onverwacht boog ze haar hoofd naar voren en barstte ze in huilen

uit. Tussen haar lange uithalen door begon ze verwoed te mompelen, maar er was geen een touw aan vast te knopen.
'Lucie!'
Ze hield op alsof er een knop werd omgedraaid. Haar ogen waren troebel, maar er was geen spoor van tranen op haar mollige wangen. 'Ik weet het zeker,' zei ze met stemverheffing. 'Ik heb het zelf gehoord. Ze zeiden dat Clarissa die steen door jullie raam heeft gegooid.' Ze zei het alsof het de gewoonste zaak van de wereld was.
Natuurlijk hechtte ik geen enkel geloof aan de woorden van Lucie. Ze was onderhevig was aan stemmingswisselingen. Ze kon plezier hebben, de hele dag lachen, maar ze had ook buien die haar depressief maakten en in opperste verwarring brachten. Desondanks kon ik niet heen om het feit dat er inderdaad een steen door ons raam was ingegooid. Ik begon te vermoeden dat Lucie het zelf had gedaan. Ze was in de war geweest, om de een of andere reden had ze zich vereenzelvigd met Clarissa. Wat haar motieven die nacht ook waren geweest, ze had een reden gehad om een steen uit de tuin te pakken en naar ons huis te gooien. Het verklaarde waar Graham die nacht heen was gegaan. Hij moest haar herkend hebben en hij had haar snel terug gebracht naar John.
Haar opmerkingen over Clarissa maakten me echter nieuwsgierig. Het leek me een uitgelezen moment om meer over mijn voorgangster te weten te komen. Lucie had haar gekend. Als ze wilde, kon ze me vertellen wat ik wilde weten. Tegelijkertijd was ik me ervan bewust dat ik Lucie niet naar de bijzonderheden van haar dood kon vragen. Ze zou misschien opgewonden raken en omdat

ik niet wist hoe ze zou reageren, wilde ik niet op mijn geweten krijgen dat ze een soort aanval kreeg. Waarschijnlijk waren bijzonderheden over het ongeluk gemakkelijk op het internet te vinden. Toen ik Graham ontmoette, was hij al drie jaar weduwnaar. Dat vertelde hij me tenminste, maar later had ik ontdekt dat Clarissa pas meer dan een jaar na haar verdwijning officieel dood was verklaard. Ik kende de hoofdlijnen, maar de bijzonderheden had Graham me nooit verteld. Clarissa was voor mij nooit iets anders geweest dan de ex-vrouw van Graham, de vrouw die al was overleden voordat ik hem leerde kennen. Ze was niet, zoals bij scheidingen, een dreiging op de achtergrond, iemand die altijd het voordeel had de eerste liefde van je man te zijn geweest. Van Ella was ik ook niet veel wijzer geworden. Van het begin af aan beschouwde ze mij als de vrouw die de plaats van haar dochter innam. Ze begreep wel dat van geen man verwacht kon worden dat hij het grootste deel van zijn leven zou blijven treuren om zijn overleden vrouw, maar toch kon ze zich moeilijk schikken in het feit dat hij met iemand anders was getrouwd. Dientengevolge was onze verhouding nooit goed van de grond gekomen. Ze behandelde mij met een flinke dosis afkeuring, waarschijnlijk omdat ik op geen enkel vlak aan haar dochter kon tippen. Dat liet ze me zo duidelijk voelen dat ik me er niet langer voor inspande onze verhouding te verbeteren.

Ik glimlachte Lucie vriendelijk toe. 'Jullie waren vriendinnen, hè, Lucie?'

'Ze is mijn beste vriendin.'

'Je moet haar wel erg missen.'

'Soms komt ze 's nachts naar me toe, Sian.'

'Droom je vaak over haar, Lucie?'
Ze begon onbehaaglijk heen en weer te schuiven. 'Het zijn geen dromen, Sian. Als ze bij me komt, is het 's nachts. Dan is het donker.'
'Het is goed dat je dan met haar kunt praten. Vind je ook niet?'
Ze keek me aan alsof ik een klein kind was dat maar een beetje zat te brabbelen. Toen stak ze haar hand uit naar het schoteltje met de laatste muffin en zonder het papiertje eraf te trekken, propte ze hem bijna helemaal in haar mond.
'Het papier zit er nog omheen, Lucie.'
Ze spuugde alles uit op het schoteltje, greep een papieren servetje, drukte dat tegen haar mond en rende weg. Na een kwartier werd het me duidelijk dat ze niet terug zou komen.

# DRIEËNDERTIG

Zodra ik thuiskwam typte ik de naam van Clarissa Lewis in bij een zoekprogramma en ik kreeg onmiddellijk een lijst met publicaties over haar verdwijning op het beeldscherm.
Met enige verrassing constateerde ik dat het internet ook in dit geval een bron van onverwachte informatie kon zijn. Ik vond een bericht dat bevestigde dat Clarissa was verongelukt toen ze met Lucie was gaan surfen. Het gebeurde was breed uitgemeten in de pers. Zo hadden verschillende journalisten zich verdiept in de achtergrond en de zonderlinge verhouding van de meisjes.
Lucie Robbins was twee jaar toen haar buurmeisje werd geboren. In de kleine gemeenschap groeiden de meisjes min of meer als zusjes op. Lucie verafgoodde de grond waarop Clarissa liep en daarvan maakte het jongere meisje dankbaar misbruik. Ze maakte Lucie zo ongeveer tot haar slaafje, hetgeen oogluikend werd toegestaan omdat het Lucie tenminste bezighield. Ze was een moeilijk en lastig kind en er werd vermoed dat ze in bepaalde mate autistisch was. De zonderlinge vriendschap van de meisjes kwam in het regionale nieuws toen ze samen van huis weggliepen. Clarissa had een spannend avontuur op het oog en Lucie vond het allemaal geweldig omdat ze als gelijke in het complot was opgenomen. Ze kwamen niet verder dan St.Austell omdat de nicht van Lucie, bij wie ze dachten te kunnen onderduiken, niet bereid bleek twee meisjes van dertien en vijftien in huis te nemen. Hoewel Clarissa ging studeren en Lucie thuis bleef wonen, kwam er vreemd genoeg geen einde aan hun vriendschap. Na haar huwelijk met Graham had Clarissa haar moeder in huis genomen,

maar ze bezocht nog regelmatig haar geboorteplaats. Net als Clarissa was Lucie dol op surfen. Er ging dan ook geen gelegenheid voorbij dat Lucie Clarissa smeekte om met haar mee te gaan. Van Graham wist ik dat wat Lucie eenmaal in haar hoofd had, er niet gemakkelijk uitging. Waarschijnlijk was het eenvoudiger toe te geven dan tegen haar in te gaan.

Clarissa was een ervaren surfster, maar ze was ook geneigd risico's te nemen. Terwijl Lucie liever dicht bij het strand bleef, koos Clarissa de verste golven. Zo ook die dag. Er stond een aanwakkerende, aflandige wind, geliefd bij surfers, en de golven waren perfect. Met volle teugen genoot Clarissa van het spel van de wind en het water. Op zeker moment kwam ze echter in moeilijkheden. Ze zwaaide naar Lucie en gebaarde dat ze naar het naburige strand zou gaan omdat ze niet meer om de rotsen heen kon komen. Toen Lucie echter naar boven klom om op het pad te wachten op de veilige terugkeek van Clarissa, was die in geen velden of wegen te zien. In paniek ging ze terug naar het dorp, waar ze alarm sloeg.

Er werd tot zonsondergang door zowel de kustwacht als een helikopter van de marine naar haar gezocht, maar alleen haar vernielde surfplank werd teruggevonden.

Uiteraard had de verdwijning van Clarissa voor de nodige publiciteit gezorgd. Een oplettende verslaggever refereerde aan het obsessieve karakter en de tomeloze trouw van Lucie. Hij suggereerde dat Lucie stevig aan de tand moest worden gevoeld, maar hulpverleners beschermden haar tegen de al te scherpe vragen. Lucie was zo diep geschokt over de verdwijning van haar grote idool dat ze maanden niet aanspreekbaar was. De betreffende verslaggever suggereerde dat zij wel eens meer kon weten over Clarissa's verdwijning, maar als dat al zo was, dan kwam dat niet aan het licht.

De zaak kwam opnieuw in de publiciteit toen Graham een jaar later een formeel verzoek indiende om Clarissa overleden te laten verklaren. Het was vooral de regionale pers die de zaak weer oprakelde en vraagtekens zette bij zijn motieven. Zo werd er gerefereerd aan een ruzie tussen Clarissa en haar baas Robert Firth, met als inzet een twijfelachtige zakelijke transactie die Clarissa had geregeld onder de paraplu van een bedrijfje waarvan de herkomst onduidelijk was. Graham was tussenbeide gekomen en had zijn vrouw gered uit een penibele situatie die niet in de publiciteit zou zijn gekomen als ze eerder niet een venijnige opmerking over de betreffende verslaggever had gemaakt.

Uit de vele berichten maakte ik op dat Clarissa in alle opzichten de ideale echtgenote voor Graham was geweest. Ella had het me dikwijls onder de neus gewreven, maar nu had ik het zwart op wit. Clarissa was volledig de gelijke van Graham geweest. Ik had me nooit zijn gelijke gevoeld. Ik was alleen maar zijn mooie speelpopje. Ik kon dineetjes organiseren en aan zijn zijde schitteren in de jurk die met zijn geld was gekocht, met de juwelen die hij me regelmatig cadeau deed alsof het een noodzakelijk ingrediënt was voor ons huwelijk. Met mij sprak hij niet, zoals hij ongetwijfeld met Clarissa had gedaan, over zijn werk. Hoogstens vertelde hij mij anekdotes over collega's, een enkele keer kwam hij op de proppen met een stevige roddel. Van accountantszaken werd ik geacht geen verstand te hebben. Wanneer ik erin slaagde de huishoudportemonnee gezond te houden, had ik wat Graham

betreft de top van mijn kunnen bereikt.
Wat ik ook niet wist, was dat Clarissa met van haar grootvader geërfd geld een aantal stukken grond had aangeschaft die later een fortuin hadden opgeleverd toen de betreffende gemeenten met hun plannen op tafel kwamen. Het maakte de pogingen van Graham, om haar officieel overleden te laten verklaren en haar tegoeden vrijgegeven te krijgen des te begrijpelijker, maar de verdenkingen van politie en pers waren daardoor te voorzien.
Iets zoeken via een zoekmachine op het internet kon soms een uitkomst zijn, maar heel vaak belandde ik op zijwegen die ik eigenlijk niet wilde bewandelen, maar die toch op de een of andere manier mijn aandacht trokken. Zo ontdekte ik een opvallend detail over de verslaggever die Graham het leven zuur had gemaakt met de argwanende toon in zijn artikelen: ongeveer zes maanden na Clarissa's verdwijning raakte hij betrokken bij een omkopingsschandaal dat hem uiteindelijk zijn baan kostte.
Ik bleef lang achter de computer zitten om alle artikelen over Clarissa grondig te lezen, maar ze kwamen allemaal op hetzelfde neer. Ik werd er een beetje zwaarmoedig van al die loftuitingen te lezen over een zo perfecte vrouw voor wie ik in geen enkel opzicht een partij was. Ik staarde naar haar mooie gezicht dat me vanaf het beeldscherm aankeek alsof ze me duidelijk wilde maken dat ik altijd op de tweede plaats zou komen.
Ik klikte haar beeltenis van het scherm en stond op. Hoofdschuddend ging ik naar de keuken om aan het eten te beginnen. Met een vleugje trots bedacht ik dat het ernaar uitzag dat ik toch een manier had gevonden om van haar te winnen. Graham en zij waren acht jaar getrouwd geweest maar ze was er nooit in geslaagd

hem te geven wat hij het liefste wilde. Als de tekenen juist waren, dan droeg ik zijn kind.

# VIERENDERTIG

'Ik wil je zien.'

Het was geen vraag, geen verzoek. Met de rauw uitgesproken woorden gaf Mac uitdrukking aan wat in mijn eigen gedachten en gevoelens werd weerspiegeld.

Ik klemde de hoorn van de telefoon tegen mijn gloeiende gezicht, dankbaar dat ik de deur achter me dicht had getrokken. Toen slaakte ik een lange zucht. 'Ja.'

'Kan ik naar je toekomen?'

In de hal was Sally aan het stofzuigen. 'Nee, nee, Sally is er nog.' Ik giechelde nerveus. 'Ze heeft de ogen van een havik en de oren van een vleermuis.'

'Kun je haar niet vertrouwen?'

'Dat denk ik niet. Ze werkte hier al toen ik met Graham trouwde.'

'Dan moeten we iets anders afspreken, Sian.'

Zijn stem klonk schor van emotie en voor een roekeloos moment schoof ik alle voorzichtigheid terzijde. 'Waar?'

Hij was even stil. 'Kun je naar St.Agnes komen? Nu meteen?'

'St.Agnes?' Om de een of andere reden had ik verwacht dat hij de naam van een cafeetje zou noemen.

'Ik ga schetsen en foto's maken boven op de rotsen bij de oude mijngebouwen van Porthtowan. Het is er meestal stil, vooral door de week. Op de top is een parkeerplaats. Weet je waar dat is?'

Ik stootte een nerveus lachje uit. 'Ik vind het wel.'

De stofzuiger kwam naderbij. Heel even verdacht ik Sally ervan het apparaat alleen aangezet te hebben om te doen alsof ze druk aan het werk was terwijl ze met haar oor tegen de deur stond.

'Ik zie je zo, Sian.'
'Ja.' Ik legde de telefoon neer. Sally gooide de deur open en duwde de stok van de stofzuiger over het tapijt naar binnen. Ze keek me met een vreemde blik aan en ik kon me niet aan de indruk onttrekken dat ze wist wie ik had gesproken. Waarschijnlijk was het mijn geweten dat me een onbehaaglijk gevoel gaf.
'Ik ga even weg,' kondigde ik aan, mijn stem luid en hoog om het geluid van de stofzuiger te overstemmen.
Ze knikte en maakte een gebaar naar haar mond. Ze veronderstelde dat ik naar een supermarkt ging en wilde me er alleen aan herinneren dat de theezakjes bijna op waren. Ik liet haar in de waan.
Tijdens de rit naar St.Agnes zocht ik allerlei excuses om mijn afspraak met Mac te rechtvaardigen. Ik vond er geen. Diep in mijn hart wist ik dat ik iets onvergeeflijks deed maar het leek onmogelijk om weerstand te bieden aan de verleiding. Ik was vervuld van hem, ik was verliefd, ik moest hem zien. Elke gedachte aan Graham en Hayley schoof ik met een onbarmhartige vastberadenheid aan de kant.
Op een kleine grijze Nissan na was de parkeerplaats van Porthtowan leeg. Ik reed over de ongelijke grond naar de uiterste hoek, de grootste brokken steen en diepste kuilen ontwijkend. Pal naast de Nissan, vlak bij het pad dat naar de ruïnes van de vroegere tinmijnen leidde, bleef ik even strak voor me uit kijken. Mijn handen trilden zo heftig en mijn vingers waren zo vochtig dat de sleutels op de grond vielen toen ik ze uit het contact haalde. Ik keek pas opzij toen Mac het portier van zijn auto opende. Zijn gezicht stond ernstig en gespannen. Ik vroeg me af of hij inmiddels spijt

had gekregen van zijn impulsieve telefoontje. Misschien had hij aan Hayley gedacht, net als ik. De wind rukte aan zijn haar, aan het blauwe jack en aan de pijpen van zijn jeans. Hij sloot zijn auto af en stapte naast me in de mijne alsof het de gewoonste zaak van de wereld was dat we elkaar op deze manier ontmoetten.
Ik keek hem aan. Zijn kaken waren strak gespannen en hij had zijn lippen op elkaar geklemd. Ik schoof de gedachte aan Graham en Hayley terzijde. Ik keek naar de handen van Mac en wenste dat hij me zou aanraken.
'Hallo Sian,' zei hij rustig.
'Hallo,' mompelde ik schor. Ik begon bang te worden dat hij van gedachten was veranderd. Ik had gehoopt dat hij me onmiddellijk in zijn armen zou nemen en nu hij dat niet deed was ik opgelucht en teleurgesteld tegelijk. Ik bestudeerde zijn gezicht dat in alle opzichten perfect was. Een robuuste kaaklijn, een krachtige kin, een neus die precies goed was van proportie, helderblauwe ogen die werden overschaduwd door prachtig gevormde wenkbrauwen. Hij had een krans van kleine lachrimpeltjes naast zijn ogen. Mijn hart klopte in mijn keel en ik kon alleen maar naar zijn mooie mond kijken, naar de perfect gevormde lippen, en me afvragen hoe het zou zijn door hem gekust te worden.
'Zullen we een stukje gaan lopen?' stelde hij plotseling voor en zonder mijn reactie af te wachten stapte hij weer uit.
Met een mengeling van wanhoop en verlangen volgde ik zijn voorbeeld.
'Heb je het koud?' vroeg hij toen hij zag dat ik mijn jack dicht ritste en de kraag opzette.
'Nee.' Ik glimlachte flauwtjes omdat het me onmogelijk leek hem

uit te leggen dat ik me, zo dicht bij hem, warm en beschermd voelde.

'Als je het te koud vindt, moet je het zeggen,' zei hij langzaam. 'Het leek me daarnet in de auto beter niet zo dicht bij elkaar te blijven zitten.' Hij wierp een snelle blik opzij en glimlachte scheef.

'Je klinkt alsof je het nog meent ook,' zei ik met een zenuwachtig lachje terwijl ik mijn handen diep in de zakken van mijn jack duwde. Niet omdat ik het koud had, maar omdat ik mezelf niet vertrouwde. Ik snakte ernaar me in zijn armen werpen.

We liepen over het pad dat naar de ruïnes van de oude tinmijn leidde. De hoge ronde schoorstenen staken scherp af tegen het zonlicht dat werd weerkaatst door het rustige oppervlak van de zee. In de verte waren enkele wandelaars bezig aan een tocht over het kustpad. Waarschijnlijk waren het toeristen, maar ik kon me er op dat moment geen zorgen over maken. Het enige dat telde was dat ik bij Mac was.

Hij leek aan te voelen wat er in me omging. Plotseling bleef hij stilstaan en als in een vertraagde filmopname stak hij zijn arm naar me uit. Ik was niet bij machte me te bewegen. Ik kon hem alleen maar aankijken en wachten. Na wat een eeuwigheid leek, legde hij zijn hand in mijn nek en trok me langzaam naar zich toe.

'Die mooie groene ogen van je vertellen me iets wat ik heel graag wil weten, Sian,' zei hij zachtjes, terwijl hij met ervaren bewegingen met zijn duim het delicate plekje achter mijn oor streelde.

'Mac ... ' Ik wilde hem eraan herinneren dat ik getrouwd was. En dat hij een relatie had met mijn beste vriendin.

Hij schudde zachtjes zijn hoofd. 'Niets zeggen, Sian.'

Het moment dat ik me nog kon terugtrekken was voorbij. Zijn mond nam heel langzaam en zachtjes bezit van de mijne, daarmee duidelijk makend dat hij me alle gelegenheid gaf me terug te trekken.
Dit kan niet, dacht ik koortsachtig, ik had niet moeten komen, dit mag ik niet doen! Ik ben een getrouwde vrouw, ik heb Graham trouw beloofd. Hayley is mijn beste vriendin!
'Hm, ik heb dit willen doen vanaf het moment dat we elkaar ontmoetten,' zei Mac ergens in de buurt van mijn oor.
Willoos leunde ik tegen hem aan. Ik luisterde naar het snelle kloppen van zijn hart, ik voelde hoe zijn lippen een spoor van lichte kusjes over mijn gezicht trokken. Ik dacht aan Graham, aan zijn aanrakingen, aan ons liefdesspel. Ik wist opeens dat Graham dit waanzinnige, roekeloze gevoel nog nooit in me teweeg had gebracht. Zelfs Billy, die mijn eerste grote liefde was geweest, had me nooit zoiets als dit laten voelen. Mijn gevoelens voor Graham en Billy vielen zo volledig in het niet bij wat er nu met me gebeurde, dat ik zeker wist dat ik mijn hele toekomst in de handen van deze man wilde leggen. Ik kende hem nog maar kort en eigenlijk wist ik niets anders van hem dan wat Hayley over hem had verteld. O Hayley, het spijt me zo!
'Sian,' begon hij moeizaam. 'Het spijt me, dit … mag niet gebeuren.'
Ik slikte, op een vreemde manier gedesillusioneerd. Hij had gelijk, natuurlijk.
'Je bent getrouwd, Sian. En Hayley …'
Hij brak af alsof hij begreep dat ik niet over haar wilde praten. Om de een of andere reden voelde ik me meer schuldig jegens

haar dan jegens Graham.
'Ja.' Ik staarde verwezen naar mijn handen. Hoe kon ik hem uitleggen dat ik nooit iets mooiers had ervaren, maar dat ik een bittere nasmaak had omdat ik van verboden vruchten snoepte?
'Houd je van je man?' vroeg hij na een korte stilte.
'Ik dacht van wel,' antwoordde ik langzaam. 'Maar nu weet ik het niet meer zo zeker.'
Hij knikte en vanaf dat moment leek er iets tussen ons veranderd. Hij raakte me niet meer aan. We liepen zwijgend naar de eerste mijngebouwen en later daalden we via een smal, slingerend pad af naar een lager gelegen gebouw. Hij ging op een steen zitten en maakte snelle schetsen van het markante gebouw terwijl ik in de luwte van een van de gerestaureerde muren ging zitten en mijn gezicht ophief naar de zon.
Toen hij naar me toe kwam, was zijn gezicht rood van de frisse wind uit zee, maar hij lachte blij en opgewekt. Hij hield zijn digitale fotocamera omhoog en vertelde enthousiast dat hij een heleboel foto's had genomen. Zijn opmerking dat hij ook foto's van mij had genomen, die hij me niet wilde laten zien, maakte me trots en onbehaaglijk tegelijk.
Hij lachte omdat ik wilde dat hij zijn arm van mijn schouders haalde toen we terugliepen naar de parkeerplaats en twee wandelaars in onze richting kwamen. De realiteit begon plaats te maken voor dit heerlijke clandestiene intermezzo. Naast mijn auto kuste hij me grondig, maar rustig en beheerst en ik wist dat hij me nakeek toen ik als eerste van de parkeerplaats af reed. Mijn hart zong, maar ik durfde geen minuut verder in de toekomst te kijken.

# VIJFENDERTIG

Ik kon mijn gevoelens nauwelijks onderdrukken. Al jaren was Hayley mijn beste vriendin, maar ik had een hekel aan haar toen ze vrolijk wuivend in mijn auto wegreed voor haar afspraak met Mac.

Ze had me in tranen gebeld. Mac had haar gevraagd hem ergens te ontmoeten zodat ze samen konden gaan eten. Ze vertelde me dat ze hoopte dat hij haar daarna bij hem thuis zou uitnodigen voor een slaapmutsje. En meer. Ze had uren lopen dubben over wat ze zou aantrekken, haar make-up halverwege weggepoetst omdat ze bang was dat hij het misschien teveel zou vinden. En toen ze eindelijk klaar stond om weg te rijden, wilde haar auto niet starten. Ze had al meer problemen met de accu gehad, maar ze had het steeds uitgesteld naar een garage te gaan en er naar te laten kijken. En nu, juist nu ze weer een kans kreeg Mac beter te leren kennen, liet haar auto het definitief afweten.

'Sian, alsjeblieft, mag ik jouw auto lenen?' had ze gesmeekt.

Ik herinnerde me de gevoelens die hij in mij teweeg had gebracht en het liefst wilde ik zeggen dat er geen sprake van was dat ze mijn auto kon lenen. Ik was jaloers en gemeen. 'Hoe laat?'

'Nu! Ik stond net op het punt weg te gaan. Sian, kan ik je auto lenen? Alsjeblieft?'

Ik klemde mijn hand om de telefoon. Met geweld moest ik de neiging onderdrukken te zeggen dat het niet kon omdat ik zelf een belangrijke afspraak had. Dan zou haar afspraak met Mac niet door kunnen gaan en zou ze hem niet kunnen zien. En hij haar niet.

Het kostte me moeite, maar ik deed het niet. Als ik haar mijn hulp nu weigerde, zou ik het mezelf nooit kunnen vergeven. Als ze het ooit te weten kwam zou er voorgoed iets met onze vriendschap gebeuren. Geen man, misschien zelfs Mac niet, was dat waard.

'Luister Hayley,' zei ik praktisch. 'Ik moet een boodschap doen, maar dat hindert niet. Dat komt juist wel goed uit. Ik pak mijn tas en mijn jas en ik kom naar je toe. Nu meteen. Dan kun jij mij ergens in de stad afzetten.'

'Weet je het zeker, Sian?' Ze doelde op Graham.

'Maak je over mij maar geen zorgen. Ik ga wel met de bus naar huis.'

'Maar wat zal Graham ervan zeggen?'

Ze had waarschijnlijk gelijk dat hij het er niet mee eens zou zijn dat ik mijn auto uitleende. 'Laat Graham maar aan mij over, Hayley, hij is mijn probleem, niet het jouwe.'

Ik trok net mijn jas aan toen Sally binnenkwam met een emmer met water. Ze had buiten de ramen gelapt. Haar zwarte haar was in de war geraakt en haar gezicht was rood van kou en inspanning. Ze zette de emmer neer en blies in haar handen.

'Ik wist niet dat je wegging,' zei ze bijna beschuldigend, alsof ze het me kwalijk nam dat ik haar niet van te voren over mijn plannen had ingelicht. Ze voelde zich duidelijk meer dan iemand die kwam om mijn huis schoon te houden.

Vanwege mijn irritatie om haar bezitterige gedrag vertelde ik haar niets over Hayley. 'Ik heb me net herinnerd dat ik dringend een boodschap moet doen.'

Ze zette haar handen in haar zij. 'In Newquay?'

Ik schudde mijn hoofd. 'Ik ga naar Truro.' Hayley woonde aan de

rand van Newquay, aan de weg naar Truro.
'Hoe laat kom je terug?'
Ik zag er wijselijk vanaf haar te vragen waar ze zich mee bemoeide. Ik keek op mijn horloge. Omdat ik zo kinderachtig was geweest haar niet te vertellen dat Hayley mijn auto zou lenen, vond ik dat ik niet met de bus kon terugkomen zolang zij er nog was. 'Na de lunch, denk ik,' antwoordde ik daarom vaag. 'Wacht maar niet op me.'
'Rijd voorzichtig!' riep ze me na. Ze moet gedacht hebben dat ik haar niet had gehoord want toen ik wegreed zag ik dat ze me voor het raam na stond te kijken. Ze zwaaide en werktuiglijk wuifde ik terug.
Hayley zag eruit als een plaatje. Ze had haar ontembare bos rode krullen met een zwarte plastic klip op haar achterhoofd vastgebonden. Haar gezicht had precies voldoende make-up. Ze droeg een zwart, uiterst sexy jurkje dat ze gedeeltelijk zedig had verborgen onder een lange bloes van doorzichtige zwarte kant.
'Je ziet er geweldig uit,' zei ik eerlijk terwijl ze me dankbaar omhelsde.
'Is het niet een beetje tè, Sian? Ik bedoel, we gaan alleen maar ergens lunchen.'
'Het is perfect,' zei ik naar waarheid.
Ze lachte nerveus. 'Ik ben zo zenuwachtig, Sian,' bekende ze met een schaapachtig lachje. 'Ik had zo lang al niets meer van hem gehoord, zie je. Ik heb hem een paar keer gebeld, maar hij reageerde niet op mijn telefoontjes en sms-jes. Ik dacht dat hij me niet leuk vond en ik had net besloten dat ik ook niets meer van me zou laten horen. En toen belde hij gisteravond opeens! Hij

heeft een afspraak met een galerie in Padstow en daarna komt hij naar Mawgan Porth, waar we gaan lunchen.'

'Ik ben zo blij voor je,' zei ik en ik hoopte dat het klonk alsof ik het meende. Mijn gezicht voelde strak en ik was bang dat ik niets anders dan een verkrampt glimlachje kon produceren.

Gelukkig was ze te veel met zichzelf bezig om op mij te letten. 'Ik wil hem daarna mee naar mijn huis nemen,' zei ze en ze voegde er zenuwachtig aan toe: 'Ik hoop niet dat hij wil dat ik hem naar zijn huis volg. Hij zal niet begrijpen waarom ik een omweg zal willen maken.'

'Omdat je niet over de brug durft? Misschien moet je hem dan over je fobie vertellen.'

Ze sperde haar ogen wijdopen. 'Ben je mal? Hij zal me natuurlijk uitlachen. Of erger. Misschien wil hij dan niets meer van me weten!'

Ik zei niet dat een malle fobie volgens mij niet belangrijk was als er ware liefde in het spel was. Grootmoedig wist ik haar ervan te overtuigen dat het geen enkel probleem zou zijn wanneer ze mijn auto pas de volgende dag kon terugbrengen. Wat Graham zou zeggen, was van later zorg.

Met een lach bevroren op mijn gezicht wuifde ik haar na toen ze wegreed. Toen trok ik de deur van haar woning achter me dicht en ik begon naar de bushalte te lopen.

# ZESENDERTIG

Sally was al weg toen ik thuiskwam. Ze had een briefje achtergelaten met de boodschap dat Grahams speciale shampoo bijna op was en dat Ella naar me had gevraagd.

Over beide opmerkingen voelde ik me schuldig. Ik had zelf moeten zien dat ik een nieuwe fles shampoo voor mijn man moest kopen. Dat was mijn taak als fulltime huisvrouw. Ook had ik meer aandacht aan Ella moeten schenken.

Ik ging naar haar toe. Ze zat ineengedoken in een stoel, haar wat glazige blik gericht op de tv die te hard aan stond. Ze keek naar de zoveelste herhaling van een komedie, maar haar gezicht bleef uitdrukkingloos toen een van de acteurs een grappige opmerking maakte. Waarschijnlijk had ze de grap al zo vaak gehoord dat ze er niet meer om kon lachen. Of ze zat niet echt te luisteren en ze liet alles maar langs zich heen gaan.

'Ella?'

Met een ruk keek ze op. Toen zag ik pas dat ze onder de rand van haar bril door naar een fotoalbum op haar schoot had zitten kijken. Er blonken tranen in haar ogen en medelijdend legde ik mijn hand op haar magere schouder.

'U moet niet steeds naar die foto's kijken als u er zo door van streek raakt,' zei ik vriendelijk terwijl ik het album voorzichtig op tafel legde.

'Ik ben niet gek,' zei ze schor.

'Natuurlijk niet.' Ik glimlachte naar haar. 'Zal ik even thee zetten? Ik heb zelf ook nog niets gehad.'

Ze schudde licht haar hoofd. 'Graham zegt steeds maar dat ik in

de war ben. Hij wil dat ik naar een dokter ga.'
'Misschien is dat wel een goed idee,' zei ik voorzichtig. Toen ze nijdig opkeek, voegde ik er haastig aan toe: 'Dan kan de dokter vaststellen dat u niet in de war bent. Dat zal Graham leren u steeds maar bang te maken.'
Ze keek me even nadenkend aan en begon toen een beetje samenzweerderig te grinnikten. 'Ja, misschien heb je wel gelijk. Ik lust eigenlijk wel een kop thee. Je blijft toch wel even?'
'Natuurlijk.' Ik zette de waterkoker aan en zocht in de kastjes naar haar ouderwetse theebusje.
'Ik dacht dat je weg was,' zei ze toen ik tegenover haar ging zitten. 'Je auto staat er niet.'
Het had geen zin erover te liegen, zeker niet tegenover zo'n onschuldige vrouw als Ella. 'Ik heb hem uitgeleend aan mijn vriendin.'
'Dat zal Graham niet leuk vinden.'
'Waarschijnlijk niet.' Ik stond op toen de waterkoker begon te pruttelen, zodat ik er verder niet op in hoefde gaan.
'Ik ben niet gek,' herhaalde ze toen ik het dienblad met de theepot, twee kopjes en een pakje koekjes op de tafel zette. 'Ik weet het zeker. Ik heb haar gezien.'
Ik scheurde het pakje koekjes te wild open en de kruimels vlogen in het rond. 'Sorry, ik zal het zo dadelijk even opruimen.' Ik bukte om een paar stukjes koek van de grond te pakken. 'Wie heeft u gezien?'
'Clarissa.'
Ik ging zitten en bekeek haar aan met een mengeling van medelijden en frustratie. Het irriteerde me opeens dat ze steeds maar

weer over haar dochter begon. Het leek er veel op dat ze mij nog steeds niet als de nieuwe vrouw van haar schoonzoon had geaccepteerd. Ik vroeg me af hoe ze zou reageren op het nieuws dat ik misschien zwanger was. Uit summiere opmerkingen van Graham had ik op kunnen maken dat Clarissa en hij geprobeerd hadden een kind te krijgen. Ik wist dat het Graham had gespeten toen het niet was gelukt, maar ik had er geen idee van hoe Clarissa zich had gevoeld. En Ella, wier hoop op een kleinkind uitsluitend was gevestigd op haar enige dochter.

'Heeft u met Clarissa gesproken?' Ik herinnerde me een tv-programma over Alzheimer en dementie waarin benadrukt werd dat het beter was in een gesprek mee te gaan dan er tegenin te gaan, waardoor de patiënten onrustig werden.

Ze schudde haar hoofd. 'Ze kwam niet binnen. Ik denk dat ze bang is dat Graham haar zal zien.'

'Hij zal natuurlijk de schrik van zijn leven krijgen,' zei ik losjes.

'Nee, nee, hij was bij haar. Hij nam haar mee in zijn auto.'

Ik begon aan een koekje. 'Waar gingen ze naartoe? Naar hun werk?'

Een passerende auto in de straat trok haar aandacht en met een beverige hand trok ze de vitrage een eindje opzij. 'Wie?'

'Graham en Clarissa. U zei net dat ze in zijn auto stapten.'

'O. Ik denk dat ze naar een feestje gingen.' Ze keek me verward aan en ik kon zien dat ze probeerde haar gedachten in chronologische volgorde te ordenen. 'Ze droeg een lange blauwe jurk. Net zo'n jurk als jij hebt.' Ze roerde in haar thee, controleerde of ik de juiste hoeveelheid melk en suiker erin had gedaan.

Ik ging rechtop zitten. Wat bedoelde ze? Had ze het over de

blauwe jurk die tezamen met mijn ondergoed van de waslijn was verdwenen?
Ze begon zachtjes en in zichzelf te grinniken. 'Clarissa is altijd al een roekeloos meisje geweest. Ze ging uitdagingen aan die geen ander mens zou durven.'
'Hoe zag die blauwe jurk er uit?'
'Weet je dat niet meer? Ik heb je toch verteld dat ik heb gezien dat iemand 's nachts het wasgoed van de droogmolen haalde?'
Het duizelde me. Ik had helemaal niet met haar gesproken over mijn verdwenen jurk en ondergoed. 'Bedoelt u dat Clarissa mijn blauwe jurk aan had?'
'Dat zei ik toch?'
'Maar hoe kan dat? Ik heb hem nog niet zo lang. Ik heb hem nog maar twee keer aan gehad!'
'Van de waslijn,' zei ze met zo'n grote stelligheid dat ik er maar niet meer op inging. Ik wees naar het tv-scherm en om haar af te leiden vertelde ik dat een van de actrices in de komedie onlangs was gescheiden van de man die jaren haar tegenspeler in de serie was geweest.
'Dat weet ik,' zei ze kortaf. 'Ik ben niet gek, zie je. Jullie behandelen me soms alsof ik niet goed bij mijn hoofd ben. Ik ben niet in de war. Ik ben niet vergeetachtig.'
'Dat heb ik niet gezegd,' zei ik sussend. 'Zag Clarissa er mooi uit in de blauwe jurk?'
'Natuurlijk. Die jurk staat haar veel beter dan jou,' reageerde ze met een kwaadaardige schittering in haar ogen.
'Graham heeft hem voor mij gekocht.'
'Dan zal hij meer aan Clarissa hebben gedacht dan aan jou toen

hij hem uitzocht,' zei ze hardvochtig.
Ik leunde achterover en besloot het op te geven. Ze leek in zo'n bui waarbij ik toch niets goed kon doen en ik had er opeens geen zin meer in mijn energie te gebruiken om vriendelijk tegen haar te zijn. Ik dronk snel mijn thee op die eigenlijk iets te heet was, en liet haar alleen.

# ZEVENENDERTIG

De telefoon ging maar ik nam niet op. Ik was moe en lusteloos, ik voelde me hongerig en misselijk tegelijk. Passief luisterde ik naar het klikken van het antwoordapparaat, naar de door Graham ingesproken, weinig bemoedigende welkomstboodschap en naar onderdrukt gemompel op de achtergrond. De tweede keer werd er alleen maar een krachtige verwensing geuit. De derde keer was er een man die met nauwelijks ingehouden geduld zei: ‘Meneer Lewis? Wilt u mij alstublieft terugbellen? Mijn naam is Stapleton en het nummer is …’

Rusteloos drentelde ik door het huis. Ik dacht aan Mac en aan Graham. Aan de mogelijkheid dat ik zwanger was. Aan wat ik in dat geval moest doen. Een kind zou me onherroepelijk en voorgoed binden aan Graham. Een paar maanden geleden zou ik dat geen enkel bezwaar gevonden hebben, maar nu was ik er niet meer zo zeker van.

Opnieuw ging de telefoon. Het was niet dezelfde man die zo graag wilde dat Graham hem terugbelde. Ik hoorde flarden van onverstaanbaar gemompel dat half in de wind verwaaide, gevolgd door een snik. In de veronderstelling dat Graham weer zou beginnen over vervelende telefoontjes, bedacht ik dat ik dit telefoontje beter van het antwoordapparaat kon wissen. Nog geen minuut later hoorde ik het opnieuw. De wind, maar deze keer was de stem duidelijker.

‘Sian? Mevrouw Lewis? Kan ik mevrouw Lewis spreken?’

Ik schoot op de telefoon af en pakte hem op voordat het gesprek beëindigd kon worden.

'Mac?' zei ik ademloos, tersluiks over mijn schouder kijken of Graham of Sally niet stilletjes binnen was gekomen, wat op dit tijdstip van de dag ondenkbaar was.
'Sian, dit heb ik niet gewild. Echt niet!'
Hij huilde. Of tenminste, hij deed heel erg zijn best om dat juist niet te doen. De vreselijkste scenario's flitsten razendsnel door mijn hoofd. 'Mac, wat is er gebeurd?'
'Ik dacht dat ze het goed opnam, Sian. Ze bleef tot het laatste toe kalm.'
'Over wie heb je het?' vroeg ik ten overvloede. Hayley, die met hem zou gaan lunchen.
'Hayley. O God!'
Ik onderdrukte een gevoel van paniek. 'Als je me eens precies vertelde wat er aan de hand is, Mac?' zei ik, alsof ik tegen een klein kind sprak.
'Ik vertelde haar dat ik haar niet meer kan ontmoeten. Ze luisterde naar me en ik dacht … wat een geweldige meid is ze. Ze nam het zo kalm op, Sian. Ze huilde niet, of zo, wat ik eigenlijk verwacht had. We zaten in de Merrymoor Inn te eten. Ze kon dus geen scène maken, had ik gedacht.'
Ik onderbrak hem. 'Wat is er gebeurd, Mac?'
Hij kalmeerde enigszins, de uithalen tussen zijn woorden namen af. 'We namen afscheid op de parkeerplaats. Ze zei dat ze direct naar jou zou gaan om je auto terug te brengen. In de gegeven omstandigheden leek het me geen goed idee, maar ik kon er weinig tegen in brengen zonder ons … jou en mij bloot te geven. Ik stapte in mijn eigen auto, maar toen bedacht ik …'
'Ja, ja, Mac.' Ongeduldig viel ik hem in de rede. Wat had hij te-

gen Hayley gezegd? 'Wat is er gebeurd, Mac? Waarom bel je me eigenlijk? Hoe lang geleden is Hayley bij je weggegaan? Ik heb haar nog niet gesproken, zie je.'

Misschien had ze me gebeld. Een van de eerdere telefoontjes ...

'De weg is afgesloten,' zei hij opeens beheerst en kalmer. 'Er is allemaal politie. Zelfs de trauma helikopter is erbij. Hij is op het strand geland.'

Ik moest iets gemist hebben. 'Wacht even, Mac. Ik begrijp er niets van.'

'Hayley!' Zijn stem trilde alsof hij elk moment kon gaan huilen. 'Het spijt me zo verschrikkelijk, Sian. Ik dacht echt dat ze het goed opnam. Ze was zo beheerst! We namen nog een kopje koffie en het werd zelfs weer gezellig! Ze had ...'

Ik schreeuwde. 'Mac! Wat is er met Hayley gebeurd?'

'Het moet door mij gekomen zijn. Ik wilde eerlijk tegen haar zijn, Sian, haar eerlijk vertellen dat ik niet van haar hield en dat ook nooit zou gaan doen. Natuurlijk heb ik haar niet verteld wat ik voor jou voel, want ik vond niet dat dat er iets mee te maken had. Voordat ik jou leerde kennen, wist ik al dat Hayley niet voor mij bestemd was en ik heb ...'

'Mac!'

'Ze moet het toch zwaarder opgenomen hebben dan ze liet merken, Sian! Ze is ... in de bocht bij Watergate Bay is ze van de weg geraakt. Er is daar geen hek of vangrail en ... weet je waar ik bedoel? Voorbij de haarspeldbocht, net voor de parkeerstrook. Daar ... daar is ze over de rand gegaan.'

Hij eindigde met een rauwe snik. Mijn knieën begaven het en als een lappenpop zakte ik op de vloer. De tegels waren koud, maar

ik merkte het nauwelijks op.
'Ze hadden bij Watergate Bay de weg afgezet. Ik weet het niet, Sian, het leek wel of ik er een voorgevoel van had dat zij het was. Ik parkeerde mijn auto en liep naar de rand van de rotsen. Toen zag ik haar auto, jouw auto, onder aan de rotsen liggen. Op het strand. Ik kon het niet goed zien omdat er allemaal mensen omheen stonden en tegen de tijd dat ik erbij kon komen, zag ik dat ze iemand op een brancard hadden gelegd.'
'Hayley?'
'Ik heb haar niet gezien, maar ... het kan niet anders, Sian. Het was jouw auto, dat weet ik zeker.'
Ik begon te huilen en aan de andere kant van de verbinding huilde hij met me mee.

# ACHTENDERTIG

Ik voelde me zo ziek en ellendig dat ik naar boven ging. Ik gaf een paar keer over in de badkamer. Ik liet zelfs een paar onmiskenbare sporen achter zonder de moeite te nemen het op te ruimen. Steeds maar weer kreeg ik dat beeld voor ogen: Hayley lachend en opgewonden, in mijn auto op weg naar een afspraakje met een man op wie ze verliefd was. Onbewust van het feit dat die haar had uitgenodigd om haar te vertellen dat er geen toekomst was voor hun relatie.

De telefoon rinkelde met regelmatige tussenpozen maar ik nam niet op. Ik had Mac op het hart gedrukt me alleen op mijn mobieltje te bellen. Ik wist niet wat ik moest doen. Ze hadden Hayley ergens naar toe gebracht. Waarheen? Ik had geen auto en bovendien voelde ik me lichamelijk niet in staat in het wilde weg naar haar te gaan zoeken. Mac zou uitzoeken waar Hayley was, wat er met haar was gebeurd. Niet dat het zoveel uitmaakte. Ze was dood, had hij gezegd, een val van die hoogte kon niemand overleven. Ik had geen enkele reden aan hem te twijfelen: hij had het wrak van mijn auto onder aan de rotsen zien liggen.

Na ongeveer een uur hielden de telefoontjes op. Het zou een verademing moeten zijn, maar de stilte in huis werd benauwend.

Ik was doodmoe maar ik kon niet in slaap komen. Rusteloos draaide ik me om en om. Ik slaagde er niet in een comfortabele positie te vinden. Allerlei beelden van Hayley bleven voor mijn ogen zweven en ik voelde me ook diep ellendig door mijn schuldgevoelens. Als ik er niet geweest was, had Mac zich niet geroepen gevoeld haar ergens mee naar toe te nemen om haar te vertellen

dat hun relatie geen kans had. Dan had ze ook niet in een opwelling het besluit genomen het stuur om te gooien ...
Ik denk dat ik uiteindelijk toch in slaap viel. Het was al bijna donker toen ik het geluid van de auto van Graham herkende. Hij stopte vlak bij het huis, maar de motor zweeg niet meteen. Ik stelde me voor hoe hij even voor zich uit zou staren, zijn bleke handen op het stuur. Het leek een eeuwigheid te duren voordat hij de motor afzette en ik zijn voetstappen hoorde. Hij liep langzaam, alsof hij met tegenzin thuiskwam.
Op dat moment realiseerde ik me dat ik bijna de hele middag in bed had gelegen. Ik was zelfs niet naar beneden gegaan om iets te eten te maken. Het huis was donker. Mijn auto stond er niet, dus hij moest zich afvragen waar ik was. Te laat bedacht ik dat hij dat niet leuk vond. Een van de redenen dat hij liever niet had dat ik een baan zocht, was dat hij wilde dat ik er was wanneer hij thuiskwam. Ter verklaring had hij altijd beweerd dat hij jaren een 'sleutelkind' was geweest. Ik had zijn ouders nooit gekend, maar ik had geen reden om aan zijn woorden te twijfelen. Daarom hield ik er meestal rekening mee thuis te zijn voordat hij van zijn werk kwam.
Hopend dat ik niet weer zou moeten overgeven zette ik voorzichtig mijn voeten naast het bed. Nu Graham er was, kon hij de regie in handen nemen en voor me uitzoeken waar ze Hayley heen hadden gebracht. Zijn autoritaire stem zou deuren openen die gesloten bleven voor mijn natuurlijke bedeesdheid. Ik liet me gemakkelijk ompraten maar hij zou het niet accepteren met een kluitje in het riet te worden gestuurd.
Ik huiverde. Hij zou geïrriteerd zijn omdat ik boven was, omdat

er beneden geen enkel verwelkomend licht in de kamers brandde. De plotselinge beweging maakte dat ik duizelig werd en ik greep haastig naar mijn hoofd. De laatste tijd had ik wel meer van die aanvallen van duizeligheid. Sally zou onmiddellijk met haar ogen rollen zodra ik ontkende dat er sprake was van wat ze 'mijn toestand' noemde. Ik wachtte totdat de duizeligheid over was en pakte toen mijn ochtendjas. Het had geen zin me snel aan te kleden en naar beneden te haasten. Op deze manier kon ik mijn afwezigheid beneden tenminste verklaren en misschien zou Graham gevoelig zijn voor mijn vermoeidheid.

Graham liep getergd heen en weer. Hij had me niet geroepen, wat erop wees dat hij inderdaad niet wist dat ik thuis was. Ik hoorde hem het antwoordapparaat afluisteren. Er waren nu meer boodschappen van de man die hem eerder dringend had verzocht terug te bellen. Stapleton, van de politie. Voortdurend herhaalde hij zijn naam met klem. Sally, die op hoge toon eiste dat ze teruggebeld zou worden. Davina, die het allemaal verschrikkelijk vond en aanbood er voor hem te zijn wanneer Graham haar nodig had. Ik onderdrukte mijn verbazing. Davina? Ik had me nooit gerealiseerd dat Graham en de secretaresse van zijn werk elkaar zo na stonden ...

Iemand van de politie. Ik legde niet onmiddellijk het verband met het ongeluk van Hayley. Ook niet met Miller en het onderzoek naar de dood van Jeremy, of met de verdwijning van mijn ondergoed.

Na de dood van Jeremy hadden Graham en zijn bazen besloten dat ze de zaak van de fraude in handen moesten geven van de politie. Ik nam automatisch aan dat de politieman die Graham

zo dringend wilde spreken, het met hem wilde hebben over het onderzoek op de zaak.
Op blote voeten ging ik naar beneden. Graham was in zijn werkkamer, het was het enige vertrek waar licht brandde. Hij stond met zijn rug naar de openstaande deur toe en boog zich over zijn bureau heen om iets uit een la te pakken. Het was een zwart mapje; voordat hij het kon openen ging zijn mobieltje af. Ik was net van plan om iets te zeggen, mijn keel te schrapen, toen hij naar het schermpje keek en met een gebaar van ergernis verbinding maakte. Het bleek niet nodig zijn naam te zeggen.
'Ik heb je gezegd me niet te bellen,' riep hij kwaad uit. 'Nee, nu ook niet. Nu zéker niet!'
Ik bleef aarzelend staan. Hij hield er niet van gestoord te worden als hij aan de telefoon was. Wanneer hij wist dat er iemand meeluisterde voelde hij zich nooit helemaal op zijn gemak. Ik wilde me dan ook omdraaien om thee te gaan zetten, toen zijn stem me tegenhield.
'Luister, ik kan in de problemen komen als iemand erachter komt dat we contact hebben. Wil je soms dat alles voor niets is geweest?'
Hij luisterde even naar de reactie. 'Ja dat weet ik, maar dat zijn allemaal heel recente ontwikkelingen. Je zult moeten wachten, lieverd. Ja, ik weet dat het moeilijk is, maar het kan nu niet lang meer duren.'
Ik sperde mijn ogen open en ik was me ervan bewust dat mijn onderkaak naar beneden zakte. Lieverd?
'Nee, nee, doe alsjeblieft geen domme dingen. Heb nog even geduld, lieve schat. Ja. Wat? Nee, ik denk een paar weken.'

Ik moet een geluidje of een beweging hebben gemaakt, want opeens draaide hij zich met een ruk om. Zijn gezicht werd beurtelings rood en spierwit. Zijn mond bewoog maar er kwam geen geluid over zijn lippen. Met een harde klap viel zijn mobieltje op de grond.

'Sian!' Met uitgestoken armen kwam hij op me af. 'Sian, wat … waar … hoe?'

Ik hoorde de stem van een vrouw in zijn mobieltje roepen. 'Graham. Grae, ben je daar nog? Is er wat gebeurd?'

Hij reageerde niet. 'Sian!' Hij sloeg zijn armen om me heen en wiegde me heen en weer alsof ik zijn kostbaarste bezit was.

'Sian! O lieve schat! Ze zeiden …'

'Grae? Ben je daar nog?'

Voorzichtig maakte ik me van hem los. Hij was meestal niet zo enthousiast met zijn begroetingen, vooral de laatste tijd niet. In het begin van ons huwelijk was hij wel aanhankelijk geweest, maar de laatste tijd was dat ongemerkt minder geworden. 'Moet je die dame niet vertellen dat alles in orde is?'

Hij knikte stom, deinsde toen een eindje achteruit en met zijn blik op mij gericht, pakte hij zijn mobieltje van de grond.

'Ik moet ophangen,' zei hij schor en als ik hem niet beter kende zou ik gemakkelijk geloven dat zijn stem trilde.

Ik liep naar de deur, draaide me daar om. Hij had niets over Hayley gezegd, dus ik ging er vanuit dat hij het nog niet had gehoord. Ik aarzelde om hem op de hoogte te brengen omdat ik geen snerende opmerkingen over mijn vriendin aan zou kunnen horen. Daarom vond ik een gemakkelijk excuus om het nieuws nog even uit te stellen. 'Ik ga even thee zetten. Wil jij ook?'

'Ja. Ja, dat is goed.' Hij had zichzelf nog niet helemaal in de hand. Uiteraard vroeg hij zich af hoeveel ik van zijn gesprek had gehoord en wat ik ervan had begrepen. Het was vreemd maar ik had nooit gedacht dat hij me ontrouw zou kunnen worden. Hij was niet het type man dat zich gemakkelijk in de rol van de bedriegende echtgenoot kon inleven. Het was eerder andersom. Toch had het allemaal heel verdacht geklonken.

'Sorry dat ik niet beneden was, Graham, Ik voelde me niet zo lekker. Ik heb de hele middag in bed gelegen.'

Hij duwde zijn mobieltje in zijn zak. 'Sian, ik … wat kan ik zeggen?'

Ik knipperde met mijn oogleden. 'Heb je het dan al gehoord?'

'Wat gehoord?' Hij leek opeens op een kleine jongen die zich het liefst wilde verstoppen om zijn welverdiende straf te ontlopen.

'Over Hayley.'

'Wat?'

'Hayley.' Ik slikte moeilijk. Het was moeilijk genoeg geweest niet aan haar te denken, niet te willen beseffen dat ik haar nooit meer zou zien. Praten, iemand vertellen dat ze verongelukt was, was zo bedreigend, zo confronterend dat ik de woorden liever niet wilde uitspreken. Zolang ik ze niet hoorde, was er niets gebeurd. Zolang ik Graham niet vertelde dat ze verongelukt was, was ze nog in leven …

'Wat is er met Hayley?' Meestal vermeed hij het haar naam te noemen en volstond hij met een minachtend 'die vriendin van je'. Haar naam over zijn lippen te horen, maakte dat ik opeens hevig begon te trillen.

'Ze … ze had mijn auto geleend,' stotterde ik met klapperende tanden. 'De auto is van de weg geraakt in de bocht bij Watergate Bay.'

Hij kwam naar me toe en trok me tegen zich aan. Zijn armen waren warm en veilig en heel even stond ik mezelf toe me een jaar terug in de tijd te wanen, toen we nog gelukkig waren met elkaar, toen ik Mac nog niet had ontmoet.

'Sian, lieverd. Dit is een enorme schok. Ik heb ...'

'Ik wil naar haar toe, Graham,' stamelde ik. 'Ik moet haar zien.'

'Sian, luister, je begrijpt niet hoe groot de schok is. De politie belde me op de zaak. Ze vertelden me dat er een ongeluk was gebeurd. Ze zeiden dat ...'

'Het was Hayley,' viel ik hem in de rede.

Hij liet me niet uitspreken. Ik zag opeens dat zijn gezicht spierwit, bijna grauw was. 'Ze zeiden dat jij het was, Sian. Ze hadden de gegevens van de auto nagetrokken en ontdekt dat hij op jouw naam stond. Ze belden mij, vertelden me dat de bestuurster ernstig gewond was geraakt. De verwachting was dat ze onderweg naar het ziekenhuis zou overlijden.'

Ik had maar half gehoord wat hij zei. Er begon iemand te schreeuwen. Ik hoorde mijn stem, wist dat ik het zelf was die zo hysterisch krijste en jammerde, maar ik had geen controle meer over mezelf. Ik had het al die tijd geweten, maar ik had de verschrikkelijke waarheid weg geduwd. Nu trof de realiteit me als een onverwachte mokerslag. 'Is ze dood? Heeft ze het niet gehaald? Is Hayley dood? Hayley! Hayley!'

Hij schudde me door elkaar en zei dat ik stil moest zijn. Hij sloeg me zelfs met vlakke hand in mijn gezicht toen ik niet meteen gehoorzaamde. Het klappertanden hield op, tegelijk met

het geschreeuw.
'Hayley. Hayley. Hayley.' Haar naam kwam onophoudelijk over mijn lippen, gelijke tred houdend met het bonzen van mijn hart.
'Hemel, Sian, lieveling! Ze zeiden dat jij het was!' riep Graham uit en opeens begon hij mijn gezicht te overladen met radeloze kussen.
Ik kon niet ophouden haar naam te mompelen. 'Hayley, Hayley.'
Zijn gezicht was nat en ik stelde verwonderd vast dat hij huilde. Hij snikte zachtjes en met iets van wanhoop. Hij streelde mijn gezicht, mijn schouders, mijn handen en mompelde onverstaanbare betuigingen van zijn liefde.
Veel later, lang nadat we allebei rustiger waren geworden en ik was verzonken in een vreemde apathie, installeerde hij me zorgzaam op de bank. Hij drukte me op het hart daar te blijven zitten en vooral niet op te staan, te wachten tot hij thee had gezet. Met lege ogen keek ik hem na. Ik opende mijn mond maar ik wist niet wat ik wilde zeggen. Hayley. Ik was haar voorgoed kwijt. Zelfs als ze niet dood was, zou ik haar onherroepelijk verliezen. Met spijt en vertwijfeling bedacht ik opeens dat ze zich gerealiseerd moest hebben dat Mac met haar had gebroken omdat hij meer voelde voor mij. Dat was de druppel geweest. Iemand van wie je hield verliezen aan een ander was tot daar aan toe, maar het gevoel van verraden te zijn door je beste vriendin was onmogelijk te accepteren. Of ze nu in een vlaag van verdriet en wanhoop had gehandeld of dat haar zicht alleen maar tijdelijk vertroebeld was geweest door haar tranen, feit was dat ze op dat moment al mijn vriendin niet meer was geweest.
Graham kwam terug met een theepot en twee mokken die we

nooit gebruikten. Hij deed een grote schep suiker in de mijne. Het leek me zinloos hem eraan te herinneren dat ik nog nooit suiker in mijn thee had gebruikt.
Hij had zijn gezicht onder de kraan gehouden, op zijn voorhoofd zaten kleine heldere druppeltjes water. Terwijl hij ging zitten haalde hij zijn handen door zijn dunne blonde haar.
Het kwam plotseling in me op dat het vreemd was dat hij naar huis was gekomen en de gesprekken op het antwoordapparaat had afgeluisterd. Op dat moment had hij niet anders geweten dan dat ik het was geweest die in de auto in de afgrond was gestort. Waarom was hij naar huis gekomen? Elke andere man zou dat niet hebben gedaan. Elke andere, liefhebbende man zou als een razende naar het ziekenhuis zijn gegaan, of waar ze me ook naartoe hadden gebracht.

# NEGENENDERTIG

Hayley leefde nog. Haar toestand was kritiek, maar stabiel. Graham reed me naar het ziekenhuis nadat hij de politie ervan op de hoogte had gesteld dat er een vergissing in het spel was. De vader van Hayley kwam uit Manchester gevlogen, haar moeder zat een paar uur onafgebroken achter het stuur om van Bath naar Newquay te komen. Ze waren kennelijk ongeveer tegelijkertijd aangekomen en hoewel ik van Hayley wist dat ze de laatste jaren niet meer met elkaar hadden gesproken, had een van hen contact gemaakt. Mevrouw Summers haalde haar ex-man van het vliegveld en ze kwamen samen het ziekenhuis in toen ik aarzelend, zwak van ellende, bij het raam voor Hayley's kamer stond. Er was weinig van haar te zien. Haar hoofd was verpakt in een soort steun die vermoedelijk iets te maken had met de verwondingen aan haar nek. Ze was omringd door allerlei apparatuur die deskundigen aangaf hoe haar toestand precies was via een beeldscherm met groene lijnen en grafieken die veel weg hadden van een doorsnede van een berglandschap. Aan de zijkanten flikkerende oranje en rode lampjes, waarvan een verpleegster me had verzekerd dat dat allemaal normaal was. Ze had slangen die haar lichaam binnengingen in haar mond, neus en armen. Wat ik kon zien van haar gezicht was een bleek stukje huid, haar sproeten, en blauwe plekken en schaafwonden die waren gedesinfecteerd met een oranje middeltje. Haar handen lagen naast haar even roerloze lichaam.

Haar moeder omhelsde me, haar vader klopte me op de schouder met een schijnbaar oneindig ritme. Ik begreep dat hij vond dat hij

naar het bed van zijn dochter moest gaan, maar zich er niet toe in staat voelde.
'Sian, kom.' Het was Alice Summers die me meetrok, die me dwong met haar de kamer van haar dochter in te gaan. Het was er vol met bliepjes en het ritmische gezucht van de machine die de ademhaling voor Hayley regelde. De geluiden schokten haar moeder even zeer als mij. Ze barstte in snikken uit en sloeg haar armen om mij heen. Ik was een surrogaat geworden voor haar dochter.
Ik wilde terugdeinzen omdat ik wel de laatste persoon kon zijn om haar te steunen. Ik had dit zelf veroorzaakt, ik had het ongeluk en Hayley's huidige toestand op mijn geweten. Hoe kon ik haar ouders onder ogen komen? Of Hayley zelf? Het was bijna een opluchting dat ze buiten bewustzijn was; ik wist dat ik het niet zou kunnen verdragen als ze me aankeek met een mengeling van beschuldiging, teleurstelling en haat in haar ogen.
'Wat is er precies gebeurd, Sian?'
Ik was koffie voor Hayley's ouders gaan halen. Haar vader versperde me de weg toen ik met twee kartonnen bekertjes met gloeiende koffie terug kwam lopen. Hij keek me strak en beschuldigend aan, alsof hij precies wist wat er gebeurd was.
Ik keek langs hem heen naar zijn ex-vrouw, die zachtjes huilend naast Hayley zat. Ze streelde voorzichtig de hand van haar dochter en ik hoopte dat Hayley het kon voelen, dat ze ergens van binnen wist dat haar moeder aan haar zijde was.
Aan het voeteneinde van het bed stond een andere man. Hij droeg een spijkerbroek met een donkerblauw colbertje, een wit T-shirt eronder. Ik kende hem niet maar ik wist intuïtief dat hij iemand

van de politie was. Het was duidelijk dat hij zich niet op zijn gemak voelde en toen hij Hayley's vader en mij met de koffie binnen zag komen, keek hij bijna opgelucht.

'Neemt u alstublieft mijn koffie, inspecteur,' zei Hayley's vader. Hij keek in mijn richting. 'Je wilt toch nog wel twee koffie halen, Sian?'

'Natuurlijk,' mompelde ik, me ongemakkelijk bewust van twee priemende ogen waarvan de kleur niet vast te stellen was. Ik draaide me gedwee om, maar een stem hield me tegen.

'Wacht eens even! Bent u mevrouw Lewis? De eigenares van de auto?'

'Ja.'

Hij had Hayley's ouders de bijzonderheden van het ongeluk kennelijk al verteld. En dus ook dat het mijn auto was geweest. Ik vroeg me opeens af of het mogelijk was dat er iets mis was geweest met mijn auto. Bijvoorbeeld dat door een nalatigheid van mij de remmen het op het belangrijkste moment hadden laten afweten. Wanneer was de auto voor het laatst naar de garage geweest voor een onderhoudsbeurt? Mei? Augustus? November?

'Kan ik u even spreken, mevrouw Lewis?' Hij drukte een van de bekertjes koffie in de handen van Hayley's moeder en kwam haastig achter me aan alsof hij bang was dat ik stiekem zou verdwijnen.

'Ze reed in mijn auto,' zei ik vlak, toen ik voor de koffiemachine stil bleef staan. Mijn vingers trilden bij de knoppen en ik wist niet goed welke ik moest indrukken. Koffie, sterk, gemiddeld, slap. Suiker, veel, gemiddeld, weinig, geen. Melk idem. Of was het beter thee te nemen?

Hij drukte de knoppen voor me in. Vergeefs, ik had vergeten de machine te voeden met muntgeld. Hij stak zijn hand in zijn broekzak en haalde een handvol munten tevoorschijn.
'U moet verschrikkelijk geschrokken zijn,' zei hij met een vleug van een sympathieke glimlach. 'Sterk? Suiker en melk?'
'Geen suiker.'
Hij drukte op 'koffie', 'sterk', en op 'geen' bij suiker en melk. Ik nam niet de moeite hem te vertellen dat ik juist veel melk wilde. Waarschijnlijk voelde hij intuïtief aan dat het beter was dat ik sterke zwarte koffie dronk. Hij overhandigde me het bekertje. 'Zo goed?'
'Ja. Dank u.'
Hij wees naar een rijtje stoelen en ik merkte nu pas dat we in een soort wachtruimte waren. Tegen de muren stonden oranje plastic stoelen, in het midden stonden twee rijen stoelen met de ruggen tegen elkaar. Ertussen waren tafeltjes met keurige stapels tijdschriften. Ze zagen er niet uit of ze veel gelezen waren. In een hoek zat een jonge vrouw zachtjes te snikken in de armen van een grijze oude man. Ik kon niet beoordelen of ze zijn dochter of zijn kleindochter was, maar ze zou ook nog wel eens zijn vrouw kunnen zijn.
'Gaat u zitten, mevrouw Lewis.'
Hij ging naast me zitten, zette zijn koffie op een tafeltje en draaide het stel in de hoek half zijn rug toe. 'Het spijt me dat ik u moet overvallen met een aantal vragen.'
Terwijl hij sprak haalde hij een zwart mapje met een legitimatiebewijs tevoorschijn. Zwijgend hield hij het omhoog en ik staarde naar zijn foto: jong en lachend en vol enthousiasme. Waarschijn-

lijk was de foto gemaakt toen hij de eerste dag in zijn nieuwe baan was begonnen. De lijnen die langs zijn neusvleugels en mond naar beneden liepen, waren op de foto nog niet te zien.
'Het geeft niet,' zei ik, in mijn koffie blazend. Hij stak het mapje terug in zijn zak en ik realiseerde me dat ik zijn naam niet had gelezen. Het maakte niet uit.
'Ik was van plan naar uw huis te komen,' zei hij kalm. Door zijn ernst leek hij in niets meer op de man van de foto.
'Ze reed in mijn auto.'
'Ja. Ik vrees dat er van de auto weinig over is. Als het goed is, is het wrak naar een speciale afdeling van ons gebracht.'
'Speciale afdeling?'
'Forensisch onderzoek.'
Ik staarde hem aan. Tegenwoordig waren er allerlei politieseries op tv waarin zaken werden opgelost aan de hand van bewijzen, vergaard bij forensisch onderzoek. Het vergrootglas van de vroegere detective, en zijn intuïtie, waren er niet meer bij.
'Waarom? Ik had begrepen dat Hayley zelf ... niet goed heeft opgelet.' Ik durfde hem niet te vertellen dat Mac vermoedde dat ze in een vlaag van wanhoop had gehandeld en de auto zelf over de rand had gestuurd.
'Dat dachten wij aanvankelijk ook,' knikte hij instemmend. 'Er was aanvankelijk ook geen aanleiding om nader onderzoek te verrichten.'
Angst klemde om mijn hart. Wat bedoelde hij?
'Tot we een telefoontje kregen van iemand die daar woont. De man heeft onlangs een appartement op de bovenste verdieping van dat blok gekocht. Beachcombers, als ik het goed heb. Hij is

bezig zijn bedrijf in Londen te verkopen en reist regelmatig hier naartoe om wat te relaxen.' Hij pauzeerde even toen hij besefte dat zijn woorden niet erg terzake waren. 'Een hobby van de man is zijn verrekijker. Een peperduur ding op een standaard voor het raam. Hij beweert dat hij ermee naar zee kijkt, naar dolfijnen en zeehonden, hij hoopt nog eens een haai of een verdwaalde walvis te zien. Volgens mij is hij meer geïnteresseerd in de dames op het strand, vooral in diegenen die topless zonnen.' Hij zweeg en grinnikte even, maar herinnerde zich toen de ernst van de zaak. 'Sorry. Hoe dan ook, om welke reden dan ook, die man stond in de richting van Newquay te kijken. Hij kon de weg zien, de haarspeldbocht en de volgende bocht. Het gieren van remmen trok zijn aandacht en tot zijn grote schrik zag hij dat een kleine rode auto aan de achterkant werd geraakt door een andere auto. De bestuurder van de rode auto remde, maar boven aan de weg, waar die een bocht maakt, reed de witte auto nog eens hard tegen de rode aan.'

'Wat bedoelt u te zeggen, meneer ... ?'

'Stapleton,' zei hij bereidwillig. 'Het spijt me ontzettend, mevrouw Lewis, maar het lijkt er sterk op dat het ongeluk van uw vriendin geen ... ongelukkige samenloop van omstandigheden is geweest.'

'Kwam het door die andere auto? Weigerden zijn remmen? Reed hij te hard?'

'O, te hard rijden deed hij zeker, maar dat was met opzet. Van weigerende remmen was hier geen sprake, want de weg gaat daar juist omhoog. Hij had gemakkelijk kunnen remmen, maar de bestuurder gaf juist gas. Precies op de plek vlak voor de bocht.' Hij

zweeg even. 'Ze had geen schijn van kans.'
'Heeft u die bestuurder gesproken? Wat zei hij?'
Hij keek me meewarig aan. 'Ik dacht dat u wel begrepen had dat de bestuurder van de witte auto is doorgereden.'
'Heeft hij dan niet gemerkt wat hij had gedaan?'
'Natuurlijk wel. Een eindje verderop is een korte parkeerstrook ten behoeve van toeristen die een foto willen nemen van de baai. Hij stopte daar even, ik denk om zich ervan te overtuigen dat zijn opzet was geslaagd, en toen reed hij weg.'
Ik snakte naar adem. 'Was het dan opzet? Weet u dat zeker?'
'Daar lijkt het inderdaad op, mevrouw Lewis. Daarom vraag ik mij af of de aanslag bedoeld was voor u of voor mevrouw Summers.'

# VEERTIG

Het was wonderbaarlijk dat Hayley het ongeluk overleefde. Toen ik de volgende ochtend het ziekenhuis belde om naar haar toestand te informeren, vertelde een opgewekte verpleegster me dat ze even bij kennis was geweest en dat ze het naar omstandigheden goed maakte. Haar toestand was stabiel, niet langer kritiek. Vanwege de pijn en gevaar voor de verwondingen aan haar rug en nek werd Hayley onder plaatselijke verdoving gehouden zodat nog niet kon worden gezegd of er schade was van blijvende aard. Ze had naar me gevraagd, zei de verpleegster sympathiek, misschien zag ik kans om die dag even langs te komen?

Ik zei dat ik vroeg in de middag zou komen en vroeg haar dat aan Hayley te vertellen. Als ze nog iets nodig had, kon ik dat voor haar meenemen.

Op zijn dringende verzoek belde ik Mac. Ik moest echter voorzichtig zijn, want Sally was niet uit mijn buurt weg te slaan. Ze had natuurlijk gehoord wat er gebeurd was en zolang de politie niet met zekerheid kon vaststellen of het ongeluk niet voor mij bestemd was geweest, wilde ze me niet uit het oog verliezen. Ze was echter niet alleen zorgzaam, maar ook ontzettend bazig, wat me mateloos irriteerde.

Ik trok me terug in de badkamer om Mac te bellen. De vorige avond had ik hem al een sms-je gestuurd met de geruststelling dat ze in elk geval niet had geprobeerd zichzelf van kant te maken omdat hij een punt had gezet achter hun relatie. Hij was opgelucht dat ze er naar omstandigheden redelijk goed vanaf was gekomen. Het feit dat de witte auto haar auto, of eigenlijk de mijne, met

opzet van de weg had geduwd, bezorgde hem echter een nieuwe reden voor ongerustheid. Vooral toen het tot hem doordrong dat iemand het ook wel eens op mij gemunt kon hebben.
Ik brak het gesprek af toen Sally ongeduldig op de deur bonsde en uitriep dat ze persoonlijk de deur zou inbeuken als ik niet onmiddellijk tevoorschijn kwam.
Ondanks alles grinnikte ik in mezelf om haar moederlijke, bezorgde houding. Ik trok de wc door en draaide de deur van het slot.
'Vanaf nu doe je de deur van de wc niet meer op slot!' zei ze dreigend, terwijl ze zwaaide met het stoffer en blik.
Ik lachte haar in haar gezicht uit. 'Wat kan me gebeuren, Sally, op mijn eigen wc?'
'Dat weet je nooit,' zei ze duister. 'Ik heb orders van je man om goed op je te letten. Hij heeft zelfs gezegd dat ik de hele dag moet blijven.'
Ik staarde haar aan. Dat Graham zover was gegaan Sally als een soort cipier bij mij te houden, maakte me kwaad en opstandig. Hij wilde misschien niet dat ik alleen een voet buiten het huis zette, maar ik was niet van plan hem te gehoorzamen. Geen mens, geen Graham of Sally, zelfs niet de gedachte dat iemand buiten het op mij gemunt had, kon mij weghouden van Hayley.
'Je hoeft niet te blijven, Sally,' zei ik kortaf. 'Ik ga vanmiddag naar het ziekenhuis in Truro. Naar Hayley.'
'Je hebt niet eens een auto!' reageerde ze met iets van kinderlijke triomf.
Mijn mond verstrakte. 'Dat klopt.'
De man van de verzekering had gevraagd of ik een vervangende

auto wilde hebben. Zelfs iemand van de garage had aangeboden mij een leenauto te geven totdat de politie het wrak van de mijne vrijgaf. Graham had echter geweigerd. Ik verdacht hem ervan dat hij een prachtige manier had gevonden om mij thuis te houden. Hij was gewend aan het gebruik van een auto en het kwam dan ook niet bij hem op dat ik er geen enkele moeite mee had het openbaar vervoer te gebruiken. De bussen waren niet ideaal, maar ik nam de ongemakken graag voor lief. Alles was beter dan thuis te moeten blijven, vooral wanneer Sally als een moederkloek om me heen draaide.

'Ik ga met de bus,' kondigde ik met strakke lippen aan.

'Ik kan je wegbrengen,' zei Sally zo snel dat ik er zeker van was dat ze ook al met Graham had besproken dat ze als mijn chauffeur zou optreden. Dan kon ze mij meteen in de gaten houden en Graham precies vertellen waar ik was geweest.

Ik produceerde een onschuldige glimlach. 'Erg aardig van je, Sally, maar dat is echt niet nodig. Ik loop de straat uit en stap op de hoek in de bus. Hij stopt voor het ziekenhuis, dus wat kan me gebeuren?'

'Had je verwacht dat iemand zou proberen je van de weg te duwen?' informeerde ze strijdlustig.

'Natuurlijk niet. Zoiets gebeurt alleen in boeken en films.'

'Dan kun je ook niet weten wat er kan gebeuren als je met de bus weggaat!' Ze hield op en glimlachte bijna triomfantelijk. 'Ben je soms het voorval met de bus in Newquay vergeten? Je zei zelf dat iemand een poging had gedaan je onder die bus te duwen.'

'Dat was een ongelukje,' loog ik. 'Ik struikelde.'

Ik keek haar aan. Haar wangen vertoonden lichte blosjes, alsof ze

zich ergens verschrikkelijk over opwond. Wat waarschijnlijk zo was, want ik begreep dat ik haar ontzettend moest ergeren met mijn opstandige gedrag.
'Je kunt me niet tegenhouden, Sally,' zei ik en met opzet klonk mijn stem meer geaffecteerd dan anders. Het was niet als zodanig bedoeld, maar ze vatte het op als een terechtwijzing. Ze stampvoette even, opende haar mond om me van repliek te dienen, maar zag daar wijselijk van af. In plaats daarvan draaide ze zich om en beende ze nijdig naar de keuken.
'Als je weggaat, bel ik Graham op,' zei ze dreigend over haar schouder.
Ik nam niet de moeite te reageren omdat ik uit ervaring wist dat we in een eindeloze welles-nietes-strijd verwikkeld zouden raken. Ik was geen snob, maar toch weigerde ik mij de wet te laten voorschrijven door onze werkster, hoe goed ze het ook met me voorhad.
Mijn mobieltje ging af en ze stak onmiddellijk haar hoofd om de deur, de steel van een bezem roerloos in haar hand. Ik draaide haar mijn rug toe. Het ging me te ver me weer in de badkamer terug te trekken, maar ik liep wel bij haar vandaan.
'Sian.' Hayley's nummer. Even was ik afgeleid. Haar moeder.
Na lang beraad hadden Ed en Alice Summers besloten dat ze net zo goed in de woning van hun dochter konden logeren. Ed zou niet langer dan tot na het weekend kunnen blijven, maar Alice had voor onbepaalde tijd vrij genomen van haar werk omdat ze bij haar dochter wilde zijn.
'Ga je vandaag nog naar Hayley, Sian?'
'Dat is wel de bedoeling. Ik wil na de lunch de bus nemen.'

'O, goed. Wij gaan eerder.' Ze zweeg even. Ik bespeurde iets van onbehagen in haar.
'Is er iets, mevrouw Summers?'
'Nee, nee. Mijn … eh man zat te kijken of Hayley nog dringende rekeningen moet betalen. Toen vond hij een pakje tussen haar post. Het is aan jou geadresseerd en mijn … eh man wil het voor je meenemen. Ik weet niet wat er in zit, natuurlijk hebben we het niet opengemaakt, Sian, maar het lijkt me beter dat jij het hebt.'
Het pakje met geld! Ik had er helemaal niet meer aan gedacht. Wat een geluk dat Hayley's ouders zo bescheiden waren geweest het niet open te maken! Wat zouden ze gedacht hebben als ze al dat geld hadden gevonden? Het bezorgde me echter wel meteen een probleem. Ik vertrouwde Sally voor geen cent. Waar ik het ook in huis zou verbergen, op zeker moment zou ze het toch vinden. En ik had geen enkele plausibele verklaring voor het feit dat ik zoveel contanten in mijn bezit had.
'Als u het mee wilt nemen,' zei ik tegen Hayley's moeder. 'Dan neem ik het mee naar huis.'
'Eh … ja.' Haar weifelende reactie zette me aan het denken. Was het mogelijk dat haar ex-man, of zij, het toch open had gemaakt? Ze antwoordde dat ze hoopte dat ze het niet zouden vergeten. Bij wijze van verklaring vertelde ze me dat het ongeluk van Hayley haar zo had geschokt dat ze niet meer in staat leek goed na te denken. Ik verzekerde haar dat het niet zo belangrijk was. In gedachten had ik al een plannetje gemaakt. Ik zou een nieuwe bankrekening openen, zonder de machtiging van Graham of iemand anders. Ik moest alleen zien te voorkomen dat hij erachter kwam. De hoogte van het bedrag zou verdenkingen in hem

oproepen; ongetwijfeld was hij het verlies van de zwarte plastic zak met de ene envelop nog niet vergeten. En dan was er nog de andere envelop die ik uit Jeremy's flat had meegenomen, die vol zat met bloedvlekken. Ik moest me zo snel mogelijk ontdoen van die twee enveloppen …

# EENENVEERTIG

Hayley knipperde met haar ogen en fluisterde met schorre stem mijn naam. Ik boog me dichter naar haar toe. Er was nauwelijks een plekje vrij in haar gezicht om haar te kussen zonder haar pijn te doen, dus ik klopte onhandig op de vingers van haar linker hand. De andere was in dik verband gewikkeld en er staken slangetjes uit.

'Sian, heb je Mac gesproken?' Haar stem klonk zo zacht dat ze nauwelijks verstaanbaar was en er was aan te horen dat ze gedeeltelijk onder verdoving werd gehouden.

'Ja.' Ik had over dat antwoord nagedacht voor het geval ze me die vraag zou stellen. Als ze helemaal geen vermoedens had over mijn gevoelens voor hem, of de zijne voor mij, dan zou ze het misschien vreemd vinden dat we contact hadden gehad. 'De weg was geblokkeerd door het ongeluk toen hij er later langs kwam. Hij herkende de auto.'

'O.'

'Hij was ontzettend geschrokken, dat snap je. Hij belde me.'

Er kwam een bedroefde blik in haar ogen. 'Hij heeft het uitgemaakt, Sian,' fluisterde ze moeizaam. 'Hij wil alleen nog maar vrienden zijn.'

Ik kneep zachtjes in haar vrije vingers. Er waren geen woorden om haar te troosten. 'Het belangrijkste is dat jij weer helemaal de oude wordt, Hayley.'

'Ja. Maar toch jammer, hè? Ik was helemaal gek van hem.'

Ik keek weg van haar, bang dat ze mijn gevoelens van mijn gezicht kon lezen. Ik maakte een bewonderende opmerking over de

vele boeketten die voor haar waren bezorgd. 'Die rozen zijn van Mac.' Met haar wijsvinger wees ze in de richting van een boeket geurige gele rozen.
'Is hij langs geweest?'
Ze kon haar hoofd niet bewegen, wat haar leek te irriteren. 'Nee. Misschien durft hij niet. Zou je hem willen bellen? Het ziet ernaar uit dat ik hier nog wel enige tijd zal liggen, dus het zal leuk zijn bezoek te krijgen.'
Ik knikte stom. Eigenlijk zou ik moeten doen alsof ik zijn nummer niet had, maar het was me onmogelijk haar op zo'n gemene manier te bedriegen. Ik kon de woorden dan ook niet over mijn lippen krijgen.
'Heb je zijn nummer?' vroeg ze en ik kon er geen enkele speciale bedoeling achter vinden.
'Ja, hij heeft het me gegeven.'
Ze ging er niet verder op in. Ik bekeek het kaartje aan de gele rozen en las: 'Beterschap, Mac'. Geen speciale boodschap.
'Herinner je je iets van het ongeluk, Hayley?'
'Dat heeft de politie me ook al gevraagd. En mijn vader,' zei ze met een pijnlijk grimasje. 'Het laatste dat ik me herinner is dat ik afscheid nam van Mac. Bij jouw auto. Hij maakte er nog een opmerking over, dat hij dacht dat ik een blauwe auto had en ik vertelde hem hoe paniekerig ik me tot jou had gewend toen mijn eigen auto niet wilde starten. Toen … hij gaf me een laatste zoen, zei nog eens hoe het hem allemaal speet en ik reed weg. Ik was nogal aangedaan door dat afscheid en ik had opeens haast om weg te komen omdat ik bang was dat ik zou gaan huilen. Dat wilde ik niet doen in zijn bijzijn, zie je. Ten slotte kan hij er ook

niets aan doen dat hij niet verliefd is op mij. Dat was de reden dat ik mijn veiligheidsgordel vergat om te doen.'

Ik knikte. Van haar vader had ik al begrepen dat dat haar redding was geweest. Toen ze zich realiseerde dat ze de auto niet meer onder controle had gehad, had ze het portier open gegooid en had ze zich eruit laten vallen. De auto was doorgeschoten en van de rotsen op het strand gevallen. Haar kleren waren heel kort verstrikt geraakt in de doorns van een struik en dat had haar val gebroken. Ze was verder naar beneden gerold, maar ze was niet over de rand van de rotsen op het strand gevallen. Niet zoals mijn auto.

'Ik kan me nog herinneren dat ik wegreed en dat ik eraan dacht dat ik mijn gordel om moest doen, maar de weg was zo bochtig en smal en bovendien had ik problemen met het schakelen in een onbekende auto. Verder kan ik me niets meer van de rit herinneren.'

'Dus ook niet van het ongeluk?'

'Nee.' Ze knipperde even met haar ogen en ik zag dat er een traan aan haar ooghoek ontsnapte. 'Ik wilde dat ik me ook niet kon herinneren wat Mac tijdens de lunch tegen me heeft gezegd. Dan had ik nu misschien misbruik kunnen maken van de situatie. Ik weet zeker dat hij lief genoeg is om me in dat geval niet te dumpen.'

Ik slikte. 'O Hayley! Het spijt me zo voor je.' Gelukkig begreep ze niet dat ik er zoveel meer mee bedoelde.

# TWEEËNVEERTIG

Ed Summers gaf me het pakje dat ik aan mezelf had gestuurd naar het adres van Hayley. Ik keek er vluchtig naar en constateerde dat niemand het open had gemaakt.

'Cadeautje voor mijn man,' zei ik in het wilde weg, toen hij me aan bleef kijken, wachtend op mijn reactie. 'Ik wilde niet het risico lopen dat hij het open zou maken.'

'Het is toch aan jou geadresseerd?' zei Alice onschuldig.

Ik antwoordde niet. Haar naïviteit was ontwapenend en ik wist dat ze het niet zou begrijpen als ik haar vertelde dat Graham zich in dat opzicht nog nooit iets van mij had aangetrokken. Andersom was zijn wet echter wel degelijk van kracht. Ik had ooit, per ongeluk, een afschrift van de bank open gemaakt en hij was razend geweest. Mijn verzekering dat ik het afschrift niet eens had bekeken, legde hij met zoveel walging naast zich neer dat ik bijna wenste dat ik het wel had gedaan.

Ik beloofde Hayley dat ik de volgende middag zou terugkomen en verliet het ziekenhuis. Ik nam de bus de andere kant op, naar het centrum van Truro waar ik een bank binnen ging waar Graham geen rekening had. Een vriendelijke dame hielp me door allerlei administratieve rompslomp heen die nodig bleek te zijn om een kluisje te kunnen huren. Ik diste een vaag verhaal op over allerlei inbraken in de buurt en dat ik bang was de sieraden van mijn moeder en grootmoeder kwijt te raken. Ze vertrok geen spier, zelfs niet toen ik de twee enveloppen met geld in een metalen lade in de catacomben van het bankgebouw deponeerde. Buiten de kluis stond ze te wachten, maar ik was ervan overtuigd

dat ze heel goed had kunnen zien dat de enveloppen geen oude sieraden bevatten.
Ze overhandigde me een sleutel en legde uit hoe het werkte. Bij elk bezoek aan de kluis zou een medewerker van de bank me begeleiden. Die zou de tweede sleutel van mijn kluisje meenemen en samen zouden we dat dan openmaken.
Toen ik weer buiten stond, een klein kaartje met nummers in mijn portemonnee, de sleutel veilig in een zijvakje van mijn tas, wist ik nog niet wat ik met het geld zou doen maar ik vond het een prettige gedachte dat het veilig was. Het geld dat ik in de auto van Graham had gevonden, beschouwde ik als het zijne, en daarom ook als het mijne. Maar met de bankbiljetten die ik bij Jeremy vandaan had gehaald, was het anders. Ik begreep nog steeds niet goed waarom ik dat had gedaan. Ergens in mijn achterhoofd was er de overtuiging dat het iets te maken moest hebben met de fraude bij de zaak. Graham had verteld dat Jeremy een uiterst geraffineerde manier had ontdekt om geld van de zaak te stelen. Het had enige tijd geduurd voordat ze het ontdekt hadden maar ze wisten nog steeds niet hoe hij te werk was gegaan en hoeveel hij precies had verduisterd. Hoewel ik me Jeremy niet kon voorstellen als een zo geraffineerde oplichter, was het geen moment in me opgekomen dat Graham en zijn collega's het niet bij het rechte einde hadden. Aan de andere kant, als Jeremy werkelijk zo slim was, waarom had hij het geld dan in zijn bezit gehouden? Hij had kunnen begrijpen dat hij op een bepaald moment als fraudeur ontmaskerd zou worden. Het bezit van een aanzienlijk bedrag aan contanten zou dan tegen hem gebruikt kunnen worden. Waarom had Jeremy het niet op een veilige plek verstopt? In

plaats daarvan had hij het bij zich gehouden. Of was hij soms van plan geweest aan mij te geven?
Waarom had de inbreker het dan niet meegenomen? Als het niet zo'n absurde gedachte was, zou ik bijna kunnen geloven dat degene die Jeremy in de woning van zijn zuster had overvallen, met opzet die envelop met geld bij hem had achtergelaten. Was dat gedaan om er de aandacht op te vestigen dat hij dat geld had verduisterd?
Hoe dan ook, ik kon niet zien dat ik het geld het mijne mocht noemen, maar ik wist ook niet wat ik ermee moest doen. Het aan Graham geven was in veel opzichten ronduit ondenkbaar. De politie zou er misschien zeer in geïnteresseerd zijn, maar het zou al bij voorbaat verdacht gevonden worden omdat ik het aanvankelijk mee naar huis had genomen en er pas achteraf mee op de proppen kwam. Forensisch onderzoek van de envelop, mogelijke vingerafdrukken of andere sporen, waren inmiddels misschien al helemaal verdwenen. De bankbiljetten zaten nog in dezelfde envelop maar die had op zoveel verschillende plaatsen verstopt gezeten, dat er allerlei onzichtbaar materiaal aan moest zitten. Onbruikbaar om nog naar een mogelijke dader te kunnen leiden. Ik had er eerder aan moeten denken.
Met een gevoel van opluchting keerde ik de bank de rug toe en begon ik in de richting van de bushalte te lopen. Toen ik langs een drogist liep, ging ik in een opwelling naar binnen en met trillende handen kocht ik een zwangerschapstest.

# DRIEËNVEERTIG

Sinds het ongeluk van Hayley had mijn verhouding tot Graham een verandering ondergaan. Zijn lauwe reactie toen hij nog had gedacht dat niet Hayley maar ik bij dat ongeluk betrokken was, was voor mij een klap in mijn gezicht geweest. Zijn uitleg, dat hij zo geschrokken was geweest dat hij niet had geweten wat hij moest doen, was voor mij niet acceptabel. Zelfs niet toen hij er in tranen over begon dat het hem zo sterk herinnerde aan de tijd na het ongeluk van Clarissa. Zoiets wilde hij niet nog eens meemaken. Onze verhouding was erdoor bekoeld. Zodra we naar bed gingen draaide ik hem demonstratief de rug toe. Misschien wilde ik niets liever dan dat hij me zou smeken om aandacht en vergiffenis. Hij maakte echter geen enkel gebaar in die richting. Ik was ervan overtuigd dat de bekoeling in onze verhouding vanzelf zou oplossen, maar voorlopig vergrootte het mijn twijfels over mijn vermoedelijke zwangerschap.

Sally had tussen haakjes op het briefje toegevoegd dat Graham kwaad was omdat ik zijn orders in de wind had geslagen en toch weer alleen van huis was gegaan. Het was allemaal mijn eigen schuld, niet de hare, besloot ze venijnig, als er iets met me gebeurde.

Ik haalde mijn schouders op en wierp een blik op de keukenklok: tien over vijf, ik was opgelucht dat Sally er niet meer was. De laatste tijd draaide ze als een cipier om me heen. Ik werd er nerveus en geïrriteerd van. Hoewel ze zich in gemelijk zwijgen hulde, zwierven haar ogen voortdurend naar mijn buik. Het leek ongelooflijk, maar ik had de indruk dat ze net zo goed wist als ik hoeveel dagen ik over tijd was. Hoewel haar bemoeizucht me zoals gewoonlijk irriteerde, gaf het me toch ook een ongemakkelijk gevoel omdat ze ondanks alles een warmte in me opriep door de rol op zich te nemen van de moeder die ik al zo lang had moeten missen.

Ze had een ovenschotel voor me achtergelaten, eentje met uien. Ik begreep niet waarom ze dat gedaan had want ze wist dat ik niet goed tegen uien kon. Ik verfrommelde het begeleidende briefje waarop ze had geschreven dat ze al een kleinere portie naar Ella had gebracht. Ik zette de oven aan en pakte een fles witte wijn uit de koelkast. Vervolgens veranderde ik van mening: ik gooide het glas leeg in de gootsteen en opende een fles bronwater.

Ik opende de verpakking van de zwangerschaptest en las aandachtig de gebruiksaanwijzing. Het schokte me dat de uitslag bijna direct zichtbaar zou worden. Daarop had ik niet gerekend. Dat zou te snel zijn. Dan zou ik meteen al een beslissing moeten nemen en daar voelde ik me nog niet tegen opgewassen.

Ik zette Sally's ovenschaal in de oven. De doordringende, overheersende geur van de uien begon al gauw de keuken te vullen. Het leek er verdacht veel op dat er extra veel uien in zaten, dacht ik vals, het zou echt iets zijn voor Sally om mij op die manier duidelijk te maken wie van ons tweeën de baas was.

De geur maakte dat ik misselijk werd. Ik pakte mijn glas en de fles bronwater en ging ermee naar de huiskamer. Ik schoof de gordijnen dicht en plofte op de bank, zette de tv aan. We hadden een computer in Grahams werkkamer staan, maar tegenwoordig gebruikte hij vaak zijn laptop die in een koffertje onder de tv stond.

Ik zette de laptop op mijn schoot en raakte meteen in de ban van de oneindige mogelijkheden van het internet. Ik bezocht websites over zwangerschap, over baby's, over bevallingen. Ik staarde naar plaatjes van lelijke, pasgeboren baby's en van schattige, tevreden baby's aan de borst van hun moeders, ik bewonderde en keek met ontzag naar ronde buiken en griezelde bij plaatjes van bevallingen die veelal een openbaring voor me waren. Ik kon echter geen besluit nemen.

Een waanzinnig gepiep rukte me bij het scherm vandaan. Paniekerig keek ik om me heen, niet wetend wat het gepiep veroorzaakte, niet wetend wat ik moest doen. Eerst dacht ik dat het uit de computer kwam, dat het zo'n irritante pop-up was die je soms als een ongewenste bezoeker overviel. Het geluid bleef aanhouden. In mijn verbeelding werd het zelfs luider. Ik veegde mijn klamme handen af aan de rugleuning van mijn stoel en wist me te vermannen. Het beste was om op het geluid af te gaan en uit te vinden wat de oorzaak was.

Zodra ik de deur naar de hal opende, begreep ik het. Wolken dikke grijze rook kwamen uit de keuken en hadden het rookalarm aan het plafond in werking gesteld. Graham was een man van ijzeren principes. In bijna elk vertrek had hij zo'n ding laten installeren. Het resultaat was nu dat het alarm in de keuken niet langer het enige was dat afging. Toen ik me naar de keuken haastte, ging zelfs het rookalarm in het trapgat aan. Slierten rook kropen al over de treden naar boven.

Ik hoestte, greep op goed geluk een theedoek van het haakje en baande me een weg naar het raam dat ik haastig openwierp. De frisse avondlucht stortte zich naar binnen en zoog de rook naar buiten. Ik sloeg met de theedoek om me heen, trok de deur van de oven open en gebruikte de theedoek om de zwart geblakerde schaal te pakken. Er kwam een dikke, grauwe rook vanaf en ik vroeg me af of de ovenschaal tot spontane ontbranding over zou zijn gegaan. Kort overwoog ik de schaal in de gootsteen en de kraan open te zetten. De gedachte aan nog meer rook deed me ertoe besluiten het geheel door het geopende raam naar buiten te gooien. De glazen schaal spatte uiteen op de tegels en ik keek toe hoe de rokende resten van mijn avondmaaltijd zich verspreidden tussen de planten.

Het leek een eeuwigheid te duren voordat de rook in huis enigszins was opgelost. Ik had alle ramen en deuren op de begane grond tegen elkaar opengezet, maar een laatste hoeveelheid van de penetrante geur van verbrande uien leek zich in het huis te hebben genesteld.

Ik liet uiteindelijk alleen het raam van de keuken openstaan, sloot alle deuren en trok me weer terug bij de tv en de laptop. Toen ik een nieuw glas water inschonk, zag ik dat ik al meer dan de helft van de inhoud had opgedronken. De misselijk makende geur van verbrand eten bleef om me heen hangen. Het ergerde me omdat ik me ervan bewust was dat Sally zich gekwetst zou voelen. Ze was ertoe in staat me ter verantwoording te roepen. Een belachelijke, maar reële gedachte.

De tv kon me niet boeien en ik werd onrustig van het stilzitten. Het feit dat ik nu bijna een week over tijd was, hield me bezig. Normaal gesproken had ik een onregelmatige cyclus, dus op zichzelf betekende het nog niets. De duizelingen en misselijkheid op een lege maag, vooral 's morgens, mijn plotselinge vermoeid-

heid, mijn obsessie voor producten met chocolade waren echter zulke vreemde tekenen dat ik die niet kon ontkennen.
Nog geen half jaar geleden zou ik een gat in de lucht gesprongen hebben, maar sindsdien was er veel veranderd. Ik was er niet meer zeker van of ik nog van Graham hield. Of ik nog genoeg van hem hield, of hij van mij, om het een heel leven samen uit te houden. Een scheiding was iets waarmee ik een kind niet wilde opzadelen, zeker niet als ons huwelijk voor de geboorte al spaak zou lopen. En dan was er nog Mac. Ik was smoorverliefd op hem, maar was dat alleen een bevlieging? En zou ik, na het gebeurde met Hayley, het over mijn hart kunnen verkrijgen om openlijk een relatie met hem te beginnen?
Ik pakte mijn tas en haalde de zwangerschapstest tevoorschijn. Mijn handen trilden toen ik de test en de gebruiksaanwijzing uit het doosje haalde. Ik wist dat het waanzin was het uit te stellen. Hoe eerder ik zekerheid had, hoe langer ik de tijd had om over de gevolgen na te denken en een beslissing te nemen.
Ondanks al mijn vermoedens en intuïtieve gevoelens was het toch een schok om de uitslag te vergelijken met de twee plaatjes op de gebruiksaanwijzing: positief of negatief. Ik zat op de rand van het bad en staarde naar de streepjes en verwerkte de schok van de bevestiging. Zwanger. Een baby. Graham werd dan toch eindelijk vader. Na acht jaar met Clarissa en twee jaar met mij, was het dan toch eindelijk zover. Hoe zou hij het opvatten? Zou hij door het dolle heen zijn van vreugde? Zou hij me omringen met liefde en zorgzaamheid?
Ik liet de test achter op de rand van de wasbak en kroop in bed. Ik wilde dolgraag huilen, maar ik kon het niet.

# VIERENVEERTIG

Alsof hij er een gevoel van had, belde Graham nog geen vijf minuten later naar mijn mobieltje. Ik stommelde haastig naar de badkamer en stak mijn hand uit naar mijn lange broek die ik achteloos bovenop de wasmand had achtergelaten. Onhandig tastte ik in de zakken, eerst natuurlijk in de verkeerde, en toen het me eindelijk lukte het mobieltje te pakken te krijgen, was de verbinding verbroken. Graham gaf zelden iets op. Hij probeerde het nog eens en deze keer antwoordde ik meteen.

'Waar zit je toch?' vroeg hij nors en vol ongeduld.

Ik staarde weer naar de zwangerschaptest, naar de twee streepjes, positief. 'Ik ben gewoon thuis.'

Zijn toon verzachtte niet. 'Ik probeer je de hele tijd te bellen, maar de lijn is bezet. Ligt de telefoon soms naast het toestel?'

'Ik ben in de badkamer. Ik zal dadelijk even gaan kijken.'

Hij bond enigszins in. 'Ben je in de badkamer? Is er iets? Voel je je wel goed? Ik wilde juist vragen of je ... misschien is het een goed idee even bij de dokter langs te gaan. De laatste tijd zie je soms zo bleek. Alsof je iets onder de leden hebt ... of iets anders.'

Ik opende mijn mond, sloot hem weer.

'Hoe laat kom je thuis?' vroeg ik.

'Daarom wilde ik je spreken. John belde me.' Nu ik Lucie een keer had ontmoet, kon ik me moeilijk voorstellen dat ze in een dusdanige staat kon raken dat haar vader haar niet in zijn eentje kon mannen. 'Vervelende ontwikkelingen. Lucie is vandaag weer heel erg moeilijk. John zegt dat er niets met haar te beginnen is.'

'Je blijft vannacht dus daar, bij John?' Opeens werd ik overvallen

door een mengeling van teleurstelling en opluchting.
Hij mompelde iets onverstaanbaars en ik kreeg de indruk dat er iemand bij hem was. 'Waarom was je vanmiddag niet thuis? Ik had je nog zo gezegd dat ik niet wil dat je alleen op stap gaat. Niet voordat de politie heeft uitgezocht wat precies de aanleiding was van het ongeluk.'
'Ik ben naar het ziekenhuis geweest. Op bezoek bij Hayley.'
'Moet je daar nou met alle geweld elke dag heen? Haar ouders zijn toch bij haar?'
'Ze is mijn beste vriendin, Graham.' Ik aarzelde. 'Het ongeluk was met mijn auto. Ik voel me op een bepaalde manier verantwoordelijk.'
'Wat een onzin! Als het nou nalatigheid was geweest, ja, dan zou ik het wel begrijpen, maar er mankeerde niets aan je auto. Hij was een paar maanden geleden nog voor een beurt bij de garage geweest.'
'Toch kan ik het niet anders voelen, Graham.' Ik speelde afwezig met een flesje met zijn aftershave. Per ongeluk drukte ik op het knopje en ik voelde de vochtige spray tegen mijn hand en wang. Graham leek opeens heel dichtbij.
'Ik weet niet hoe het vanavond loopt,' ging hij verder. 'Ik heb geprobeerd Sally te bellen om haar te vragen of ze vannacht bij je wil blijven, maar ik kan haar niet bereiken.'
'Ik wil niet dat Sally bij me komt,' protesteerde ik. Schuldig herinnerde ik me de resten van de verbrande ovenschotel en ik wist dat ik haar niet onder ogen kon komen voordat ik alle sporen van de kleine ramp had gewist. Zo het al mogelijk was de brandlucht uit het huis te verjagen.

'Ik sta erop, Sian!'
Ik staarde weer naar de twee streepjes op de zwangerschapstest. 'Graham, ik ben zwanger.'
Het bleef zo lang stil dat ik begon te denken dat de verbinding op de een of andere manier geruisloos en onopgemerkt was verbroken. 'Graham? Ben je daar nog?'
'Ja. Ja, sorry. Wat zei je daarnet?'
Hij had me wel gehoord, maar hij vertrouwde zijn oren niet. 'Ik zei dat ik zwanger ben. Ik heb net een test gedaan.'
'Weet je het zeker?'
Ik glimlachte, plotseling vertederd. 'Natuurlijk weet ik het zeker. Ik ben al een paar dagen over tijd, Graham. En ik heb de uitslag van de test nog voor mijn neus.'
'Dat … dat is geweldig, lieveling! Geweldig!'
'Ja.'
Alle problemen tussen ons leken in het niets te zijn opgelost. 'Ben jij ook blij, lieverd? Je wilt dit toch wel?'
'Anders was ik toch niet gestopt met de pil?'
'Ja, natuurlijk.' Hij klonk nog niet helemaal overtuigd, maar dat was slechts een kwestie van tijd. 'Luister, lieveling, ga je al naar bed? Ik zal proberen zo gauw mogelijk naar huis te komen, goed?'
'Ik dacht dat er iets dringends met Lucie is?'
'Wat? Ja, dat klopt. Ik weet niet wat er vandaag opeens weer met haar aan de hand was. We proberen haar te kalmeren, maar dat is niet zo eenvoudig. Als ze eenmaal wat in haar hoofd heeft, is het bijna onmogelijk haar op andere gedachten te brengen.'
Ik zei niets. Ik had hem niet verteld dat ik haar had ontmoet en als zij dat ook niet had gedaan, moest ze daar haar redenen voor

hebben.
'Hebben we nog een fles champagne koud staan?'
'Ik denk het wel,' zei ik, met het rampzalige gevoel dat ik mijn toekomst niet langer zelf in de hand had.
'Ik zal proberen Sally te bereiken,' vervolgde hij op een toon die geen tegenspraak duldde.
'Nee Graham!'
'Jawel, Sian, juist nu wil ik geen enkel risico nemen.'
Ik kende hem. Het had geen zin om te proberen hem op andere gedachten te brengen. Hij zou blijven proberen Sally te bellen, desnoods ging hij zelf naar haar huis.

Ze kwam net toen ik aanstalten maakte weer naar bed te gaan. Ik had de lichten beneden al uitgedaan en liep al de trap op toen ik haar sleutel in het slot hoorde.
Ik had de keuken laten doortochten met alle ramen en deuren open en de afzuiger op volle toeren gezet. De oven was schoongemaakt en ik had zelfs een poging gewaagd in de tuin naar de grootste brokstukken te zoeken.
Al mijn moeite was natuurlijk vergeefs. Ze snoof luidruchtig zodra ze naar binnenstapte. Ze zag me staan, schuldig als een betrapte dievegge in de nacht, en nog voordat ze de deur achter zich had gesloten, zei ze: 'Wat is hier gebeurd?'
'Een ongelukje in de keuken,' antwoordde ik, me afvragend waarom ik me gedwongen voelde me tegen haar te verdedigen. Ze was een werkneemster van ons, ik was haar geen enkele verklaring, geen verantwoording schuldig.
'Waarmee?' drong ze aan. Ze knoopte haar jas los die ze, naar

haar gewoonte, altijd tot aan haar kin dichtmaakte. Ze was pienter genoeg om te begrijpen dat haar kookkunst het slachtoffer was geworden.
'De ovenschotel,' zei ik eerlijk, maar ik kon niet verhinderen dat ik me schuldig voelde.
'Heb je het weggegooid?' Ze zette haar handtas naast de telefoon op het haltafeltje en hing haar jas aan de kapstok.
'Ja. Het was niet meer te eten. Het spijt me, Sally.'
'Kan gebeuren. Heb je Graham gesproken?'
'Niet meer sinds hij zou proberen je te bellen. Van mij hoefde je vanavond echt niet te komen, Sally. Je bent hier de laatste tijd elke dag, nu zelfs hele dagen. Ik wil je privé-leven niet in de war schoppen.'
'Graham is de baas,' zei ze schouderophalend, maar nog steeds wat nors. 'Ik doe wat hij vraagt.'
Ik zette mijn voet op de volgende tree. 'Wat mij betreft mag je weer naar huis gaan,' zei ik nog eens. Ik merkte dat ik er niet in slaagde een klank van onvriendelijkheid uit mijn stem te weren. 'Ik was net van plan naar bed te gaan.'
'Ik ben hier nu toch,' reageerde ze schouderophalend. 'De logeerkamer is helemaal in orde, dus ik kan daar naar bed gaan.'
'Wat je wilt, maar nogmaals, van mij hoef je echt niet te blijven. Alle ramen en deuren zijn dicht. Ik ben hier volkomen veilig.'
Ze gaf geen antwoord. Ze ging demonstratief snuivend de keuken binnen. 'Lieve hemel, Sian!' riep ze uit. 'Wat heb je gedaan? Er had wel brand kunnen ontstaan.'
'Ik was aan de telefoon,' loog ik schuldbewust.
Het bleef even stil en ik ging een tree hoger staan. Ik begon me

net af te vragen of ik niet beter stilletjes naar boven kon gaan, toen ze op de drempel verscheen. Ze keek me uitdrukkingloos aan, het langwerpige doosje van de zwangerschapstest in haar hand. Ik voelde dat ik kleurde.

'Positief?' vroeg ze toen, met duidelijke kennis van zaken.

'Ja.'

'Ik vermoedde het al.' Ze pauzeerde even. 'Gefeliciteerd.' Toen draaide ze zich om en kneep ze het lege doosje fijn.

# VIJFENVEERTIG

Graham kwam vroeg in de ochtend thuis. Hij zag er moe en afgetobd uit, maar zodra hij me naar beneden zag komen lichtte zijn gezicht op. Hij omhelsde me stevig en wreef voorzichtig met zijn hand over mijn buik. Ontroerd stelde ik vast dat ik hem lange tijd niet zo gelukkig had gezien. Ik informeerde belangstellend of alles goed was gegaan met Lucie, maar toen hij een weinig zeggend antwoord gaf stelde ik wijselijk geen verdere vragen.

'Ik wilde bloemen voor je meenemen, maar er was nog geen winkel open,' zei hij, terwijl hij me zachtjes kuste.

'Het is nog maar in een pril stadium,' waarschuwde ik.

'Dat begrijp ik, maar we gaan er toch van uit dat alles goed gaat?' zei hij optimistisch.

Sally stak haar hoofd om de hoek van de keuken. 'Ontbijt? Ik heb koffie gezet en ik bak net een eitje voor Sian.'

'Ja, dank je, Sally.' Hij aarzelde. 'Ik ben je ontzettend dankbaar dat je vannacht bij Sian bent gebleven. Het was een hele geruststelling.'

Ze glimlachte naar hem met meer warmte dan ik ooit had gezien. 'Geen probleem.'

'Vanavond ga ik niet naar John,' kondigde hij aan. 'Ik denk tenminste niet dat het nodig zal zijn. Ik neem je vanavond mee uit eten, Sian.'

'O!' zei ik verrast en ik merkte dat zijn mededeling zelfs Sally verblufte. Graham toonde bijna nooit zijn gevoelens en het was een van de zeldzame keren dat ik hem zo opgewonden zag. Hij was zelfs in zo'n goed humeur dat hij nauwelijks inging op mijn

mededeling dat ik die dag weer met de bus naar Truro zou gaan om Hayley in het ziekenhuis te bezoeken. 'Als ik vanmiddag bij Hayley vandaan kom, ga ik nog even de stad in,' kondigde ik aan.
Hij knikte een beetje afwezig. 'Is dat wel een goed idee, Sian?'
'Natuurlijk, ik ben niet ziek, Graham!' zei ik een beetje vinnig, maar ik glimlachte naar hem. Zijn bezorgdheid was hartverwarmend.
'Ik wil even naar de winkel voor babyspulletjes,' voegde ik er impulsief aan toe, wat het beoogde effect had. Hij glunderde.
Hij beloofde me de politie te bellen over mijn auto. Hij bood echter niet aan een huurauto voor me te regelen. Omdat ik het fijn vond dat hij in zo'n goed humeur was, besloot ik hem niet tegen de haren in te strijken en niet over een vervangende auto te beginnen. Als ik dat perse wilde, kon ik de auto van Hayley gebruiken, tenminste, als ik de moeite wilde nemen er een nieuwe accu in te laten zetten.
Het leek of Graham door mijn zwangerschap een heel andere man was geworden. Hij was opgewekt en voor zijn doen behoorlijk spraakzaam. Hij gaf het laatste nieuws over de zaak en vertelde me zelfs dat hij vermoedde dat twee collega's een verhouding waren begonnen. Gewoonlijk hield hij zich niet zo bezig met roddels, maar nu leek hij er behoorlijk schik in te hebben dat hij dacht dat hij de enige was die het wist.
Sally zat bij ons aan de keukentafel en at een schaaltje pap, naar haar zeggen haar gebruikelijke ontbijt. Ze droeg nauwelijks iets aan het gesprek bij. Haar gezicht stond zo nors dat ik voorstelde dat ze naar huis kon gaan om zich ervan te overtuigen dat alles goed was met haar zoon. Ik had uitgerekend dat hij al tegen de

veertig moest zijn, maar ze beschouwde hem nog steeds als een baby.
Graham knikte instemmend en zei dat hij tijd had om een paar uurtjes bij me te blijven.
'Brendan weet dat ik voor Sian moet zorgen,' zei Sally ontwijkend. 'En jij hebt het druk genoeg op je werk, Graham, dus wat mij betreft kun je gewoon naar je werk gaan. Ik blijf bij Sian totdat ze naar het ziekenhuis gaat.'
Graham nam snel een douche, verkleedde zich en kondigde aan dat hij net zo goed aan het werk kon gaan als Sally toch bij mij was. Hij lachte blij naar me, beloofde me dat hij vroeg thuis zou komen en omhelsde me nog eens stevig voordat hij naar zijn werk ging. Terwijl ik in Sally's norse gezicht keek, bedacht ik dat hij weer veel leek op de man met wie ik twee jaar geleden was getrouwd.

# ZESENVEERTIG

Het was een gewoonte geworden bij binnenkomst het antwoordapparaat in de hal te beluisteren. Zonder mijn jas uit te trekken drukte ik op de knop en ik wachtte op de eerste boodschap terwijl ik mijn aankopen neerzette en mijn schoenen uittrok. Er gebeurde niets. Ik pakte de hoorn op om vast te stellen dat er helemaal geen geluid was, zelfs geen kiestoon. De lampjes op het apparaat brandden ook niet en werktuiglijk volgde ik het snoer naar de vloer onder het tafeltje. Ik morrelde aan de telefoondraad en duwde tegelijkertijd de stekker verder in het stopcontact. Onmiddellijk begonnen de lampjes van het telefoontoestel te knipperen. Sally moest de stekker er per ongeluk een stukje uitgetrokken hebben. Of ze had het stopcontact gebruikt voor de stofzuiger en ze had de stekker er niet meer goed ingeduwd.
Opnieuw drukte ik op de knoppen van het antwoordapparaat. Tijdens mijn afwezigheid was het behoorlijk druk geweest op onze telefoonlijn.
Er was een boodschap voor Graham van de secretaresse van de zaak over een gewijzigde afspraak, gevolgd door een mededeling van een collega dat het dossier van Williams terecht was en dat Graham dus niet meer hoefde te zoeken. De politie belde met het verzoek of we contact wilden opnemen in verband met het ongeluk van Hayley. Het was de inspecteur die ik in het ziekenhuis had ontmoet, Stapleton. Hij liet een mobiel nummer achter. Ik drukte op de herhaaltoets en schreef het nummer op de bovenste envelop van het stapeltje post. Daarna was er iemand die helemaal niets zei, maar ik kon een lichte ademhaling horen en

gesmoorde geluiden op de achtergrond. Hetzelfde gebeurde nog een keer en de derde keer was er een vrouw die Graham op huilerige toon verzocht haar te bellen. Twintig minuten later had ze weer gebeld. Nu klonk haar stem helder en ze huilde niet meer. Ik hoorde er iets vaag bekends in, maar ik kon me niet herinneren wie ze was. Waarschijnlijk iemand van de zaak.
'Graham, ik heb overal geprobeerd je te bereiken. Ik kan dit niet langer volhouden. Echt niet! Ik ga naar de politie, Graham, of je het er nu mee eens bent of niet!'
De derde keer dat ze belde, zeven minuten later, had ze definitief haar besluit genomen. 'Graham, waar ben je? Wat je ook zegt, ik ga het toch doen, hoor! Ik ga naar het politiebureau. Ik kan dit niet langer aan, zeker niet nu!' Er klonken nog stemmen op de achtergrond, alsof er een woordenwisseling werd voortgezet. De verbinding eindigde abrupt in een hoge pieptoon.
Alle boodschappen waren doorgekomen tussen half drie en kwart over vier. Ik fronste en vroeg me af hoe laat Sally was weggegaan. Graham had haar opgedragen op mij te letten, mij in de gaten te houden. Ik was naar Hayley gegaan, maar ik meende me te herinneren dat ze tegen Graham had gezegd dat ze zou blijven totdat ik terugkwam. Kennelijk had ze zich bedacht en ze moest dus al voor half drie weggegaan zijn. Waarom had ze anders de telefoon niet opgenomen?
Het moest Lucie zijn. Ik herkende haar stem niet, maar dat was misschien omdat ze zo hysterisch klonk. Ze had iets gedaan waarvan ze nu spijt had, reden waarom ze naar de politie wilde. Graham wilde verhinderen dat ze haar kleine misdaden eerlijk opbiechtte. De vraag die in de stilte van de hal bleef hangen, was

waarom Lucie zo graag naar de politie wilde gaan.
Hoewel ik veronderstelde dat de man van de politie het over mijn auto wilde hebben en Graham eigenlijk de beslissingen daarover moest nemen, besloot ik toch Stapleton te bellen. Ik nam de envelop met zijn nummer mee naar de woonkamer en schakelde mijn mobieltje in dat ik uit had gedaan in het ziekenhuis. Het begon meteen te piepen ten teken dat er een berichtje voor me was. Mac. Hij had me die dag een paar keer gebeld maar ik had niet opgenomen. Ik had nog niet de moed kunnen vinden met hem te praten. Hij had een berichtje op mijn mobieltje achtergelaten: als ik naar Hayley ging, konden we dan ergens bij het ziekenhuis afspreken? Hij wilde haar graag bezoeken om zich er nog eens goed van te verzekeren dat ze niet met opzet van de rotsen was gereden. Om hem.
Ik wist dat ik hem niet onder ogen kon komen. Mijn eerlijkheid gebood me hem te vertellen dat ik zwanger was. Van Graham. Ik wist niet hoe hij daarop zou reageren of dat hij zou begrijpen dat mijn toekomst er opeens heel anders uitzag. Ergens diep in mij was iets bijzonders aan de gang. Een reeks van celdelingen die op een wonderbaarlijke manier zou resulteren in een klein mensje. Als ik ertoe zou besluiten dat kleine klompje cellen in mij te laten groeien, betekende dat tevens dat ik bij Graham zou blijven. Als ik dat niet wilde, kon ik het dan over mijn hart verkrijgen om dat toekomstige mensje te laten vernietigen? Ik zou daar alleen toe overgaan als ik heel zeker wist dat ik niet bij Graham zou blijven want als ik bij hem vandaan ging, dan wilde ik daarna niets meer met hem te maken hebben.
Om het telefoontje naar Mac uit te stellen, belde ik de politieman.

'Stapleton.'
'Meneer Stapleton, Sian Lewis hier. U heeft ons gebeld.'
'Ja, klopt, maar ik heb inmiddels uw man al gesproken.'
Ik drong aan. Wat hij Graham had verteld, kon hij mij ook vertellen. 'Is er nieuws?'
'De uitslag van het forensisch onderzoek is binnen. Ik heb al met uw man besproken dat hij verdere regelingen voor de auto kan treffen.' Hij aarzelde. Ik hoorde hem met papieren ritselen. 'Het onderzoek heeft bevestigd dat er witte lakresten op uw auto zijn aangetroffen. Uw man bevestigde dat die er daarvoor nog niet op zaten.'
'Dat klopt.'
'We hebben begrepen dat mevrouw Summers een afspraak had in Mawgan Porth en daar naartoe is gereden met uw auto. We hebben haar kunnen vragen met wie ze de afspraak had en we hebben meneer Mackenzie gesproken. Hij was er heel zeker van dat uw auto op dat moment nog niet beschadigd was.'
'Ja.' Ik begon een beetje ongeduldig te worden. Wat deed dit allemaal ter zake? Er was toch een getuige die had gezien dat de auto met moedwil naar de kant van de weg werd gedrukt?
'Het klinkt allemaal erg omslachtig, mevrouw Lewis, maar we moeten allereerst vaststellen dat uw auto niet al eerder beschadigd was. Nu we dat tot op zekere hoogte hebben gedaan, kunnen we ervan uit gaan dat de witte lakresten veroorzaakt zijn zoals de getuige heeft verklaard.'
'Het zou handig geweest zijn als hij het kentekennummer had opgenomen,' zei ik sarcastisch.
'Dat heeft hij. Gedeeltelijk. Hij heeft alleen de laatste letters ont-

houden. Het was een witte Ford. De getuige is er voor tachtig procent zeker van dat er een vrouw achter het stuur zat.'

'Een vrouw?' Op de een of andere manier kon ik zo'n brutale daad niet als een actie van een vrouw zien. Waarschijnlijk was ik naïef. Vrouwen konden gemener, geraffineerder zijn dan mannen.

'Helaas heeft de getuige niet voldoende gezien om een beschrijving te kunnen geven waar we iets aan hebben.'

'Maar de auto?'

'Ook eigenlijk een doodlopend spoor, hoewel je het nooit zeker kunt weten. De auto was een paar dagen geleden gestolen in St.Austell. We hebben hem teruggevonden op de parkeerplaats van een supermarkt in Truro. We hopen dat er getuigen naar voren zullen komen die iets gezien hebben. En we moeten nog beelden bekijken van de bewakingscamera's. Hopelijk levert dat wat op, maar rekent u er alstublieft niet op, mevrouw Lewis.'

Ik bedankte hem, maar hij was nog niet klaar. 'We gaan ervan uit dat er geen direct opzet in het spel was,' zei hij op geruststellende toon. 'We denken dat het een geval van ... baldadigheid was. Om de bestuurder van een andere auto de schrik van zijn leven te bezorgen. Dat zien we helaas wel vaker.' Hij stootte een kort, humorloos lachje uit. 'Voor u en mevrouw Summers is dat goed nieuws. Het betekent dat u niet bang hoeft te zijn dat iemand het op een van u had gemunt.'

Ik bedankte hem nogmaals. Ik was me ervan bewust dat ik geen concrete aanwijzingen had dat er wel degelijk sprake was geweest van opzet. Alles wat ik had waren vage vermoedens, gebaseerd op de vreemde gebeurtenissen van de laatste tijd. Gebeurtenissen waarover ik de politieman niets had verteld en wat ik ook niet van plan was. Ik wist dat het geen zin zou hebben te proberen hem ervan te overtuigen dat ik intuïtief wist dat hij het mis had.

# ZEVENENVEERTIG

Omdat Graham had beloofd dat we uit eten zouden gaan, ging ik uitgebreid in bad. Ik bediende me rijkelijk van geurig badzout en ging ontspannen achterover liggen. Ik dacht eraan dat mijn leven onlangs drastisch was veranderd. De ommekeer was begonnen met de nachtelijke rit om Hayley van haar fobie te redden en ik piekerde over een connectie met de andere gebeurtenissen. De fraude bij Graham op kantoor. Jeremy's ontslag. Het bezoek van zijn moeder. Mijn afspraak met hem en de gruwelijke vondst in de woning van zijn zuster. Het geld, een klein fortuin dat nu veilig in een kluisje bij een bank lag en waarvan ik nog steeds niet wist wat ik ermee moest doen. Ik had vaag gehoopt dat iemand me zou vertellen dat er bij Jeremy, of zijn zus, een dergelijk bedrag vermist werd. Dan zou ik een manier moeten vinden om het terug te laten bezorgen. En dan was er ook nog het geld dat ik in de auto van Graham had gevonden. In het begin had hij er herhaaldelijk naar gevraagd, maar nu leek de vermissing van de envelop hem niet meer te beroeren. Hij had beweerd dat er oude dossiers in zaten, iets waarover ik aanvankelijk mijn twijfels had gehad, maar nu was ik geneigd te geloven dat hij de waarheid had gesproken. Als hij had geweten dat er zoveel geld in envelop zat, zou hij niet hebben gerust voordat hij hem had teruggevonden.
En dan was er de duw die ik duidelijk in mijn rug had gevoeld. Ik wist zeker dat de man met een zwarte paraplu me had achtervolgd. Bij de bushalte had ik hem niet meer gezien en dat overtuigde me er juist van dat hij het geweest moest zijn die me de duw had gegeven. Dank zij Sally was ik niet onder de bus terecht

gekomen. Dit alles, samen met het ongeluk van Hayley, maakte dat ik wel naar een onderling verband moest zoeken. Dit konden niet zomaar los staande, toevallige gebeurtenissen zijn. Maar wie en waarom?
Ik werd moe van het piekeren; het leidde tot niets. Ik ging bij mijn kaptafel zitten en probeerde me te concentreren op mijn uiterlijk. Graham verwachtte dat ik er perfect zou uitzien. Ik maakte veel werk van mijn haar, dat ik föhnde tot het in soepele lokken om mijn gezicht viel. Mijn make-up hield ik bescheiden en voor mijn gevoel deed ik er een eeuwigheid over om te kiezen wat ik zou aantrekken. Van mijn oorspronkelijke plannetje om iets anders te kopen, was niets meer gekomen. Ik legde een zilvergrijze jurk met een bijpassend hesje klaar, hulde me in mijn ochtendjas en ging op bed liggen. De afstandsbediening lag op het nachtkastje aan de andere kant van het bed en ik zette de tv aan omdat ik niet in slaap wilde vallen. Het bad had me warm en rozig gemaakt en ik wist dat ik me de rest van de avond moe en futloos zou voelen wanneer Graham me wakker zou moeten maken. Ik was van plan een succes van de avond te maken. Ik hoopte dat Graham zijn nieuwe houding zou doorzetten. Eigenlijk hoopte ik dat ik zou ontdekken dat ik toch meer om hem gaf dan ik de laatste tijd was gaan denken, zodat ik niet voor een onmogelijke beslissing over mijn zwangerschap zou komen te staan.
Ik moet toch een beetje weggedoezeld zijn, want opeens ontdekte ik dat ik naar het nieuws zat te kijken, terwijl ik er zeker van was dat ik een herhaling van een soap had aangezet. Afwezig luisterde ik naar een keurig in het pak gestoken man die beweerde dat zijn multinational een recordwinst had gemaakt. Vervolgens

kwam er een bericht over ijsberen die bewoners in het noorden van Canada bedreigden omdat diezelfde mensen de klimaatverandering mogelijk maakten en daarmee het voedsel voor de ijsberen vernietigden: een vicieuze cirkel zonder uitweg omdat niemand, behalve een handjevol fanatiekelingen, bereid was om de vooruitgang terug te draaien. Het plaatselijke nieuws toonde een brand in een gebouw dat op de nominatie stond te worden afgebroken. Er werd gedacht aan brandstichting en gevreesd werd dat er zwervers in hadden gewoond.
Normaal gesproken keek ik zelden overdag televisie en veel van de programma's waren nieuw voor me. Ik zapte langs een programma over verhuizen naar Australië en de impact ervan op de families; haastig sloeg ik de laatste tijd populaire programma's over koken over.
Inspecteur Miller, de man van het onderzoek naar de dood van Jeremy, verscheen plotseling in beeld. Ik ging rechtop zitten. Ook nu was hij geheel in het zwart. Zijn haar was geknipt en ter gelegenheid van de tv-uitzending was het keurig in model gekamd. Het was jammer dat hij de gewoonte had zijn hand er door te halen. Op zijn buik zat een rood blok met de mededeling dat het een extra nieuwsuitzending was. Toen hij sprak, richtte hij zich direct tot de kijkers. Zijn zwarte ogen priemden in de camera en even had ik het onbehaaglijke gevoel dat hij zich alleen tot mij richtte. Wat hij zei ging grotendeels langs me heen. Ik staarde naar de vrouw naast hem. Ze had donker, slordig opgestoken haar dat in losgeraakte pieken op haar gebogen schouders hing. Haar gezicht was bleek en onopgemaakt, met volle lippen die, als ze niet achter een zakdoekje werden verstopt, zo hevig trilden dat ze nau-

welijks verstaanbaar was toen ze aan het woord werd gelaten. Ze keek niet recht in de camera, zoals Miller had gedaan. Ze sprak zacht en zo nu en dan hield ze op om haar neus te snuiten of de tranen uit haar ogen te wrijven. Haar verhaal was dramatisch. Ze legde uit dat ze de ongelooflijke hereniging van een zoon met zijn doodgewaande vader op tv had gezien. En nu hoopte ze dat iemand haar ook zou kunnen helpen. Ze had een kleine woning en een leuke baan, ze was volledig opgenomen in een kleine, hechte gemeenschap in de heuvels bij St.Austell. Ze was gelukkig. Het enige dat haar dwars zat was ze al enkele jaren aan geheugenverlies leed. Ze kon zich niets herinneren van het leven dat ze had geleid voordat ze, gewond en verward, door een vriendelijke automobiliste aan de kant van de weg was aangetroffen. Ze had gehoopt dat haar geheugen gauw terug zou komen maar toen dat niet gebeurde hadden de instanties haar een naam en een nieuwe identiteit gegeven. Na het ongelooflijke verhaal van de man die zijn vader terug had gevonden nadat hij die bij toeval in een tv-programma over mensen met geheugenverlies had gezien, wilde zij ook nog een keer proberen iemand te vinden die haar zou herkennen.

Zodra ze haar emotionele oproep had gedaan, streek ze haar haren achter haar oren. Ik voelde me beurtelings warm en koud worden. Dit moest een nachtmerrie zijn. Of een macabere grap van iemand die het op mijn huwelijk gemunt had. Ik wist dat het onmogelijk was, maar ik was er zeker van dat ik haar herkende. Natuurlijk had ik foto's van Clarissa gezien. In een vlaag van frustratie had Graham ze ruim een maand na haar verdwijning allemaal verscheurd, maar Ella had me hun huwelijksalbum laten zien. Ik had in het boek gebladerd terwijl ik was overvallen door het gevoel dat ik de strijd om de liefde van Graham al bij voorbaat had verloren. Ik had gestaard naar foto's van een mooi gezicht omlijst door goudblonde krullen, alsof ik er achter probeerde te komen wat ze me kon vertellen over haar huwelijk met Graham. Ik had zelfs spijt gevoeld omdat zo'n mooie vrouw was omgekomen en een eenvoudig persoontje als ik haar plaats had ingenomen. Ik had het gevoel gekregen dat ik een surrogaat was, alsof Graham zich had beholpen met mij omdat hij wist dat niemand in de schaduw van Clarissa kon staan.

De vrouw op het tv-scherm was een magere, bleke, ineengedoken versie van de zelfbewuste vrouw die naast Graham in allerlei poses op de trouwfoto's had geschitterd. Ze had smalle handen, zonder ringen, die ze voortdurend nerveus in elkaar wrong. Haar schouders waren gebogen en ze durfde nauwelijks in de camera te kijken.

'Iedereen die kan helpen wordt verzocht dit nummer te bellen,' besloot inspecteur Miller, zijn blik beschuldigend op mij gericht, alsof hij van mening was dat ik de verdwijning van Clarissa persoonlijk in scène had gezet om met haar man te kunnen trouwen. Het programma werd abrupt afgebroken en maakte plaats voor reclames. Ik zat nog steeds stijf rechtop, me ervan bewust dat mijn hart als een razende in mijn keel bonkte. Mijn handen trilden zo hevig dat de afstandsbediening uit mijn handen glipte en op de grond naast het bed viel.

Ik vroeg me af of Ella ook naar het programma zat te kijken. Of misschien Graham, Sally of iemand anders die Clarissa had gekend. Of had ik me op een verschrikkelijke manier vergist? Want als het waar was dat Clarissa nog in leven bleek te zijn, dan betekende dat tevens dat mijn huwelijk met Graham ten einde was.

# ACHTENVEERTIG

Ik wist niet wat ik moest doen. Ik was er bijna voor honderd procent zeker van dat de vrouw die zich met geheugenverlies op een politiebureau had gemeld, niemand anders kon zijn dan de eerste vrouw van Graham. Tegelijkertijd bevreemdde het me dat niemand naar ons huis belde. Anderen moesten het nieuws gezien hebben. Als ik haar kon herkennen, dan konden anderen dat ook. De telefoon bleef ijselijk stil.

Natuurlijk begon ik te twijfelen. Nam mijn fantasie een loopje met me? Zag ik dingen die er niet waren?

Ik schakelde de televisie uit en staarde wezenloos naar het zwarte scherm. De plotselinge stilte benadrukte de leegte van het huis en bijna had ik de afstandsbediening weer opgepakt om in elk geval stemmen te kunnen horen. Ik schudde mijn hoofd en realiseerde me plotseling dat ik me niet langer misselijk en duizelig voelde. Integendeel, ik had een enorme honger en ik had het gevoel alsof ik een metershoge stapel sandwiches met chocoladepasta kon opeten. Het water liep me in de mond.

Ik begon mijn ochtendjas uit te trekken. In het wilde weg trok ik een lange broek en een shirt aan. De zilvergrijze jurk was van het voeteneinde van het bed gegleden en ik struikelde er bijna over. Achteloos hing ik hem terug in de kast, wetend dat ik hem die avond niet zou dragen.

Er was één persoon die Clarissa als geen ander kende. Een persoon die haar zou herkennen, hoe ze er ook uitzag of hoe ze er ook aan toe was.

Ella zat te knikkebollen bij de tv. Er was een spelprogramma

met rode dozen waarin verschillende geldbedragen zaten. Een zenuwachtige man moest een voor een de dozen laten openen en de bedoeling was dat hij met een doos met een hoog geldbedrag zou eindigen.
'Ella!' Onbarmhartig schudde ik haar door elkaar. Ze schrok zo dat ik me schuldig voelde en ik wist me te beheersen.
'Heeft u het nieuws gezien?'
Ze had even tijd nodig om zich te realiseren wie ik was en wat ik wilde. 'Ik kijk nooit naar het nieuws,' mopperde ze en ze deed een halfslachtige greep naar de afstandsbediening die ik net voor haar neus weg had gegrist.
'Wat doe je nu?' protesteerde ze. 'Ik kijk altijd naar dat 'Deal or no Deal'.'
'U was in slaap gevallen. Bovendien was het toch een herhaling,' zei ik hardvochtig en ik zapte langs de kanalen in de hoop een herhaling van het nieuws te vinden.
'Wat is er aan de hand?' vroeg ze opstandig. 'Waarom kom je hier zomaar binnenrennen? Wat zie je eruit! Een spijkerbroek en een trui! Clarissa zou zich nooit zo vertoond hebben!'
Ik gaf geen antwoord. Op een andere zender had ik een nieuwsprogramma gevonden. Ik kon alleen maar hopen dat ze hetzelfde onderwerp daar ook zouden behandelen.
We vielen er midden in. Ik keek weer naar inspecteur Miller en de vrouw die naast hem zat. Ik was er zeker van dat ik me niet had vergist. Onder de deken droeg ze een eenvoudig shirt met een wijde hals. Er kwam een stukje van een schouderbandje van glanzend, roomkleurig satijn tevoorschijn. Het was afgezet met een rijtje kleine nepedelsteentjes. Ik had het idiote idee dat het

een bandje was van een bh van mij. Ik had er altijd voor gezorgd dat het voorzichtig werd gewassen omdat er al gauw een paar edelsteentjes vanaf waren gevallen. Precies op de schouder van het bewuste schouderbandje waren ongeveer vijf steentjes verdwenen. Bij de vrouw op de tv ook. Die bh en het bijpassende slipje had ik niet meer. Ze waren, met de blauwe jurk, van onze droogmolen gestolen. Het moest verbeelding zijn. Of toeval.

Ik hoorde Ella een kreet slaken. Ze zette haar handen op de leuningen van haar stoel en maakte aanstalten om overeind te komen. Haar gezicht was lijkbleek en vertrokken tot een panische grimas, haar ogen zo groot en rond dat ik dwaas genoeg even bang was dat ze uit hun kassen zouden rollen.

Ze kwam niet helemaal overeind, maar ze zakte ook niet terug in haar stoel. Voordat ik iets kon doen viel ze met stoel en al zijwaarts op de grond, alsof haar spieren het opeens lieten afweten. Ik zag haar vallen, stak automatisch mijn handen uit om haar op te vangen, maar de tafel stond tussen ons. Tegen de tijd dat ik de afstandsbediening los had gelaten en opzij was gestapt, lag ze al op de grond. Haar gezicht vertrok in ritmische, spastische bewegingen en haar ogen staarden zonder iets te zien in het niets. Haar mond hing aan een kant slap open waardoor ze niet te verstaan was. Het duurde dan ook even voorat ik me realiseerde wat ze maar bleef lispelen: Clarissa.

'Ella! Kun je me horen?' Ik knielde naast haar, klopte op haar ijskoude handen, sloeg zachtjes tegen haar slappe wangen. Ze kreunde en bleef onophoudelijk de naam van haar dochter mompelen. Haar gezicht was scheef getrokken en uit haar mondhoek liep een straaltje vocht. Ze schokte met een arm toen ze die naar

mij uit wilde strekken. Hij kwam niet van de grond af.
Vol afgrijzen begreep ik wat er aan de hand was. In mijn haast naar haar toe te gaan, haar met het nieuws op tv te confronteren en haar reactie te bestuderen, had ik geen moment rekening gehouden met haar gevoelens en met wat het voor haar moest betekenen haar doodgewaande dochter zo plotseling op het tv-scherm te zien.
Ik pakte de telefoon, drukte snel drie keer de negen in en wachtte gespannen totdat een kalmerende stem reageerde op mijn angstige uitroep.

# NEGENENVEERTIG

Ze brachten haar met de ambulance weg. Omdat ik Graham niet kon bereiken, ging ik zelf met haar mee. Ik legde uit dat ik de tweede vrouw van haar schoonzoon was en ik stapte naast de chauffeur in toen ik begreep dat de verpleger achterin zijn handen vol had aan Ella. Ze was toen al niet meer bij kennis.

'Wat is er gebeurd?' informeerde de dienstdoende arts bij de Eerste Hulp.

Ik vertelde hem dat ze met stoel en al opzij was gevallen. 'Ze heeft een enorme schok te verwerken gehad.'

Hij knikte en vroeg niet verder. Een verpleegster bracht me naar een wachtruimte, waar ik doelloos een stapel tijdschriften doorwerkte. Ik was niet in staat goed na te denken. Mijn hoofd leek gevuld met watten en ik merkte dat ik moeite had me de dingen goed te herinneren. Vervolgens begon ik me af te vragen of ik het allemaal wel goed had gezien. Er waren meer vrouwen die bh's met edelsteentjes hadden gekocht. Er waren meer bh's waar de steentjes van afgevallen waren. Er waren ook meer vrouwen die leken op Clarissa Lewis. De vrouw op de tv had er misschien een beetje uitgezien als de vrouw van wie ik alleen nog maar een paar foto's had gezien, maar ze leek in de verste verte niet op de stralende jonge vrouw in de prachtige bruidsjurk. Ik had Ella nodeloos een ongelooflijk wrede schok bezorgd door haar zo hardvochtig te dwingen naar het nieuws te kijken.

De arts kwam terug. 'Kan ik u een paar vragen stellen?'

Ik sloot het tijdschrift. 'Natuurlijk. Hoe is het met haar?'

'Ze is bij kennis, maar ze is erg verward. Ze heeft een wond aan

haar hoofd en haar pols lijkt gekneusd, maar verder maakt ze het redelijk goed.'
'O, gelukkig!'
'Ik wilde graag een aantal punten met u doornemen. Gebruikt ze medicijnen?'
'Dat geloof ik wel. Voor hoge bloeddruk. En slaappillen. Maar die neemt ze niet altijd.' Ik aarzelde. 'De doosjes zijn thuis.'
'Geeft niet, ik vraag het wel aan haar huisarts. Is ze de laatste tijd erg in de war?'
'Ja. Daar maakte ze zich soms erg druk over.'
Hij glimlachte begripvol. 'Ze praat steeds over haar dochter, die uit de dood is opgestaan.'
Ik slikte. 'Ze denkt soms dat ze haar dochter ergens ziet. Maar dat kan niet, want Clarissa is een paar jaar geleden verdronken.'
'Dat kan een oorzaak zijn van haar verwarring.'
Ik luisterde niet. 'Clarissa, haar dochter, ging er op uit met haar surfplank. Ze kon goed surfen, maar ze moet gegrepen zijn door een onderstroom. Haar surfplank werd teruggevonden, maar van Clarissa zelf is nooit meer iets vernomen.' Ik begreep zelf niet goed waarom ik hem dit vertelde.
'Ze zei iets over een vrouw op de televisie. Ze leek ervan overtuigd dat het haar dochter was. Ze zei dat … Sian nu wel gauw zou vertrekken.'
Ik snakte naar adem, wat voor hem reden was op sympathieke toon te vragen: 'U bent Sian?'
'Ja.'
'U nam de plaats in van haar dochter?'
'Als u het zo stelt, ja. Ik ontmoette Graham toen Clarissa al een

paar jaar dood was. Eerst wist ik niet eens wat er met haar gebeurd was. U kunt me er niet zomaar van beschuldigen dat ...'
'Ik beschuldig u nergens van, mevrouw Lewis. Ik probeer er alleen achter te komen waardoor mevrouw Hicks zo is geschrokken dat ze een kleine beroerte heeft gehad.'
'Omdat ze dacht dat Clarissa op het nieuws was!' zei ik zachtjes, maar ik verzweeg dat ze nooit naar het nieuws zou hebben gekeken als ik haar daar niet toe gedwongen had.
Daarna werd hij vriendelijker en ik legde hem de situatie zo goed mogelijk uit zonder met de vinger naar mezelf te wijzen. Ik besloot dan ook met de opmerking dat zowel Ella als ik ons vergist moesten hebben. Hij knikte alsof hij dat van het begin af aan al had geweten en dat ik zijn kostbare tijd had verspild.
'U mag even naar haar toe, maar niet meer dan vijf minuten. Het heeft geen zin langer te blijven. We geven haar een kalmeringsmiddel. Maar ik zal u een telefoonnummer meegeven zodat u ons op elk gewenst moment kunt bellen om naar de toestand van mevrouw Hicks te informeren.'
Misschien was hij alleen maar vriendelijk tegen me, maar ik beschouwde het als een manier om me kwijt te raken. Gedwee nam ik een brochure van de afdeling in ontvangst waarop hij een telefoonnummer had onderstreept. Hij liep met opgeluchte, kwieke passen over de gang weg, mij achterlatend met de sombere gedachte dat ik Graham zou moeten opbiechten wat er was gebeurd.

# VIJFTIG

In de haast om met Ella in de ambulance mee te gaan, had ik mijn tas niet meegenomen. Ik ging naar de taxistandplaats bij de ingang van het ziekenhuis. Omdat ik me maar al te bewust was van mijn verfomfaaide uiterlijk, vertelde ik de chauffeur pas dat ik geen geld bij me had toen hij voor de deur van ons huis stopte. Hij geloofde me maar half en hij keek me nijdig en argwanend na toen ik naar huis rende om mijn tas te pakken. Gelukkig was de achterdeur niet op slot, anders had ik niet eens naar binnen kunnen komen.

Ik nam niet de moeite de lichten aan te doen. Mijn tas lag in de woonkamer en ik deed er blindelings een greep naar. De taxichauffeur had de meter door laten lopen. Ik gaf hem een fooi die groot genoeg was om hem met de ogen te doen knipperen en een verontschuldiging te uiten. Mat wenste ik hem een succesvolle dienst toe. Ik denk dat hij nog glimlachte toen ik weer naar binnen ging. Ik had de voordeur open laten staan en toen ik bemerkte dat er een tochtvlaag langs mijn benen streek, vroeg ik me af of ik de achterdeur wel goed dicht had gedaan. In de woonkamer zette ik weer de tv aan, maar het leek alsof alle kanalen tijdens mijn afwezigheid hadden afgesproken dat ze geen extra nieuws meer zouden uitzenden. Ik pakte de laptop van Graham en met ingehouden adem wachtte ik op het opstarten van het internet. Voordat ik echter de website van het nieuws, of van een krant, op had kunnen zoeken, werd de deur plotseling opengeworpen.

Van schrik liet ik bijna de laptop van mijn knieën vallen. Ik duwde hem opzij en wilde opstaan, maar mijn benen weigerden dienst. Verbijsterd staarde ik naar de vrouw die zonder aankondiging naar binnen kwam. Ze glimlachte stralend naar me en tot mijn afgrijzen herkende ik mijn blauwe jurk. Het leek misplaatst om hem hier en op dit tijdstip van de dag te dragen, maar dat nam niet weg dat ik niet anders kon dan haar bewonderen. De jurk zat haar als gegoten. Ella had gelijk gehad: hij stond haar veel beter dan mij. De harde blauwe kleur had mijn huid een ongezonde glans gegeven, maar Clarissa flatteerde hij juist.

Ze leek nog nauwelijks op de vrouw die ineengedoken naast het zwarte pak van inspecteur Miller op de tv was verschenen. Haar donkere haar was nu keurig gekapt. Een lichte rand op haar hoofdhuid gaf aan dat ze het had geverfd. En ze had zich vakkundig opgemaakt. In haar oren bungelden grote zilveren oorbellen en om haar pols zat een bijpassende armband.

'Ik ... wil je iets drinken?' stotterde ik tot mijn eigen verbijstering. Kennelijk was dat het laatste dat ze had verwacht, want ze staarde me even verbluft aan en toen begon ze hardop te lachen.

'Dat zou ik jou eigenlijk moeten aanbieden,' zei ze opgewekt, terwijl ze zich op een stoel liet zakken alsof daar alle rechten toe had. 'Dit is mijn huis. Je beseft toch wel dat jij hier maar te gast bent?'

Ik slikte. Het kwam in me op dat het nog moeilijk zou worden uit te maken wie van ons beiden de wettige echtgenote was van Graham. En wie het recht had dit huis haar thuis te noemen.

Ik kon niet stil blijven zitten, ik moest iets doen. Mijn aangeboren beleefdheid gebood me haar thee of koffie aan te bieden, of iets sterkers. Of ze meer rechten had dan ik om de gastvrouw te spelen, vond ik niet van belang.

'Ik zal de ketel opzetten,' zei ik toonloos.
Ze lachte, een hoge, aangename lach en ondanks alles raakte ik onder de indruk van haar charme en schoonheid. Ze was zoveel mooier dan op de foto's. Ik kon me voorstellen dat Graham volledig voor haar door de knieën was gegaan, dat Sally haar aanbeden had, dat haar moeder sinds haar verdwijning nooit meer gelukkig was geweest.
Ik begon achteruit te lopen naar de deur. Op de een of andere manier waren mijn ogen zo strak op haar gericht dat ik ze niet kon losmaken. Graham. Ik vroeg me af of hij het nieuws al had vernomen. Of hij wist dat zijn geliefde eerste echtgenote was opgestaan uit de dood. Hoe zou hij reageren wanneer hij thuiskwam en hij Clarissa en mij samen aantrof? Voor wie zou hij kiezen? Zou hij mijn zwangerschap negeren en me plompverloren uit huis zetten, in het voordeel van Clarissa? Hij was zo blij, zo opgetogen geweest toen ik hem het nieuws had verteld. Betekende het iets voor hem dat ik zijn kind droeg?
Door de gedachte aan Graham verslapte mijn aandacht voor Clarissa. Ze was achter me aangekomen. Haar spottende, uitdagende lach was verdwenen en in plaats daarvan was haar gezicht een van haat verwrongen masker geworden. Ik had geen schijn van kans toen ze vliegensvlug met opgeheven arm om me af kwam. In een flits zag ik haar wrede grijns en het volgende moment werd er een muf ruikende, donkere lap over mijn hoofd gegooid. Ik was te verrast om meteen in actie te komen. Daarom was ik ook te laat om tegen te stribbelen. Toen ik een eerste halfslachtige poging deed me los te rukken, lagen mijn handen al op mijn rug en was ze bezig een touw om mijn polsen te binden.

# EENENVIJFTIG

Binnen enkele seconden werd ik op een voor mij beschamende wijze geboeid. Vervolgens duwde Clarissa me zonder plichtplegingen voorover zodat ik al op mijn knieën zat voordat ik me goed en wel realiseerde wat er met me gebeurde. Onder de dikke, stoffige lap hapte ik naar adem. Ik had niet het idee dat ze die lap ergens had vastgemaakt, maar toen ik probeerde hem af te schudden lukte dat niet. Mijn paniek werd iets minder toen ik ontdekte dat ik de vloer en mijn voeten kon zien. Verwezen staarde ik naar het vage patroon van het tapijt. Ik besefte dat ik in een positie was gemanoeuvreerd waaruit ik niet snel genoeg zou kunnen opstaan om een verrassende tegenaanval te doen, zeker niet met gebonden handen.

Omdat er voorlopig weinig anders te doen was, luisterde ik naar de geluiden. Ze had Grahams drankkastje geopend en ik hoorde de doffe plop toen ze een fles wijn ontkurkte. Ze leek in een opperbest humeur te zijn want ze neuriede zachtjes. Ze gaf me het ellendige gevoel dat ze blaakte van zelfvertrouwen en dat er geen twijfel over bestond wie van ons beiden in de minderheid was.

Verdwaasd vroeg ik me af hoe het mogelijk was dat ik dit niet allemaal had voorzien. Was ik te veel gericht geweest op mijn eigen problemen, op Mac en op mijn zwangerschap, dat ik helemaal niets in deze richting had vermoed? Waarom had ik niet beter geluisterd naar Ella, die me zelf regelmatig had verteld dat ze Clarissa had gezien? Dat ze wist wie mijn jurk en ondergoed van de droogmolen had gestolen? Waarom had ik niet meer aandacht besteed aan de anonieme telefoontjes, of aan de waarschuwingen

van Lucie?
'Waar is Graham?' vroeg ik met schorre stem. Ik keek naar de klok en vroeg me af of hij eerder dan gewoonlijk thuis zou komen. Om met mij mijn zwangerschap te vieren. Hoe hij ook zou reageren op de terugkeer van Clarissa, hij zou toch niet willen dat zijn zwangere echtgenote een haar gekrenkt werd?
Ze gaf geen antwoord. Ik wist echter meteen dat het verkeerd was om over hem te beginnen. Ik hoorde haar voetstappen naderen en de deken werd met een harde ruk van mijn hoofd getrokken. Ik knipperde tegen het plotselinge licht.
Clarissa liet zich met zoveel zelfvertrouwen op de bank zakken, een glas wijn in haar hand, dat het leek alsof ze al die jaren nooit weg was geweest. Met een glimlach zette ze het wijnglas neer en begon ze te peuteren aan een rol breed groen plakband.
Ze was rusteloos. Toen ze het begin van het plakband had gevonden, stond ze op en ze begon getergd heen en weer te lopen. Ze inspecteerde een paar spulletjes die er nog niet waren toen zij hier nog woonde. Zo nu en dan bleef ze bij de salontafel staan voor een slok wijn. Op haar wangen zaten rode blosjes en haar ogen schitterden bijna onnatuurlijk. De gedachte kwam in me op dat ze wel eens iets kon hebben genomen dat ze in zo'n staat van opwinding was geraakt. Drugs. Of was het alleen maar de euforie van haar terugkeer? Mijn adem stokte. Hoe was ze hier eigenlijk zo snel gekomen? Op tv had ze met Miller samen een emotionele oproep gedaan, hopend dat iemand haar zou zien en herkennen. Hoe had ze zo snel kunnen weten waar ze had gewoond? En hoe wist ze wie ik was?
'Waar is Graham?' vroeg ik opnieuw. 'Hij zal niet willen dat je

dit met mij doet. Niet nu ik ...' Ik zweeg net op tijd. Ik was er niet zeker van hoe ze op het bericht van mijn zwangerschap zou reageren. Instinctief wist ik dat ze een des te gevaarlijker tegenstandster zou zijn wanneer ze in woede ontstak.

Ze reageerde niet. Ze pakte het groene plakband weer op en met haar mooie witte tanden scheurde ze er een stuk af dat ze zonder plichtplegingen over mijn mond plakte.

'Zorg ervoor dat je niet gaat janken. Als je snotterig wordt kun je geen adem meer halen,' zei ze onaangedaan.

Ik voelde mijn paniek weer terugkomen. Smekend keek ik haar aan, maar ze trok zich niets van me aan. Volkomen op haar gemak nipte ze van de wijn uit een van Grahams meest gewaardeerde flessen.

Ik dacht aan fobieën. Van mensen van wie je het het minst verwachtte, maar die toch een onberedeneerde angst voor iets hadden. Angst voor spinnen, drukke ruimtes, lege pleinen, maar ook angst om over een hoge brug over een ravijn te rijden. Zoals Hayley. Zo snel als maar mogelijk was had ik nu geleerd hoe het was om bang te zijn. Dat ik niet voldoende lucht zou krijgen. Ik kon door mijn neus ademhalen, maar de gedachte dat die op de een of andere manier verstopt kon raken, bijvoorbeeld door snot en tranen, maakte dat ik al bij voorbaat moeite had met ademen.

'Ontspan je,' zei Clarissa op een toon alsof het haar niet uitmaakte of het me zou lukken of niet. Toch vond ik het een enigszins bemoedigende gedachte dat ze op een bepaalde manier zorgzaam was. Wat haar plannen met mij ook waren, kennelijk was het niet haar bedoeling mij aan een voortijdig einde te helpen. Voorlopig. Er leek een eind gekomen aan haar geduld. Ze wierp een blik op

haar horloge, dronk haar glas leeg en zette het zo hard en onbeheerst neer dat de steel brak.
'Sta op!'
Toen ik niet meteen reageerde trok ze zo hard aan mijn arm dat ik weinig anders kon doen dan gehoorzamen. Om in evenwicht te blijven moest ik mijn ene voet wel op de grond zetten, maar ik vond het moeilijk uit deze knielende houding omhoog te komen.
'Loop naar de voordeur.'
Er flitsten allerlei gedachten door me heen. Zoals mogelijkheden om haar te slim af te zijn en te vluchten zodra we buiten kwamen. Veel te laat dacht ik eraan dat ik had moeten vechten, dat ik me niet zo willoos had moeten laten overmeesteren. Dan was er tenminste nog een kans geweest, die ik nu niet had.
Ze liep schuin achter me, haar hand als een bankschroef om mijn bovenarm en in de andere iets dat veel leek op een lange dunne zaklantaarn. Alsof ze een soort schoolreisje aankondigde, zei ze opgewekt: 'We gaan een ritje maken.'
Ik schudde mijn hoofd, mijn protest dat ik met geboeide handen niet kon autorijden werd volledig gesmoord door het plakband, maar ze moest het toch begrepen hebben, want ze stootte een kort en schamper lachje uit.
Met mijn armen op mijn rug gebonden, vond ik het moeilijk me in evenwicht te houden. Vluchtig dacht ik aan koorddansers die met zijwaarts uitgestrekte armen moeiteloos over een strak gespannen koord konden lopen. Zelf had ik moeite om, zonder als een dronkelap te zwalken, recht te lopen over mijn eigen tuinpad.
Haar auto was een zogenaamde driedeurs: twee deuren en een achterklep die volgens mij geen derde deur was maar die door de

autofabrikanten wel zo werd genoemd. Heel even veronderstelde ik dat ze me in de achterbak zou duwen, maar ze opende het portier aan de passagierskant en schoof de stoel naar voren. 'Je mag achterin zitten,' zei ze koel.

Lopen was niet eenvoudig geweest, geboeid achter in een auto stappen was zo mogelijk nog moeilijker. Ik was er niet op bedacht dat ze me een duw zou geven en mijn scheenbeen kwam onzacht in aanraking met de treeplank van de auto. Ik smoorde een kreet en zette haastig mijn andere voet naar binnen. Geholpen door een tweede duw tuimelde ik verder voorover en ik belandde met een knie op de vloer. Mijn andere been stak nog naar buiten en heel even overwoog ik in deze positie te blijven zitten. Als ik me zwaar hield, zou ze moeite hebben me verder te duwen, of vanaf de andere kant aan me te trekken. Het gaf me op zijn minst de kans de aandacht te trekken van een eventuele toevallige voorbijganger. Welke verklaring over mijn zonderlinge situatie zou ze kunnen geven waarmee ze gealarmeerde buren gerust moest stellen?

Onze straat werd voornamelijk bewoond door mensen die zich niet met anderen bemoeiden. Voor zover ik wist deden er zelfs geen roddels de ronde. Er was dus niet veel kans dat iemand me te hulp zou komen. Van onze naaste buren wist ik dat ze een hond hadden, want die lieten ze meestal uit op een stuk gras aan het einde van de straat.

Op haar trouwfoto's had Clarissa er als de perfecte vrouw uitgezien: mooi en zacht en succesvol. Ik had haar onderschat, ze was een hard, gevoelloos kreng. Ze gaf een harde trap tegen mijn been en zette haar hak zo venijnig op mijn enkel dat ik haastig

afzag van mijn halve plan om te weigeren in te stappen.
Omdat ik in een laatste poging om dwars te zijn op de vloer achter de passagiersstoel bleef zitten, liet ze die schouderophalend naar voren staan. Ze ging achter het stuur zitten en ze keek met een humorloze grijns over haar schouder. 'Je hebt jezelf in een moeilijke positie gebracht, beste meid, maar mij komt het wel goed uit.'
Ik murmelde een protest en ze lachte hard toen ze startte en van het garagepad af reed. Ik zag meteen elke kans op haastig toeschietende buren vervliegen.
Ze reed de straat uit en aan mijn protesterende beenspieren kon ik merken dat ik beter rechtop kon gaan zitten, Mijn enige kans was dat iemand het vreemd zou vinden een vrouw met een stuk groen plakband op haar mond achterin een auto te zien zitten. Ik worstelde me omhoog en na wat een eeuwigheid leek, slaagde ik erin op de achterbank te gaan zitten. Ik schoof naar de zijkant, zo ver mogelijk bij haar vandaan en keek hoopvol naar buiten. De straat was stil en verlaten. Ik bracht mijn gezicht zo dicht mogelijk tegen het zijraampje, maar er was niemand die later zou kunnen vertellen dat ik was gezien, zodat de politie tenminste zou weten dat ik was ontvoerd. Dwaas genoeg dacht ik aan inspecteur Miller en ik vroeg mij af wat hij van mij zou denken.
We reden de stad uit en als een wanhopig Klein Duimpje zonder steentjes of stukjes brood probeerde ik de route in mijn geheugen te prenten.
'Het heeft allemaal toch geen zin, Sian,' zei ze na enige tijd. 'Je kunt net zo goed toegeven dat je verslagen bent, want je kunt het toch niet van me winnen.'

Voor het eerst was ik blij met het plakband voor mijn mond, want anders was ik misschien tegen haar gaan schreeuwen en schelden. Dat gunde ik haar niet.
We kwamen bij de buitenwijken van Newquay. Ik herkende de weg die dwars door het gebied van de porseleinaardegroeven liep. Het was dezelfde weg die Graham had genomen toen ik hem had gevolgd. Bij de rotonde, even voor het punt waar ik 's nachts zijn spoor bijster was geraakt, sloeg ze dezelfde weg in die ik toen ook had genomen. Een eind verderop minderde ze vaart en we sloegen een onverhard zijweggetje in. Onmiddellijk werden we omhuld door een grijze stofwolk. Ze wist precies waar ze reed. Met een slakkengangetje reden we over het weggetje dat vol zat met kuilen en waarop her en der brokken steen lagen. Ze omzeilde ze zoveel mogelijk, maar het leek weinig zin te hebben. Heel even vroeg ik me af of ik Graham op deze weg zou hebben gevolgd als ik het lef had gehad om hem dicht genoeg te volgen. Het leek ondenkbaar dat hij zich met zijn glanzende zwarte auto op dit stoffige weggetje had gewaagd, maar tegelijkertijd herinnerde ik me hoe grijs en stoffig zijn auto soms was.
Lucie had me verteld dat Clarissa het niet goed vond dat zij naar mij toe ging. Betekende het dat zij al die tijd had geweten dat Clarissa nog leefde? Als dat zo was, hoe zat het dan met Graham? Hoeveel wist hij? Had Clarissa soms bij John en Lucie gewoond en had Graham hen gebruikt als excuus om haar op te zoeken?
De auto minderde vaart. Er klopte iets niet. We bevonden ons zo ongeveer in het hart van Cornwall. John en Lucie woonden in Trebarwith, een kustplaatsje van waaruit Clarissa en Lucie hun dramatisch geëindigde middagje surfen waren begonnen. Dat lag

aan de andere kant van de kust van Cornwall, verder in het noorden.
Ik herinnerde me opeens wat Graham me over de bewoners van dit gebied had verteld. Er waren hier gehuchten die zelfs niet op de kaart stonden. Hechte families, voormalige trekkers, met onvoorwaardelijke trouw aan elkaar. Nors en onvriendelijk tegen iedereen die van buiten kwam, zelfs als het ook oorspronkelijke bewoners van Cornwall waren. Sally, had hij me eens kort na onze kennismaking in een zeldzame bui van spraakzaamheid toevertrouwd, had moeite gehad zich los te maken van haar familie toen ze koos voor een carrière buiten de onherbergzame grauwe omgeving en het simpele, harde bestaan van de mijnwerkers. Ze was naar Bristol vertrokken, maar al gauw was ze teruggekeerd naar haar geboortedorp. Ze moest ook tot zo'n hechte familieclan behoren.
De auto stopte in de beschutting van een groepje struiken dat zich spontaan had ontworsteld aan de stenige grond. De zon was achter een van de puntige heuvels verdwenen en wierp een zonderlinge schaduw over ons heen. Met opeengeklemde lippen gebaarde Clarissa met haar hoofd dat ik moest uitstappen. Ik zag weinig reden te protesteren, maar ik bewoog traag.
'Schiet op!' beet ze me toe. Ze duwde me in de richting van een laag stenen gebouwtje en onmiddellijk zonk de moed me in de schoenen. Dit was geen huis dat bewoond was. Voor de ramen waren planken getimmerd. Een eindje verderop stond een soortgelijk gebouwtje, maar dat was gedeeltelijk ingestort. Het silhouet van een bulldozer tekende zich af tegen de lucht, de arm hoog opgeheven alsof hij het volgende moment zijn werk weer

kon hervatten.
'Hierheen!' Ze sleurde me bijna naar het huisje met de dicht getimmerde ramen en duwde me naar binnen, een klein vertrek in dat vermoedelijk ooit een huiskamer was geweest. Er was geen verlichting. Ze liet het licht van de zaklantaarn vluchtig door het schemerige vertrek spelen alsof ze wilde controleren dat de kamer helemaal leeg was. Het gunde me een snel, weinig bemoedigend beeld.
'Ga op de grond zitten,' beval ze en alsof ze bang was dat ik niet meteen zou gehoorzamen, duwde ze me naar beneden. Razendsnel haalde ze een touw achter haar rug vandaan en ze had al een lus om mijn onderbenen gegooid voordat ik goed en wel wist wat er gebeurde. Ik probeerde nog haar handen weg te trappen, maar ik lag in een positie waarin ik weinig kracht kon zetten en bovendien trok ze de lus al aan.
'Ik neem liever geen risico's,' zei ze kortaf.
Nadat ze zich ervan had verzekerd dat mijn handen en voeten goed samengebonden waren, trok ze het plakband van mijn mond en ze zei koud: 'Je kunt schreeuwen wat je wilt. Er is hier niemand die je zal horen.'
Terwijl ik snel met mijn tong over mijn droge lippen ging, knikte ik zwakjes, beseffend dat ze ongetwijfeld wist waarover ze sprak. Van wat ik van de omgeving had gezien, wist ik dat er weinig bevolking in de omtrek was.
'Wat ben je met me van plan?'
Ze produceerde iets dat in de verte op een glimlachje leek. 'Geloof me, het is beter als je dat niet weet.'
De achterliggende bedoeling, de onmiskenbare waarschuwing,

benam me bijna de adem. Ik slikte een paar keer achter elkaar.
'Waarom doe je dit, Clarissa? Ik heb je nooit iets misdaan. Als je Graham wilt hebben, zal ik ...'
'Houd je mond!'
'Weet Graham hier eigenlijk van? Weet hij dat je me hebt ontvoerd? Vindt hij dit wel goed?'
Haar mond krulde verachtelijk. 'Natuurlijk weet hij dat. Het was zelfs zijn idee je hierheen te brengen.'
'Dat geloof ik niet! Hij zal nooit willen dat er iets met me gebeurt!'
Ze lachte koud. 'Ik ben terug, nietwaar? Hij heeft jou helemaal nergens meer voor nodig!'
Ik aarzelde een ondeelbaar ogenblik. 'Ik ben zwanger van zijn kind!'
Uit het feit dat ze geen verbazing toonde, maakte ik op dat Graham wel in het complot moest zitten. Wie anders kon haar verteld hebben dat ik zwanger was?
'Dat betekent niets voor hem,' zei ze hardvochtig.
Ik wist dat ze loog en het gaf me een ogenblik het gevoel dat ik terrein begon te winnen. 'Waarom doe je me dit aan? Ik zal jullie niets in de weg staan als Graham wil dat we ...'
Ze viel me in de rede. 'Wat ben je toch een dom gansje. Je hebt er nog helemaal niets van begrepen, hè?' Ze lachte hoog en schril, bijna hysterisch en ze besloot wreed: 'Je hoeft je niet eenzaam te voelen, je zult al gauw gezelschap krijgen.'

# TWEEËNVIJFTIG

Toen ik het geluid van haar auto had horen wegsterven, overviel de stilte me, zwaar en dreigend. De hoop dat iemand me op een wonderbaarlijke manier zou komen redden werd me snel ontnomen. Ik wist dat er in de wijde omtrek niemand te bekennen was. Het was een grauw en stoffig gebied dat nauwelijks werd bewoond. Alle aandacht was gericht op de kust met de zonnige baaien en de surfstranden. Iedereen die hier langs kwam, reed zo snel mogelijk door naar de kust.

Ik dacht aan Graham. Ik kon me niet voorstellen dat Clarissa de waarheid had gesproken. Op de een of andere manier kon ik niet geloven dat de man wiens kind ik droeg en met wie ik twee jaar getrouwd was geweest, dit kon laten gebeuren. Of vergiste ik me nu schromelijk in hem?

Nadat de deur was gesloten moesten mijn ogen eerst aan de plotselinge schemering gewend raken. Aan de buitenkant zaten planken voor de twee kleine, vierkante ramen. Er viel alleen licht door de spleten tussen de planken en door ronde gaten waar ooit kwasten in het hout hadden gezeten. Ik krabbelde naar de muur en ging er met mijn rug tegenaan zitten. Mijn armen begonnen pijn te doen door hun onnatuurlijke houding. Ik begon mijn omgeving te bestuderen. Iemand had een halfslachtige poging gedaan het behang van de muren te trekken. Hier en daar waren gebleekte plekken waar ooit schilderijen hadden gehangen of kasten hadden gestaan. Op de grond lag een bruinrood tapijt dat lichter was naarmate het dichter bij de ramen kwam. In het plafond zat een groot gat. Ik kon het puntige dak zien, de oude houten balken die de constructie vormden, en hier en daar gaten in het oude leisteen van het dak. Ik kreeg een akelig visioen van vleermuizen en ik had de grootste moeite me ervan te overtuigen dat ze misschien een slechte naam hadden, maar dat ze me niets zouden doen. Wat mij betreft waren ze in de nok van het huis volkomen veilig.

In een muur zat een deuropening zonder deur. Het vertrek erachter was net zo donker als dat waar ik me bevond. Ik had niet de illusie dat ik daar veel van belang zou aantreffen. In de schemering kon ik iets onderscheiden dat leek op de resten van een ouderwets keukenblok: een kastje zonder deur en twee scheef hangende planken boven het voormalige aanrecht, een half uit de muur getrokken kraan. Op de grond lag een plastic beker bij een witte, half doorzichtige jerrycan die voor de helft was gevuld met een kleurloze vloeistof. Ik vermoedde, en hoopte, dat er water in zat. In een andere hoek stond een plastic emmer waarover iets was gedrapeerd dat ik meende te herkennen als een oud geruit overhemd van Graham. Het water en de emmer waren er misschien met de beste bedoelingen neergezet, maar ik vroeg me toch af hoe ik een en ander met op mijn rug gebonden handen moest gebruiken. Ik was moe en hongerig en de schok van alle ontdekkingen en gebeurtenissen maakte me murw. Ik legde mijn hoofd achterover tegen de muur en sloot mijn ogen om de opkomende tranen van zelfmedelijden geen kans te geven.

# DRIEËNVIJFTIG

In het algemeen werd Cornwall gezien als een deel van het land waar een bijna subtropisch klimaat heerste. Daar leek het echter weinig op. Het was koud en vochtig en het tochtte door een paar kapotte ruitjes. Ik voorzag dat het die nacht nog behoorlijk onaangenaam zou worden wanneer de nachtelijke kou naar binnen kon dringen. Ik huiverde. Ik droeg nog steeds de broek en het shirt en mijn pantoffels die ik had aangetrokken voordat ik naar Ella was gegaan. Er was niets dat ik als matras kon gebruiken of iets waaronder ik weg kon kruipen. Tot mijn afschuw werd ik zacht geritsel gewaar in de hoek waar het keukentje had gestaan. Ik durfde me nauwelijks te bewegen, bang de aandacht te trekken van de wezentjes die het geritsel veroorzaakten. Onwillekeurig moest ik aan de laatste opmerking van Clarissa denken, over gezelschap. Waarschijnlijk had ze met wreed genoegen bedoeld dat er muizen of ratten in het huis bivakkeerden.

Het zachte geschuifel vestigde mijn aandacht op de lege deuropening. Ik vroeg me af of ik er de moed en energie voor had om poolshoogte te gaan nemen. Misschien kon ik de beesten afschrikken met mijn aanwezigheid. Ik was nooit een heldhaftig type geweest. Hayley zou niet geaarzeld hebben onmiddellijk op onderzoek uit te gaan. Ik was iemand die liever een ander volgde dan het voortouw nam, die altijd veilig een stapje achter mijn voorganger bleef. Het geschuifel in het andere vertrek baarde me echter wel zodanig zorgen dat ik me er toch geestelijk op begon voor te bereiden dat ik op onderzoek moest gaan.

Plotseling herkende ik, naast het geschuifel, een ander geluid. Ik

verstarde. Gekreun. Van een mens.
'Hallo?' riep ik zachtjes.
Het gekreun hield abrupt op.
'Hallo?' Ik durfde nu iets luider te roepen. Wie het ook was, een ander mens betekende gedeelde smart, gezelschap, uitwisseling van kennis, of zelfs een ontsnappingsplan.
Geschuifel, gekreun en nog eens geschuifel. Toen verscheen de vorm van een hoofd om de hoek. 'Wie is daar?' Ik kon wel huilen en lachen tegelijk.
Er klonk onverstaanbaar gemompel en het hoofd verdween. Meer geschuifel, en het volgende moment verscheen ze rechtop in de deuropening. Net als ik had ze haar handen op haar rug en waren haar voeten aan elkaar gebonden. Haar donkere haar was stoffig en verward. Ze droeg een vormeloos roze joggingpak over een dunne groene coltrui die haar onderkin benadrukte. Op de lichte stof zaten zwarte vegen, evenals op haar gezicht. Haar bril had ze niet op en ze knipperde voortdurend met haar oogleden.
'Sian? O Sian! Hebben ze je toch te pakken gekregen!' Ze begon prompt zielig te huilen. Ik krabbelde overeind en begon naar haar toe te springen, maar ze waarschuwde me dat de vloer niet sterk was. Zelf had ze in het andere vertrek op die manier al een van de vloerplanken kapot gemaakt.
Ik draaide afwisselend op mijn tenen en hakken om vooruit te komen. Ze was opgehouden met huilen en wachtte tot ik bij haar was. In haar ogen lag een wazige blik, alsof ze nauwelijks kon geloven dat ik nu ook in het zelfde schuitje zat als zij.
Zo goed en zo kwaad als het ging, omhelsden we elkaar.
'Ik was zo bang toen ik haar terug hoorde komen! Ik was bang

dat ze me pijn zou doen!' snotterde Lucie.
Ik wist niet wat Clarissa met ons van plan was en daarom kon ik niets bedenken om haar gerust te stellen. Ze had mijn troostende woorden echter niet nodig. Kennelijk was mijn aanwezigheid alleen al voldoende voor haar.
'Ik ben zo blij dat ik je zie, Sian!'
'Ik had je liever ergens anders teruggezien, Lucie,' reageerde ik cynisch.
'O nee! Zo bedoel ik het niet, Sian! Natuurlijk bedoel ik het zo niet!' Opnieuw barstte ze in tranen uit.
Het andere vertrek was iets groter dan het eerste. Er stonden twee oude stoelen met kapot gesneden bekleding. Het was beter dan niets. Er waren twee raampjes in twee muren. Voor een ervan was een plank half weggezakt. Ik kon nog net de top van een berg met mijnafval zien. Er bovenop was een kleine boom gaan groeien en iemand had er een lange stok met de zwart-witte vlag van Cornwall neergezet.
Ik wenste dat Lucie ophield met huilen. Ze moest mijn vragen beantwoorden. Met mijn hoofd gebaarde ik naar de stoelen. 'Kunnen we daar veilig op zitten?'
'Als je voorzichtig doet,' knikte ze. 'De vloer is te koud.'
Ik schuifelde naar de dichtstbijzijnde stoel en liet me voorzichtig op de opstandige ijzeren veren zakken. 'Hoe lang ben je hier al, Lucie?'
'Dat weet ik niet precies.'
'Onzin. Je kunt door allerlei kieren naar buiten kijken. Dan weet je toch hoeveel keer het nacht is geweest?'
Ze leek moed te putten uit mijn resolute woorden. 'Ik denk dat dit

de tweede nacht wordt.'
'Komt ze eten brengen? Drinken?'
'Er is water. En vanochtend kwam er iemand een stuk brood en een fles cola brengen.' Op de manier die ze mij had zien doen, bewoog ze zich naar de andere stoel.
'Waarom ben je hier, Lucie?' Ik begreep dat ik voor Clarissa een onzekere factor was, maar wat had haar doen besluiten haar oude vriendin hier op te sluiten?
Ze begon weer te huilen. 'Ik heb niets verkeerd gedaan, Sian! Waarom hebben ze me hier opgesloten?'
Ik herinnerde me wat ze me eerder had verteld. 'Je zei laatst dat ze je wel vaker opsloten.'
'Ja.'
Als ze zo moeilijk hanteerbaar was dat John de hulp van Graham moest inroepen, dan was opsluiting misschien wel gerechtvaardigd. Maar toch niet in deze, onbewoonbaar verklaarde woning?
'Hier?'
'Papa doet het voor mijn veiligheid. Dat ik niet wegloop!' Ze keek plotseling op. 'Maar niet hier. Niet door haar!'
'Wat bedoel je?'
'John sluit me soms in mijn kamer op. Als ... als ik een bui heb. Als ik kwaad word.' Ze liet het hoofd hangen. 'John zegt dat hij het moet doen voor mijn eigen bestwil.'
'Maar John heeft jou hier niet gebracht, hè?'
'Nee.' Ze keek omlaag en ik zag de tranen op haar borst vallen. 'Ik weet niet waarom ik hier ben, Sian.'
'We moeten iets bedenken.' Ik schrok van mijn eigen stem die op de een of andere manier sterk en daadkrachtig klonk. Ik was

geen held. Ik had er geen idee van wat ik kon doen om aan onze hachelijke situatie te ontsnappen. Eerder was ik geneigd om af te wachten tot we bevrijd werden.
Mijn gedachten bleven hier stokken. Een ijskoude rilling kroop over mijn rug. Ik dacht aan Jeremy, het moordwapen op zijn borst. Ik dacht aan het wrak van mijn auto, Hayley in een cocon van verbanden in het ziekenhuis. En ik dacht aan Clarissa, die zich jarenlang schuil had gehouden, al dan niet met geheugenverlies. Plotseling kon ik niet geloven dat Lucie en ik er zo gemakkelijk vanaf zouden komen.
'Ja! We moeten iets bedenken!' zei ze gretig. Zelfs in de nu gestaag groeiende schemering kon ik haar gezicht hoopvol zien glimmen. 'Ik ben blij dat jij er bent, Sian. Ik weet zeker dat jij ons hier wel uit zult krijgen!'
Ik staarde haar aan en besefte dat ik van haar kant geen enkel initiatief kon verwachten.

# VIERENVIJFTIG

Het werd donker en daarmee ook kouder. Onder het toeziend oog van Lucie schuifelde ik langs de ramen en controleerde ik of er ergens losse planken waren. Alles zat echter stevig vast. Zo ook de voordeur en de deur aan het eind van een gangetje naast de ruimte die ooit een badkamer was geweest. Nadat ik mijn ronde had beëindigd, vertelde Lucie me somber dat ze ook al van alles had geprobeerd. Ik bedwong de geïrriteerde opmerking dat als ze me dat eerder had verteld, ik me de moeite had kunnen besparen. Tegelijkertijd wist ik dat ik het evengoed zou hebben gedaan. Ik zuchtte en liet me behoedzaam op een van de stoelen zakken. Mijn vermoeide spieren protesteerden tegen de harde ijzeren veren onder de versleten, deels kapotte bekleding. Spanning en vermoeidheid deden zich gelden.

'Je kunt niet op die stoel slapen,' zei Lucie toen ze zag dat mijn ogen bijna dichtvielen. Ze stond als een angstig, in het nauw gedreven dier in een hoek gedrukt, haar ogen groot en rond alsof iets haar bang maakte. Toen knikte ze naar de andere stoel en begon ze met haar knieën en ellebogen de zitting uit de stoel te wurmen. Stof waaide op toen hij met een klap op de grond terechtkwam. Ik was weinig behulpzaam. Met groeiende verwondering vroeg ik me af wat ze aan het doen was, waarom ze er zo op gebrand leek te zijn de zitting naar de hoek van het vertrek te slepen.

'We kunnen dit als kussen gebruiken,' verklaarde ze, voldaan op haar werk neerkijkend. 'De zitting van de andere stoel zit vast.'

We kropen dicht tegen elkaar aan in de hoek die volgens haar het minst koud en tochtig was. Ik geloofde niet dat het veel uitmaakte maar ik ging niet tegen haar in. Ik had al gemerkt dat ze onderhevig was aan sterke stemmingswisselingen. Het minste of geringste leek haar te kunnen opzwepen tot een extreme reactie. Soms barstte ze opeens in huilen uit of ze begon op een fanatieke manier binnensmonds te mompelen. Ik deed geen moeite te begrijpen wat ze zei.

De harde vloer deed pijn aan mijn heup en schouder, maar de zitting van de stoel was onverwacht zacht onder mijn hoofd. Wel schudde hij heen en weer zodra een van ons maar enigszins bewoog. En Lucie was niet iemand die zich lang stil kon houden.

Op de een of andere manier moest ik toch in slaap gevallen zijn. Ik werd wakker van gewriemel aan mijn vingers. Een onderdeel van een seconde dacht ik dat het Graham was die me tot een vrijpartij wilde verleiden. De realiteit was echter dat ik op een harde vloer lag en niet in mijn warme bed. Lucie had zich omgedraaid en lag nu met haar rug tegen mij aan. Haar handen wriemelden aan de mijne. Slaperig wilde ik haar wegduwen, maar toen begreep ik dat ze probeerde het touw om mijn polsen los te maken. Ze deed het echter zo onbeheerst dat ik wist dat het haar op die manier nooit zou lukken.

'Nee, laat mij het doen, Lucie,' zei ik en ik begon zo beheerst en methodisch mogelijk aan haar touw te peuteren, me afvragend waarom we daarmee niet meteen waren begonnen.

'Sian! Ik wist wel dat jij ons hieruit kunt bevrijden!'

Ze klonk zo opgetogen als een kind dat mag meedoen aan een spannend spel dat eigenlijk voor volwassen bestemd was. Zodra ze vrij was begon ze haar handen in elkaar te wrijven en de rode

striemen van het touw op haar huid te bestuderen. Toen ging ze rechtop zitten en begon ze aan de touwen om haar enkels.
De gedachte kwam in me op dat ze ertoe in staat was alleen uit het huis te vluchten en mij achter te laten. 'Lucie! Wacht! Doe eerst mijn handen!' zei ik paniekerig. Ze luisterde niet. Ze bleef gedreven en in het wilde weg aan de lussen van het touw om haar enkels rukken en daardoor duurde het dubbel zo lang voordat het haar lukte het los te krijgen. Zodra ze vrij was begon ze opgewekt in het rond te dansen, juichend als een supporter van een voetbalteam dat net het winnende doelpunt heeft gescoord.
'Lucie!'
'Wat?' Ze stond doodstil. 'O Sian! Ik vergeet jou helemaal!'
Berouwvol, haar onderlip verdacht trillend, knielde ze achter me. Ik zei dat ze rustig moest doen en wonder boven wonder volgde ze mijn raad op. We omhelsden elkaar, strekten en bogen onze armen en benen.
De overwinningsroes ging echter gauw voorbij. We waren nog steeds opgesloten in een verlaten, gebarricadeerd huisje. Ik zag haar gezicht vertrekken toen we elkaar aankeken en de lach van onze gezichten verdween. Ik was bang dat ze weer zou gaan huilen en dat ik dan met haar mee zou doen.
Ik vroeg me af wat Hayley in mijn geval zou doen. Ze was heel wat inventiever dan ik. 'Luister, Lucie, we moeten een plan bedenken.'
'Ja.' Haar gezicht klaarde een beetje op, maar haar fletse ogen bleven somber. 'Welk plan?'
Ik keek naar de touwen op de grond. Ik had geen plan, maar dat durfde ik haar niet te vertellen. 'Hoe laat kwam ze je gisteren

brood en water brengen?'

'Ik weet het niet precies. Het was al dag. Ik hoorde de bulldozers.'

'Bulldozers?'

'Van de mijn. We zijn vlakbij de mijnen.

Ik knikte. 'Luister, Lucie. We hebben ons bevrijd van de touwen. Dat is onze eerste overwinning. Maar Clarissa mag dat niet zien als ze binnen komt.'

'Waarom niet?'

'Misschien kunnen we haar overmeesteren.'

'Overmeesteren?'

'Zodra ze binnenkomt moeten we haar bespringen. Ieder aan een kant. Samen zijn we veel sterker dan zij.'

Ze klapte enthousiast in haar handen. 'We binden haar handen en voeten vast met onze touwen!' Haar gezicht glom van enthousiasme. Toen voegde ze er zonder aankondiging aan toe: 'Ik weet een schuilplaats.'

Ik staarde haar aan. 'Wat bedoel je?'

'Kom, ik laat het je zien.' Ze ging naar het gangetje naar de voormalige badkamer en bukte op de plek waar een van de vloerplanken kapot was. Ze wrikte er even aan, stak haar hand in het ontstane gat en trok hem toen met een triomfantelijke grijns terug.

Ik snakte naar adem toen ik het voorwerp in haar hand herkende. Een mobieltje! Waarom had ze dat niet eerder gezegd? Dan waren de koude, pijnlijke uren op de vloer ons tenminste bespaard gebleven.

Woedend rukte ik het apparaatje uit haar hand. 'Waarom heb je dat niet eerder gezegd?'

Ze deinsde achteruit alsof ik haar geslagen had. 'O-om d-dat …

.' Ze begon zielig te stotteren, maar ik was zo kwaad dat ik geen enkel greintje geduld voor haar kon opbrengen.
'Hoe kon je dat doen, Lucie!'
Ze begon te huilen, als een jong dier dat zich realiseerde dat het haar moeder kwijt was geraakt en nu volledig blootgesteld was aan alle denkbare gevaren.
'Hij doet het hier niet,' piepte ze uiteindelijk verslagen. 'Anders had ik toch al lang John gebeld om me te komen halen?'
Koortsachtig drukte ik op de knopjes. Geen bereik. En de batterij was ook bijna leeg, want er knipperde een symbooltje ter waarschuwing. Haastig schakelde ik het apparaatje uit.
'Sorry,' zei ik, berouwvol en teleurgesteld.
Gekwetst draaide ze me haar rug toe.
'Lucie, het spijt me!'
Ze keek me over haar schouder aan. 'Ze denken allemaal dat ik gek ben,' zei ze opstandig. 'Ik kan er toch niets aan doen dat ik op school niet zo goed kon meekomen als de andere kinderen?'
Ze draaide zich om en plotseling glom haar gezicht van trots. 'Clarissa hielp me altijd. Ze maakte mijn sommen voor me. Ik hoefde ze alleen maar over te schrijven.'
'Dat was erg lief van Clarissa,' zei ik, bedenkend dat er heel wat moest zijn veranderd in haar karakter.
Lucie knikte nog wat stuurs, maar ze zei niets. Ze pakte de zitting van de grond en legde hem terug in de stoel. Met opgetrokken knieën ging ze zitten.
'We moeten een plan bedenken, Lucie.'
Ik keek op mijn horloge. Het was tien voor zes. Ik ging ervan uit dat Clarissa niet voor zeven uur zou komen om ons iets te eten

te brengen. Als ze al kwam. Voor die tijd moest ik dus iets hebben bedacht om haar te slim af te zijn. Een aanval van Lucie en mij zou alleen effect hebben als we het voordeel van verrassing hadden, maar ze was slim genoeg om iets te verwachten. Ze zou er rekening mee houden dat we erin waren geslaagd ons van de touwen te bevrijden. Omdat ik er niet helemaal zeker van was dat Lucie mijn bevelen op tijd zou uitvoeren, moest ik iets bedenken waarvoor ik niet noodzakelijkerwijs op haar hulp aangewezen was.

'We kunnen het toch niet winnen,' zei ze opeens.

'Waarom niet? Samen kunnen we Clarissa echt wel overmeesteren, hoor!'

Ze schudde haar hoofd en zei somber: 'Het was een man die het brood kwam brengen. Hij is heel groot en sterk.'

Ik reageerde niet. Opeens had ik schoon genoeg van haar onverwachte opmerkingen die telkens mijn zo zorgvuldig gecreëerde optimisme de bodem inboorden. Haar opmerking dat we niet met Clarissa maar met een man te maken zouden krijgen, was er een die ik eerst goed moest verwerken.

'Ik heb wel een idee, Sian,' zei ze opeens. 'Ik heb het gisteren al bedacht, maar ik durfde niet.'

Ik probeerde mijn ongeduld en irritatie voor haar te verbergen.

'Wat is dan je idee, Lucie?'

'De vloer,' zei ze, alsof ze daarmee alles had verklaard.

'De vloer?'

'Er zit een luik in de vloer.'

Kort vroeg ik me af hoe haar vader het met haar kon uithouden. Hij moest over oneindig veel geduld beschikken. Geen wonder dat Graham er zo'n punt van maakte John elke week een avond af te lossen. Ik staarde haar aan en het leek me opeens ondenkbaar dat Graham ertoe in staat was ook zoveel geduld met haar op te kunnen brengen als haar vader.

Opeens viel me iets in. 'Lucie? Kwam Graham elke vrijdag bij jullie?'

'Graham? Ja, hij komt soms bij ons.' Ze was er niet helemaal bij met haar gedachten. 'Wat heeft dat met het luik te maken?'

'Hij heeft niets met het luik te maken, maar met jou en met John. Kwam Graham elke week naar jullie toe? Bleef hij bij jullie slapen?'

'Graham? Hij blijft nooit lang.' Ze hikte bijna van het lachen. 'En waar zou hij moeten slapen? In mijn bed? Of in dat van John?'

Ik begreep nu waarom Lucie hier met mij was opgesloten en waarom ze door Clarissa, haar beste vriendin, als een gevaar werd gezien. Zij kon verklaren dat Graham nooit bij hen sliep. Dus waar was hij dan wel elke vrijdagnacht? Waar anders dan op het onderduikadres van Clarissa? Bij de gedachte dat Graham misschien elke week bij Clarissa had geslapen, voelde ik me misselijk worden van afkeer en jaloezie.

'Er is een luik,' zei Lucie. 'In de vloer.'

# VIJFENVIJFTIG

Lucie bleek over een wonderlijke mengeling van sullige domheid en onverwachte scherpzinnigheid te beschikken. Het ontbrak haar kennelijk alleen aan de kundigheid om dat in goede banen te leiden. Tot mijn verbijstering bleek dat ze al een gedetailleerd ontsnappingsplan had bedacht. Het had haar alleen ontbroken aan de moed om het ten uitvoer te brengen. Daarbij was ze er aanvankelijk van uitgegaan dat John haar wel gauw zou komen halen. Ze was vaker van huis weggelopen en hij had altijd geweten waar ze zich had verstopt. Ik betwijfelde of dat hem deze keer zou lukken, maar het leek me beter haar dat niet te vertellen. Misschien was ze inmiddels zelf ook al tot die conclusie gekomen.

De kapotte vloerplank, legde ze uit, had haar op het idee gebracht. Meestal hadden oude mijnwerkerswoningen als deze een vloer van leisteen en ze had zich erover verwonderd dat hier planken waren. Bovendien klonk het hol wanneer ze erop stampte. Toen ze met een voet door de vloer was gezakt, had ze eronder kunnen kijken en ze had ontdekt dat er een ruimte onder een deel van het huis was. Ze had daar ook een verklaring voor gevonden: de woning was oorspronkelijk tegen de glooiing van de heuvel gebouwd. Aan de voorkant op de begane grond, maar aan de achterkant was het hoger geweest. Het oprukken van de mijn tot zo dicht bij de verlaten woning, had het afval doen ophopen zodat het nu leek alsof de hele woning op een vlakke grond stond.

Nadat ze me dit allemaal rustig en duidelijk had verteld, begon ze hard op een van de vloerplank naast het eerder ontstane gat te trappen. Het hout was droog en voor een deel vergaan en het

kostte haar betrekkelijk weinig moeite ook deze plank kapot te maken. Toen het gat groot genoeg was om er goed doorheen te kijken, keek ze me opgewonden aan voordat ze zich bukte.
'Kun je wat zien?' vroeg ik sceptisch, me afvragend wat voor zin het had om onder het huis te kruipen.
'Er is een trap,' zei ze enthousiast. 'Ik wist het wel!'
Tot op dat moment had ik haar uitleg over de vloer en de verdieping eronder maar half geloofd. Over haar schouder staarde ik met nieuwe hoop in een beangstigend donker gat, naar de bovenste treden van een houten trap die weinig meer was dan een ladder.
'We kunnen ons daar niet verstoppen,' zei ik, wijzend naar de kapotte en losgerukte vloerdelen. 'Iemand die hier binnenkomt, ziet het meteen.'
Ze knikte serieus. 'We kunnen het gat afdekken met een stoel.'
Ik schoot in de lach. 'Denk je dat ze dat niet vreemd zullen vinden?'
Ze schudde haar hoofd. 'Het moet een verrassing zijn. Dat zei je toch?'
Ik slikte mijn woorden in. 'Ja,' zei ik tam. 'Dat heb ik gezegd.'
Het werken aan de vloer en mijn gebrek aan enthousiasme deden haar vermoeid neervallen in een stoel.
'Bedenk jij een plan, Sian?' zei ze na een poosje, haar stem zielig en gekwetst. Ik was bang dat ze weer zou gaan huilen wanneer ik haar vertelde dat ik nog niets had kunnen bedenken.
'Ik ga me in dat gat in de vloer verstoppen,' zei ze, haar gezicht opeens een strak en vastbesloten masker. 'Ik wil niet dat hij me daar vindt.'

'Waarom niet?'
'Hij zei dat hij me iets zou aandoen als hij terugkwam en hij merkte dat ik geprobeerd had te ontsnappen.'
Mat vroeg ik me af of ze nog meer onverwachte, nuttige informatie had. En wanneer ze er uit zichzelf mee zou komen. Het leek geen zin te hebben haar ernaar te vragen want voor mijn gevoel had ik haar al behoorlijk aan de tand gevoeld. Het was haar kennelijk onmogelijk de juiste verbanden te zien.
'Ik moet naar de wc.'
'De emmer.' Ze wees alsof het de normaalste zaak van de wereld was.
Ik ging naar de hoek in het andere vertrek, waar de emmer stond met een oud shirt van Graham eroverheen. Toen ik het optilde drong de sterke lucht pas goed in mijn neusgaten. Ik kneep mijn neus dicht en probeerde niet te kokhalzen. Mijn blaas was vol. Er was geen ander alternatief dan de emmer te gebruiken. Ik maakte mijn broek los, me afvragend hoe ik dat klaar had kunnen spelen als mijn handen nog op mijn rug geboeid waren geweest. Kennelijk had Lucie wel een manier gevonden om het klaar te spelen. Ik begon zowaar een beetje bewondering voor haar te krijgen.
Terwijl ik mij zo goed en zo kwaad als het ging in evenwicht hield boven de emmer, hoorde ik haar heen en weer stommelen. Als ik de geluiden goed interpreteerde was ze aan het schuiven met de stoelen. Toen klonk er opeens een bons en een uitroep.
'Lucie?' Ik schrok. Haastig trok ik mijn broek omhoog en ik rende terug naar het andere vertrek. Ze had een van de stoelen voor het gat gezet en wel zodanig dat ik het niet kon zien. Wel voelde ik de koude tocht langs mijn benen gaan.

'Lucie?' riep ik weer.
Ze gaf geen antwoord. Even was ik bang dat ze in het gat was gevallen, maar met een dwaze grijns kwam ze plotseling achter de andere stoel tevoorschijn. 'Ik struikelde,' zei ze met een half beschaamd, half triomfantelijk lachje.
Ik wilde haar vragen of ze zich had bezeerd, maar mijn mond klapte dicht toen ik haar ogen zag verwijden. Ze hief waarschuwend haar hand op en legde haar wijsvinger tegen haar lippen.
Ze had betere oren dan ik, want zij had het geluid van een naderende auto al gehoord. Paniekerig schoot ze van de ene naar de andere muur. Ik rende naar een van de ramen en gluurde tussen een spleet door. Een lichtblauwe auto kwam over de smalle, onverharde weg aan gereden, achtervolgd door een grijze stofwolk. Tegen het vroege scherpe zonlicht kon ik de bestuurder niet goed zien, maar ik was er bijna zeker van dat het een vrouw was. Niet de grote sterke man die Lucie zo bang had gemaakt.
De auto stopte een eindje van het huis, en maar er stapte nog niemand uit.
'Sian!' Lucie riep me zachtjes. 'Wie komt er aan? Toch niet die man?' Ze durfde kennelijk zelf niet naar het raam te komen.
Spijtig bedacht ik dat we zo met de vloerdelen van het luik bezig waren geweest dat we geen plan besproken hadden. Evenmin was er tijd om te doen alsof we nog steeds geboeid waren.
Ik hoopte dat we iets te eten zouden krijgen en iets anders te drinken dan water. Ik smachtte naar een kop thee, naar iets van chocola. En ik wenste dat er iets gedaan zou worden met de inhoud van de emmer. Ik durfde me niet af te vragen of de bestuurder van de lichtblauwe auto was gekomen om ons te bevrijden.

Misschien waren Graham en Clarissa inmiddels naar het buitenland vertrokken, naar een land waar geen wet of uitleveringsverdrag hen zou kunnen raken. In dat geval zouden Lucie en ik geen gevaar meer voor hen opleveren en konden we gewoon bevrijd worden.
Ik gluurde weer naar buiten. De auto was gestopt, het portier was geopend en ernaast stond een figuur die ik met een mengeling van hoop en afgrijzen herkende. Betekende het dat de plek waar Lucie en ik gevangen werden gehouden als door een wonder was ontdekt en dat we nu snel vrij zouden zijn? Of zat degene naar wie ik tussen de spleten in het hout stond te staren samen met Clarissa in het complot? Dat kon toch niet waar zijn?
Opeens werd ik nog een ander geluid waar. De stofwolk die door de auto was veroorzaakt, was langzaam neergedaald en ik zag dat er een grote gele bulldozer in onze richting kwam rijden. Mijn hart klopte als een razende en ik kon wel gillen en huilen van opluchting. Het moest een van de mijnwerkers zijn die de lichtblauwe auto had gezien. Ik dacht koortsachtig na. Lucie en ik moesten op de een of andere manier de aandacht van de chauffeur van de bulldozer trekken. Schreeuwen zou weinig zin hebben, want we zouden het geluid van de zware dieselmotor niet kunnen overstemmen.
De bulldozer stopte naast de auto en de bestuurder ervan boog zijn bovenlichaam uit de cabine.
'Lucie!' riep ik over mijn schouder. 'Er is nu ook een man met een bulldozer! We moeten zijn aandacht trekken!'
'Een bulldozer?'
Achter me bonsde iets op de vloer en ik hoorde haar een paar

keer stevig vloeken. Ik lette echter niet op haar. Tot in het diepst van mijn ziel geschokt staarde ik naar de figuur die roerloos naast de auto was blijven staan, half afgewend van het huis. Het leek er niet op dat Lucie en ik bevrijd zouden worden. Integendeel. Deze persoon leek ook bij onze ontvoering betrokken te zijn.

Een grote brede man was uit zijn bulldozer geklommen. Hij schoof zijn gele helm naar achteren en veegde zijn stoffige gezicht af aan een al even stoffige zakdoek die hij uit de zak van zijn groene overall had gehaald. Hij stond wijdbeens op de grond naast de laatste persoon die ik verwacht had hier te zien. Ik wilde net met mijn vuisten op de planken slaan en zo hard mogelijk schreeuwen toen ik me tot op het bot voelde verkillen en ik alle hoop en moed voelde verdwijnen. De man van de bulldozer lachte opgewekt en met een misselijk makend gevoel begreep ik dat hij niet was gekomen om ons te redden. Ze stonden samen te lachen en te gebaren naar de woning. Ik verbeeldde me dat ze me konden zien en dat ze me vierkant uitlachten.

Ik deinsde achteruit. ‘Lucie! Verstop je achter die stoel!’ riep ik paniekerig over mijn schouder. Ze antwoordde met een onverstaanbaar, gedempt gemompel. Ik keek achterom maar ik zag haar niet. Waarom kon ze nu niet voor een keertje aan mijn bevelen houden? Begreep ze niet wat er op het spel stond?

‘Luister, Lucie, ik verstop me om de hoek, achter de andere stoel. Als ze binnenkomen zien ze het gat en ze zullen naar binnen kijken omdat ze denken dat wij ons daar hebben verstopt. Dat geeft ons de gelegenheid naar buiten te rennen.’ Het was een zwak plan, waarschijnlijk gedoemd te mislukken, maar ik kon zo snel niets anders bedenken.

Opnieuw hoorde ik gedempt gemompel. Ik aarzelde, maar ik wist dat er geen tijd was om me ervan te verzekeren dat ze me goed had begrepen. Ik keek weer naar buiten en zag dat de man met de gele helm weer in zijn bulldozer klom en het gevaarte achteruit begon te rijden. Opgelucht bedacht ik dat als hij wegging, Lucie en ik er in moesten slagen Sally samen te overmeesteren. Met de grote man erbij hadden we geen schijn van kans gehad.

Met het misselijkmakende gevoel dat mijn vertrouwen in haar zo enorm misplaatst was geweest, zag ik haar naderen. Ze had een sleutelbos uit haar zak gehaald en rinkelde ermee alsof ze het geluid gebruikte ter ondersteuning van een geneuried wijsje. Het feit dat ze de sleutels van onze gevangenis in haar hand hield, nam mijn laatste spoortje hoop weg.

Ik wist dat elke seconde nu telde en dat ik me niet langer kon veroorloven te blijven kijken. Ik rende naar het andere vertrek en kroop achter de stoel. Ik gunde me zelfs geen tijd om te kijken of Lucie zich onzichtbaar had gemaakt achter de andere. Het was haar eerder gelukt mij voor de mal te houden, dus ik ging ervan uit dat ze het nog eens kon doen.

De sleutel kraakte in het roestige slot en de scharnieren van de deur piepten protesterend. Sally's voetstappen klonken luid op de vloer. Ze snoof luidruchtig en ik realiseerde me dat ik het oude overhemd van Graham niet over de emmer had teruggelegd.

'Ik kom jullie uit jullie lijden verlossen,' kondigde ze opgewekt aan.

Ik vertrouwde haar voor geen cent. Niet nu ik haar werkelijke aard kende. Iemand uit zijn lijden verlossen kon op allerlei manieren worden uitgelegd.

Op haar gemak liep Sally door het eerste vertrek. Ik rilde van angst en mijn hart bonsde zo hevig dat ik even bang was dat Sally het kon horen. Ik kon haar nog niet zien. De zelfverzekerdheid in haar voetstappen maakte me onzeker. Heel even sloot ik mijn ogen en vroeg ik me af of ik beter niets kon doen. Als ze Lucie en mij iets hadden willen aandoen, dan zouden ze dat al gedaan hebben in plaats van ons op te sluiten in een oude woning. Laf en dom. Plotseling uitte ze een krachtige verwensing en ik begreep dat ze het gat in de vloer van het gangetje had ontdekt. Zonder opzij te kijken, naar mij, rende ze erop af.
'Sian!' riep Lucie. Haar stem klonk gesmoord.
'Lucie! Nu! Rennen!' Ik schreeuwde en rende naar de deur die Sally in haar zelfverzekerdheid open had laten staan. Het zonlicht verblindde me en ik wist niet meteen welke kant ik op moest rennen. Ik was ook niet zeker van de man in de bulldozer. Als hij onder een hoedje speelde met Sally en hij me zou zien, belandde ik van de regen in de drup. Daarom besloot ik niet het weggetje in de richting van de hoofdweg af te rennen, maar de andere kant op te gaan, waar ik dekking zou vinden achter struiken waarvan de groene blaadjes bedekt waren met een dikke laag stof. Terwijl ik rende durfde ik niet over mijn schouder te kijken of Lucie in dezelfde richting kwam als ik. Ik veronderstelde van niet. Wat wel zo goed was, want Sally kon maar een persoon tegelijk achterna gaan. En aangezien ik als eerste uit het huis was gekomen, vermoedde ik dat het logischer was dat ze allereerst achter Lucie aan zou gaan.
Half voorover gebukt en hijgend bleef ik achter een struik staan en ik gluurde door de takken door. Ik zag niemand. Er gebeurde

niets. Ik wist niet wat ik moest doen. Als ik tevoorschijn kwam zou ik in Sally's hinderlaag kunnen lopen. Dat kon ik niet riskeren. Maar waar was Lucie? Ze was toch wel achter me aan gekomen? Natuurlijk! Ik had haar toch duidelijk verteld wat ze moest doen? Ze had toch antwoord gegeven?
Onder dekking van de struiken begon ik in een grote boog om de oude woning heen te sluipen totdat ik door de openstaande deur naar binnen kon kijken. Ik begon me net af te vragen of ik moest proberen om dichter naar het huis te komen en me ervan te overtuigen dat Lucie in veiligheid was, toen ik de bulldozer hoorde naderen. Wie de man ook was en wat hij ook kwam doen, ik durfde niet naar hem toe te rennen en om hulp te schreeuwen. Onzeker kroop ik weg achter de struiken totdat ik besefte dat ik vlakbij Sally's lichtblauwe auto stond. Ik gluurde door een zijraampje naar binnen, hopend een soort wapen te vinden waarmee ik me zou kunnen verdedigen. Of dat ze iets te drinken had meegenomen. Mijn tong was kurkdroog en plakte aan mijn verhemelte. Terwijl mijn blik over de stoelen en de achterbank flitste, zag ik dat ze de sleuteltjes in het contactslot had laten zitten. Ik kon mijn ogen niet geloven.
Zonder me een moment te bedenken sloop ik naar de andere kant. Ik trok het portier open en kroop naar binnen. Uit voorzorg drukte ik de knop van het portierslot naar beneden, zodat het portier niet van buiten geopend kon worden. Ik startte. Even vreesde ik dat de motor weigerde, maar toen begreep ik dat het geluid van de bulldozer alle andere geluiden overstemde. Hij kwam als een dreigend geel monster op me af. Ik hoorde een kreet en ik bedacht me geen moment. De bulldozer versperde me

de weg. Bovendien stond de auto in de andere rijrichting. Tussen de struiken door ontdekte ik iets dat leek op een oud karrenspoor en zonder aarzelen reed ik weg. De man in de bulldozer zwaaide naar me. Instinctief zwaaide ik terug, hopend dat hij me door zijn vuile ramen niet goed had kunnen zien. Ik reed in het wilde weg, blij dat ik voorlopig ontsnapt was, me afvragend of ik terug moest gaan om te kijken waar Lucie was gebleven. Ik hoopte dat ze zich ook ergens tussen de struiken verborgen hield en dat ze er in slaagde om de bulldozer heen te sluipen en naar de weg te rennen. Het baarde me echter wel zorgen dat ik Sally nergens zag. Ze was niet dom en ze zou inmiddels wel begrepen hebben dat ik was ontsnapt. Ik wist liever waar ze was, zodat ze me niet onverhoeds kon verrassen.
Op goed geluk sloeg ik een zijweggetje in, maar dat liep dood. Een ogenblik bleef ik verbluft naar een berg stenen zitten kijken. Er groeiden dappere planten op, zelf een paar klaprozen waarvan de oranjerode kleur fel afstak tegen de grauwe achtergrond. Plotseling liet mijn moed me in de steek. Ik durfde niet in de auto te blijven zitten en ik bedacht dat ik misschien meer kans had om weg te komen uit dit onherbergzame stenige gebied wanneer ik te voet ging. De stofwolk en de motor van de auto zouden me onherroepelijk verraden. Bovendien kende ik het gebied niet. Er konden nog allerlei doodlopende weggetjes zijn en ik wilde niet de kans lopen dat ik ontdekt zou worden omdat ik verdwaalde of ergens vast bleef zitten. Ik haalde de sleutels uit het contact, stapte uit en voor de zekerheid sloot ik de auto af. Daarna begon ik gebukt bij de auto vandaan te sluipen.

# ZESENVIJFTIG

Het laatste dat ik van Lucie had gehoord was een reeks van onverstaanbare antwoorden. Daarom was ik er niet gerust op dat ze zich wel op tijd in veiligheid had kunnen brengen. Ik kon haar niet in de klauwen van Sally achterlaten. Ik wist dat ik het mezelf nooit zou vergeven als er iets met haar gebeurde.
Ik besloot dat het risico om opnieuw te grazen worden genomen glansrijk opwoog tegen de gerede mogelijkheid dat Lucie zich niet in veiligheid had kunnen brengen en mijn hulp nodig had. Onder dekking van de verspreid staande struiken begon ik terug te sluipen in de richting van het huis. Het gekraak van de steentjes onder mijn voeten werd gelukkig overstemd door het zo nu en dan aanzwellende gebrul van de bulldozer. Het nadeel was dat ik daardoor zelf ook niets anders kon horen. Ik wist niet waar Sally gebleven was. Voortdurend had ik het onbehaaglijke gevoel dat ze me elk moment van achteren kon bespringen.
Wonder boven wonder kwam ik ongeveer uit waar ik wilde: tegenover de voordeur. Ik bleef gebukt achter een struik staan en keek om me heen. Achter me dwarrelde stof naar beneden, maar verder bewoog er niets. Op een paar hoog in de lucht cirkelende kraaien na, waagden zelfs de vogels zich niet in dit kale, onherbergzame gebied. Ik begon te hopen dat Lucie erin was geslaagd Sally op de een of andere manier onschadelijk te maken. De kracht van de verrassing was misschien voldoende geweest om mijn werkster er met een enkele rake mep van te weerhouden nog meer schade aan te richten. Hopelijk had Lucie eraan gedacht haar met onze touwen vast te binden.

Gesterkt door de gedachte dat ik van de kant van Sally waarschijnlijk niets te duchten had, duwde ik voorzichtig een paar takken opzij en ik gluurde ertussen door.
Wat ik zag ging mijn bevattingsvermogen volledig te boven. Ik hapte naar adem. Ik knipperde met mijn oogleden alsof ik een ouderwetse diaprojector was waarbij je op een knopje moest drukken om het nieuwe plaatje voor ogen te krijgen. Het werkte niet, de dia leek vast te zitten in het apparaat. Ik slikte, veegde mijn tranen weg en betreurde dat meteen omdat het fijne gruis in mijn ogen prikte. Als kind had ik altijd geleerd dat je moest proberen te gaan huilen wanneer er iets in je oog zat. De tranen die al vanzelf over mijn gezicht stroomden, deden hun werk.
Kennelijk had ik de takken van de struik losgelaten. De kleine blaadjes bewogen zachtjes in een zucht wind. Zo nu en dan belemmerden ze me het uitzicht op de bulldozer, maar ik kon me toch een ijselijk duidelijk beeld vormen van wat hij aan het doen was. Terwijl ik in Sally's auto weg was gereden, had de man in de bulldozer de zijmuur aan de linkerkant onder de rand van het dak vandaan geduwd, zodat die in zijn geheel naar binnen was gevallen. De constructie van het dak was nog grotendeels in tact en was daardoor in een gevaarlijk scheve hoek komen te hangen. De meeste van de dakpannen van oude leisteen waren naar beneden gegleden, maar een enkele bleef zich nog vergeefs vasthouden. Af en toe gleed er eentje met een vreemd schurend geluid naar beneden en viel kapot op het puin. Grauw stof stoof omhoog, vormde ronde wolken en dwarrelde dan naar beneden. Een deel van een raamkozijn in de gevallen muur was gespleten en het oude hout stak als een wanhopige vinger omhoog.

De waanzin ervan overviel me tegelijk met de gedachte dat dit van het begin af aan de bedoeling van Sally moest zijn geweest. Ik herinnerde me dat ze naar het huisje had staan gebaren terwijl ze met de man van de bulldozer had staan praten. Terwijl ik veronderstelde dat ze een onschuldig praatje met hem maakte om hem zo snel mogelijk weg te krijgen zodat zij ongehinderd naar ons toe kon komen, had ze hem in werkelijkheid instructies staan geven. Instructies die maar een doel hadden gehad: Lucie en mij te laten verdwijnen. In de woning hadden we als ratten in de val gezeten. Als we niet hadden kunnen ontsnappen, zouden we nu misschien al onder het puin bedolven zijn. We hadden geen schijn van kans gehad …

Plotseling werden mijn zorgen om Lucie groter. Angstig begon ik me af te vragen of ze er wel tijdig in was geslaagd naar buiten te komen. Zenuwachtig schuifelde ik heen en weer. Om recht door de openstaande voordeur naar binnen te kunnen kijken moest ik achter de struik vandaan komen, maar dan zou ik geen enkele dekking meer hebben. Ik voelde me onrustig, blootgesteld aan de onbekendheid van het gevaar omdat ik nog steeds niet wist waar Sally was. Het was zeer waarschijnlijk dat ze nog ergens in de buurt was, wachtend tot de man met de bulldozer zijn werk had afgemaakt. Ze kon nog niet weg zijn. Ik had haar auto ergens anders geparkeerd en bovendien had ik de sleutels in mijn zak. Rokend van razernij, onmachtig de portieren te openen, zou ze ongetwijfeld beseffen dat Lucie, of ik, erin geslaagd was uit het huis te ontsnappen.

De gedachte aan Lucie overtuigde me ervan dat ik het erop moest wagen. We hadden in hetzelfde schuitje gezeten. Zij had Sally

afgeleid en door haar toedoen had ik uit het huisje kunnen ontsnappen.
Om me zo klein mogelijk te maken, hurkte ik op de grond. Nu het dak van het huis gedeeltelijk was vernield, viel er licht naar binnen dat onmiddellijk werd getemperd door het opstijgende stof. Tot mijn afgrijzen zag ik temidden daarvan opeens Lucie. Het eerst herkende ik een paar onderbenen in een vuile roze broek. Toen het stof iets optrok, kon ik zien dat ze in een van de twee stoelen zat. Naar de positie te oordelen, ging ik ervan uit dat ze boven op het gat in de vloer zat. Het kostte me enige tijd om te begrijpen wat ze had gedaan en waarom. Op de een of andere manier moest ze erin zijn geslaagd om Sally in het gat in de vloer te duwen. Ze had de stoel erboven op gezet, en was gaan zitten, in de veronderstelling dat de stoel en zij zwaar genoeg waren om Sally te verhinderen er uit te komen. Lucie wist dat ik naar buiten was gerend en ze ging er natuurlijk van uit dat ik hulp zou halen. Natuurlijk had ze nooit kunnen voorzien wat de chauffeur van de bulldozer van plan was. Het instorten van de eerste muur had haar volkomen verrast, maar het feit dat die haar net niet had geraakt, moesten haar doorzettingsvermogen en haar vertrouwen in mij versterkt hebben. Daarom was ze nu zo vastbesloten op de stoel te blijven zitten.
Met een waanzinnige grijns op haar gezicht keek ze recht voor zich uit. Eerst kreeg ik de indruk dat ze mij recht aankeek, maar ze gaf geen enkel teken van herkenning. Alle voorzichtigheid uit het oog verliezend, begon ik heftig naar haar te zwaaien. Hoe graag ik ook wilde dat Sally ons niet te pakken kon krijgen, ik mocht niet uit het oog verliezen dat de bulldozer nog steeds een

groot gevaar vormde. Hij was bezig tussen de obstakels van struiken en brokken steen met een boog om het huis heen te rijden, kennelijk met een van de andere muren als doelwit. Ik voelde me akelig blootgesteld en ik werd me ervan bewust dat de man mij van opzij gemakkelijk kon zien. Hij was een grote, forse man, jong en sterk: tegen hem zou ik geen enkele kans hebben. Ik durfde dan ook niet meer naar Lucie te zwaaien om haar aandacht te trekken. Ik opende mijn mond om naar haar te schreeuwen dat ze naar buiten moest komen voordat de bulldozer zijn werk aan de andere zijkant van het huis ging voortzetten. Of ik werkelijk een geluid maakte wist ik niet, maar het effect was hetzelfde: ze reageerde niet.

De zware dieselmotor van de bulldozer zwol weer aan. Ik wist dat ik iets moest doen om Lucie uit de stoel uit dat huis te krijgen. Hopend dat de man op de bulldozer al zijn aandacht op zijn werk had, begon ik gebukt naar de voordeur te rennen. Daarbij bleef ik voortdurend recht in het gezicht van Lucie kijken. Heel even zag ik een glans van herkenning in haar blik verschijnen, maar toen werd haar aandacht getrokken door iets onder haar.

Ik koesterde geen illusies over de bedoelingen die Sally met ons had gehad. Ze had de man met de bulldozer instructies gegeven Lucie en mij levend onder het puin van het huis te begraven. Omdat ze nu door de stoel onder de vloer gevangen werd gehouden, vreesde ze natuurlijk voor haar eigen leven. Weliswaar had ze misschien de kans dat de vloer stevig genoeg zou zijn om haar ervoor te behoeden dat ze bedolven zou worden onder de brokstukken van de muren, maar er was een reële kans dat ze niet zou kunnen ontsnappen. Dit alles schoot door mij heen toen ik haar handen uit het gat zag komen en ze als een waanzinnige tegen de onderkant van de stoel begon te duwen. Hij kwam kleine stukjes onhoog en ik zag Lucie heen en weer schudden. Bij wijze van reactie klemde die haar handen stevig om de leuningen en ze begon hardop te lachen. Ze leek volkomen heer en meester van de situatie, onkundig van het feit dat de bulldozer elk moment de juiste positie zou bereiken en de andere zijmuur bovenop haar zou gooien. Sally wist het wel, die wist precies wat er zou gebeuren, die wist welke instructies de man op de bulldozer had gekregen. Ze vocht als een waanzinnige. In haar paniek leek haar kracht zich te vertienvoudigen want plotseling slaagde ze erin Lucie met stoel en al te doen kantelen. Ik zag de triomf op Lucie's gezicht plaatsmaken voor schrik toen ze zijwaarts op de grond terecht kwam. Sally rees uit het gat op als een dolfijn uit een golf, een arm uitgestrekt om zich te verdedigen tegen wat Lucie ook van plan was. Maar Lucie was log en onhandig. Haar benen hingen in de lucht en er werden kostbare seconden verspild omdat ze tijd nodig had zich te realiseren wat er was gebeurd. Terwijl Sally razendsnel uit het gat in de vloer tevoorschijn kwam, krabbelde Lucie nog onhandig uit de omgevallen stoel.

Terwijl dit alles zich in luttele onderdelen van een seconde afspeelde, had ik de voordeur bijna bereikt. Vanuit mijn ooghoek zag ik de bulldozer dichterbij komen. Vol afgrijzen bleef ik op een meter afstand van de drempel stokstijf staan. Ik ging niet naar binnen. Ik kon het niet. Ik was laf, ik wist het, maar ik durfde het huis niet meer binnen te gaan.

Lucie was zich van geen ander gevaar dan Sally bewust. Ze had niet begrepen wat het betekende dat er een muur was ingestort, noch waarom het dak scheef hing en er af en toe een leisteen naar beneden kletterde. Ze had zich zo vastgebeten in de gedachte dat ze Sally, die haar in het huis had opgesloten, moest overmeesteren dat ze nergens anders op lette en ze dus ook niet wist hoe groot het gevaar was waarin ze verkeerde.

Lucie en Sally kwamen op hetzelfde moment overeind. Lucie stak haar hand uit en kreeg de arm van Sally te pakken. Die stond net op haar voeten, klaar om naar buiten te vluchten, maar een ruk van Lucie deed haar struikelen. Ze viel op de grond en Lucie liet zich plompverloren boven op haar vallen. Terwijl de twee vrouwen vechtend over de vloer gingen, zag ik de arm van de bulldozer omhoog komen. Ik deinsde terug. Als gebiologeerd staarde ik naar de enorme gele arm, naar de bak met de vernietigende punten. Plotseling hervond ik mijn stem. Ik begon te schreeuwen. Ik rende naar de man in de bulldozer en schreeuwde dat hij moest stoppen. Om de twee vrouwen te waarschuwen schreeuwde ik de naam van Lucie, misschien zelfs ook die van Sally. Een ogenblik zag ik dat Sally mij recht aankeek. Er lagen naakte haat en een zonderling soort waanzin in haar blik en haar lippen vormden een enkel woord: help. Maar het leek alsof mijn voeten in een dikke laag beton waren gezakt en dat het snel bezig was hard was geworden. Ik kon me niet verroeren.

Op het moment dat de bulldozer de muur raakte, het hout van de raamkozijnen kraakte en de raampjes sprongen, keek Lucie mij recht aan. De grijns van triomf op haar gezicht zou ik nooit meer vergeten. Ook niet de veranderende uitdrukking toen ze verstarde, toen ze haar mond wijd opende in een geluidloze kreet en ze, veel te laat, begreep wat er gebeurde. Ze deed nog een waanzin-

nig wanhopige poging zich van Sally los te maken, maar die was bezig hetzelfde te doen, zodat ze elkaar alleen maar tegenwerkten. Lucie slaagde er nog wel in half overeind te komen en ze maakte een halfslachtige beweging naar mij toe. Toen grepen de handen van Sally haar bij de benen en tuimelde ze achterover.
Als in een vertraagde opname zag ik dat de zijmuur als een groot scherm begon te vallen. Het geraamte van het dak spatte uit elkaar. De latten braken kapot als luciferhoutjes en door het plotseling wegvallen van de steunbalken vlogen ze in het rond. De muur viel in brokken uiteen. Gruis en stofwolken kwamen omhoog en ontnamen mijn zicht. Ik rende naar de andere kant in een te late poging de bulldozer te stoppen. Ik sprong, ik schreeuwde en ik zwaaide met mijn armen. Ik kon echter alleen het dak van de cabine zien en het drong niet tot me door dat de man mij temidden van het stof helemaal niet kon zien.
Met afgrijzen erkende ik dat ik te laat was. De voorgevel van het huisje stond nog overeind en ik keek door de nog steeds openstaande voordeur naar binnen. Niets bewoog. Er werden geen stenen opzij geduwd, niemand krabbelde op wonderbaarlijke wijze onder het puin vandaan. Ik meende ergens een stukje roze stof te zien, maar het beeld werd door mijn tranen vertekend. Toen ik ze wegveegde, zag ik niets dan puin en opstijgend stof.
De bulldozer ging vastbesloten en methodisch verder met zijn werk. Na de zijmuur bezweek de achtermuur. Tegen de tijd dat hij recht op de muur met de voordeur af ging, was ik in zoverre bij mijn positieven gekomen dat ik besefte dat ik hoe dan ook zijn volgende slachtoffer zou zijn wanneer hij me ontdekte.
Als een bezetene rende ik terug naar de plek waar ik de auto van

Sally had neergezet. Ik kroop achter het stuur, sloot alle portieren van binnen af, duwde het sleuteltje in het contactslot en wachtte.

Ik wist niet hoe lang ik ineengedoken in de auto van Sally bleef zitten. Ik had het ijskoud en ik kon niet ophouden met trillen en met klappertanden.
Misschien had ik weg kunnen komen onder de dekking van de enorme stofwolk die door de bulldozer werd achtergelaten, maar ik kon de moed en de energie niet opbrengen. Steeds maar weer zag ik de paniek en de wanhoop in de ogen van Lucie toen ze eindelijk had beseft wat er gebeurde, de ontzetting op haar vertrokken gezicht op het moment dat ze het dak en de muur op zich had zien afkomen.
Ik voelde helemaal niets toen ik aan Sally dacht. Zelfs geen triomf omdat ze mij buiten had zien staan en ze in die laatste seconden moest hebben begrepen dat zij het slachtoffer zou worden van het door haar zelf gesmede plan. Dat niet ik, maar zijzelf onder het puin zou worden bedolven.
Ik huilde om Lucie, om haar moed en om de domme vastbeslotenheid die haar het leven had gekost. En omdat ik niet bij machte was geweest haar te redden, haar tijdig naar buiten te krijgen. Ik had op haar moeten wachten, ik had er niet voetstoots van uit moeten gaan dat ze achter me aan was gekomen. Ik huilde om mijn falen en om het feit dat ik het had overleefd.
In de verte kon ik het geluid van de motor van de bulldozer horen. Ik had er geen idee van hoeveel tijd er was verstreken sinds hij weg was gereden. Opeens kwam de verlammende gedachte bij me op dat hij op de een of andere manier zou kunnen ontdekken

dat ik ontsnapt was. In dat geval zou hij terugkomen om zijn werk af te maken. De stalen bak aan de voorkant van de bulldozer kon mij gemakkelijk met auto en al optillen en ergens in een ravijn gooien.
Met stijve vingers startte ik de auto. Voorzichtig reed ik tussen de verspreid staande struiken en bosjes door in de richting van de stofwolk die nog boven het ingestorte huisje hing. Ik had niet de moed uit te stappen. Met draaiende motor bleef ik kijken naar de resten van de vernietigde woning. Het was niet groot geweest, niet meer dan een mijnwerkershuisje, maar het was verbazingwekkend hoeveel puin er vanaf was gekomen. Ik knipperde met mijn ogen, misschien wel hopend dat er op een wonderbaarlijke manier iemand tussen het puin zou opstaan en met een dwaze grijns op haar gezicht naar me zou zwaaien. Ik draaide het raampje een eindje naar beneden, niet ver genoeg dat iemand er een hand doorheen kon steken, maar wel ver genoeg om mijn mond bij de opening te brengen.
Ik schreeuwde Lucie's naam, tegen beter weten in hopend dat ze het op de een of andere manier had overleefd. Ik dacht aan aardbevingen, waarbij mensen nog na dagen onder het puin vandaan werden gehaald. Om de een of andere reden wist ik echter dat dit hier niet het geval kon zijn. Sally en Lucie hadden allebei op de grond gelegen, precies daar waar de blokkenstukken van het dak en de muren terecht waren gekomen. De bulldozer had het niet gelaten bij alleen het omver werpen van de muren. Uit de sporen van zijn enorme wielen kon ik opmaken dat hij het puin had verspreid en de grond enigszins had geëgaliseerd. Mocht een van de vrouwen op dat moment nog in leven zijn geweest, dan had zijn

gewicht elk laatste sprankje hoop vernietigd.
'Lucie?' riep ik nog eens, maar alles wat ik kon horen was het geschreeuw van kraaien die op oude, niet meer gebruikte telefoonpalen zaten.
Ik bedacht dat ik de politie moest waarschuwen, dat ik inspecteur Miller moest vertellen wat er was gebeurd. Alles was zo ongelooflijk waanzinnig dat hij waarschijnlijk zou denken dat ik mijn verstand had verloren. Misschien zou hij niet eens komen, zelfs niet wanneer ik hem vertelde dat de lichamen van twee vrouwen onder het puin te vinden waren.
Ik wilde het raampje net weer dichtdraaien toen ik plotseling werd overvallen door een golf van misselijkheid. Ik kokhalsde, duwde instinctief het portier een eindje open en braakte. Het stof prikkelde in mijn neus en ik sloot mijn ogen voor de resten van het huisje, voor de provisorische begraafplaats van de vrouw die mij zo om de een of andere reden zo had gehaat dat ze mij had willen vermoorden, en van de vrouw die mij had helpen vluchten maar het met haar eigen leven had moeten bekopen.
Toen ik het portier weer dichtdeed en secuur op het knopje drukte om het te vergrendelen, hoorde ik het schorre gekrijs van de kraaien die op mijn braaksel afkwamen.
Mijn handen trilden hevig toen ik schakelde, walgend van alles. De bulldozer was nergens meer te zien. Strak hield ik mijn blik gericht op het stoffige weggetje waarvandaan Sally gekomen was. Aan het eind ervan was de hoofdweg, de bewoonde wereld. Verdwaasd keek ik naar het tegemoetkomend verkeer. Onschuldige, lachende, pratende, starende gezichten, onkundig van het feit dat zich op een steenworp afstand een tragedie had voltrokken.

Bij een wegrestaurant reed ik de nagenoeg lege parkeerplaats op. Het was vroeg, er waren nog geen klanten die afkwamen op het bord aan de kant van de weg waarvan de tekst me deed watertanden. Ontbijt tussen 8 en 11 uur. Verse koffie.
Ik had geen geld bij me en ik betwijfelde of ik iemand zover zou kunnen krijgen me iets voor te zetten. Mijn spijkerbroek was vuil en stoffig, er zaten harde ronde plekjes waar mijn tranen het stof erin hadden gezogen. Mijn trui zat vol met sporen van braaksel en ik koesterde geen illusies over mijn gezicht en mijn haar.
Ik zette de motor uit en zat net te overwegen wat ik zou doen, toen Lucie's mobieltje in mijn zak begon te piepen.

# ZEVENENVIJFTIG

Na een mislukt telefoontje naar een onbekende, zuiver en alleen omdat ik me het nummer van Mac niet goed kon herinneren, nam hij gelukkig meteen op. Zijn stem was duf en zwaar alsof ik hem wakker had gebeld. Wat misschien zo was, want een blik op mijn horloge vertelde me dat het een paar minuten voor acht was. Er denderde net een vrachtwagen voorbij toen ik mijn naam zei, schor van opluchting bij het horen van een normale stem.

'Sian?' riep hij. 'Ben jij dat? Waar ben je?'

Het was zo heerlijk zijn stem te horen dat ik even verzaligd stil bleef.

'Sian?'

Ik vermande me. 'Mac, je moet me helpen,' zei ik, terwijl ik bijna weer in tranen uitbarstte. 'Wil je me alsjeblieft komen halen?' Ik voelde me nergens meer toe in staat, en al helemaal niet om weer in de auto van Sally te stappen.

'Wat? Natuurlijk! Waar ben je?'

Ik slikte. Even voelde ik me dwaas omdat ik hem moest vertellen dat ik het niet precies wist, maar toen keek ik naar het uithangbord van het wegrestaurant. Ik vertelde hem hoe het heette en tot mijn verbazing scheen hij precies te weten wat ik bedoelde.

'Hoe ben je daar terecht gekomen?' vroeg hij, meer nieuwsgierig dan bezorgd.

'Dat is een lang verhaal. Kun je alsjeblieft zo gauw mogelijk komen?'

'Ja natuurlijk. Is Graham ... weet je dat ...?'

Ik wilde nu even niet aan Graham denken. Haastig viel ik hem in de rede. 'Ik wil nergens over praten, Mac. Kom alsjeblieft meteen.'

'Oké. Ik kom zo gauw mogelijk, Sian.'

Hoe hij het klaarspeelde weet ik niet, maar hij deed er nog geen half uur over. Al die tijd zat ik bibberend op een houten bank aan de rand van de verlaten parkeerplaats van het wegrestaurant. Door de kleine raampjes kon ik zien dat er iemand aan het schoonmaken was. Zo nu en dan wekte een vrouw met een groen schort de indruk dat ze naar me zwaaide met een gekleurde doek: ze lapte aan de binnenkant de ramen. Kort overwoog ik naar binnen te gaan en haar om een glas water te vragen, of beter, een kop koffie. Ik voelde me er echter niet toe in staat. Enkele passerende automobilisten keken me bevreemd aan, waarschijnlijk omdat het geen weer was om buiten te zitten. De lucht was betrokken en de temperatuur had zich aangepast aan de dreiging van regen. Omdat ik opgesloten was geweest had ik er echter geen zin in ergens naar binnen te gaan. Zelfs niet in de auto.

Afwezig volgde ik de bewegingen van een paar dikke zwarte vliegen die een schat hadden ontdekt in een afvalbak. Ze vlogen af en aan, zonden kennelijk signalen naar hun soortgenoten want er kwamen er steeds meer. Ik zat te trillen, te klappertanden en zo nu en dan te huilen. De schoonmaakster gluurde met een onbewogen gezicht naar me en ik begreep wat er door haar heen ging: ze wilde zich geen problemen op de hals halen en ze had besloten zich volledig afzijdig te houden.

Op zeker moment kwam er ogenschijnlijk uit het niets een kleine landrover die met gierende banden vlak bij mij stopte. Ik had hem niet zien aankomen en ik schrok, bang dat Clarissa of de man in

de bulldozer op de een of andere manier hadden ontdekt dat ik niet onder het puin bedolven was.
Het was Mac. Zijn haar zat verward en hij had zich nog niet geschoren. Met uitgestoken armen kwam hij naar me toe en deze keer liet ik me omhelzen zonder me af te vragen of er geen spionnen van Graham in de buurt waren. Als hij al was geschrokken van mijn uiterlijk, dan liet hij daar niets van merken. Hij trok me tegen zijn brede lijf, klopte onhandig troostend op mijn rug en mompelde onsamenhangende woorden in mijn haar. Bij wijze van reactie barstte ik opnieuw in huilen uit.
Bij stukjes en beetjes deed ik mijn verhaal. Of eigenlijk een deel ervan. Ik vertelde van de ontvoering en mijn ontsnapping, maar nagenoeg niets over de rollen van Graham en Clarissa en de plannen die Sally met mij had gehad. Evenmin kon ik de naam van Lucie over mijn lippen krijgen. Alles bij elkaar klonk het me zelf als een onvolledig en onbegrijpelijk verhaal in de oren, laat staan in de zijne. Ik was echter zo moe dat ik me er niet druk om kon maken. De waarheid, de afschuwelijke realiteit van het gebeurde zou allemaal moeten wachten. In het bijzijn van Mac zou ik het hele verhaal aan inspecteur Miller vertellen, maar nu wilde ik zo snel mogelijk weg uit het grauwe gebied waar elke passerende vrachtwagen me herinnerde aan het droge stof van de groeven.
Mac was echter niet te vermurwen. Zodra hij begreep dat ik sinds de vorige middag niets had gegeten of gedronken, nam hij me mee naar het restaurant. Hij installeerde me in een donker hoekje en bestelde thee en een uitgebreid ontbijt voor mij, koffie voor zichzelf. De pot thee en het eten deden me goed en ik voelde mijn energie terugkeren. In feite kreeg ik zoveel energie dat ik van

gedachten veranderde over een bezoek aan inspecteur Miller. Dat kon wachten. Toen we in zijn auto zaten en ik hem het gewijzigde plan liet weten, kostte het me heel wat overredingskracht om hem ervan te overtuigen dat ik niet naar het politiebureau wilde, maar naar huis. Als voornaamste argument bracht ik naar voren dat ik me vies en ongelukkig voelde en dat ik me thuis eerst wilde opknappen en verkleden. Het werkte. Waarschijnlijk omdat ik er inderdaad uitzag alsof ik een dringende wasbeurt nodig had, plus het feit dat er een onaangenaam, zurig luchtje om mij heen hing, gaf hij toe. Zijn gezicht was bleek en toen hij zijn hand van het stuur haalde, zag ik dat zijn vingers trilden. Onder een van zijn nagels zat een randje gele verf. Hij rook vaag naar terpentine. Toen ik nog eens naar zijn handen keek, realiseerde ik me opeens dat hij me had omhelsd, maar hij had me niet gekust. Een vriendschappelijke, troostende omhelzing, meer niet. Verontrust legde ik mijn hand op zijn knie. Had ik iets gemist? Was er iets veranderd in zijn gevoelens voor mij? 'Mac? Wat is er?'
Hij keek me niet aan, pretendeerde dat hij al zijn aandacht bij de weg nodig had. Ik wist echter dat hij niet zo kalm en beheerst was als hij wilde doen voorkomen. Onder de strakke huid zag ik zijn kaken bewegen. Hij drukte het gaspedaal dieper in en hij reed zo hard dat ik vreesde dat we uit de bocht zouden vliegen. Net op tijd remde hij.
´Wil je alsjeblieft voorzichtiger rijden?'
Hij gaf niet direct antwoord. 'Ze vertelde me dat je zwanger bent!' stootte hij opeens uit. 'Is dat waar?'
Ik haalde diep adem. Het had geen zin te liegen. Dat wilde ik ook niet. 'Ja.'

'Het is dus van hem? Van je man?'

'Ja natuurlijk. Van wie anders?'

'Hoe moet ik dat weten?' reageerde hij hard. 'Ik ontdek nu dat je me niet alles over jezelf hebt verteld.'

'Ik had ook nog maar net zekerheid.' Ik keek opzij en mijn ogen onderzochten zijn profiel. 'Hoe weet je het eigenlijk? Wie heeft het je verteld?' Voor zover ik wist waren maar enkele mensen op de hoogte; ik had zelfs nog geen gelegenheid gehad het aan Hayley te vertellen.

'Die werkster van je.'

'Sally?'

Hij schokte met zijn schouders. 'Ze zei dat je me niet wilde ontvangen. Ze zei dat je zwanger was en dat je bij Graham zou blijven.'

Ik begon te beseffen dat ik nog niet precies had begrepen wat er precies was gebeurd en wie erbij betrokken waren. Voor Clarissa was ik een gevaar vanwege haar beoogde, naadloze hereniging met Graham. Maar Sally? Ik greep niet wat Sally ertoe bewogen kon hebben om Mac te vertellen dat ik zwanger was.

'Wanneer heb je Sally dan gesproken?'

'Gisteren. Ik probeerde je te bellen. Het was niets voor jou om niet op te nemen. Uiteindelijk belde ik naar je huistelefoon, maar toen zei die werkster van je dat je me niet wilde spreken.'

'Hoe laat was dat?'

'Een uur of vijf. Ik was bang dat ik je man aan de telefoon zou krijgen.'

Ik slikte. Sally was er niet geweest toen ik thuis was gekomen. Ik had verondersteld dat ze naar huis was gegaan, maar om de

een of andere reden was Sally teruggekomen. 'Toen was ik al gevangen genomen.'
'Ja, maar dat wist ik natuurlijk niet.' Hij keek even opzij en produceerde een wrang lachje. 'Ik besloot dat ik liever van jou zelf wilde horen dat je me niet meer wilde zien. Ik had er begrip voor als je je huwelijk vanwege een baby een nieuwe kans wilde geven.'
'O Mac!'
Hij glimlachte zwakjes. 'Ik nam een paar boeken mee waarover we hadden gesproken. Bij wijze van excuus. Eerlijk gezegd verwachtte ik je man te zien, maar zij deed open.' Hij zweeg even. 'Ze vertelde me dat je je had verzoend met je man. Ze had de een of andere lap in haar hand. Ik vond het wel een beetje vreemd dat ze op dat tijdstip nog aan het werk was omdat je me had verteld dat ze 's morgens bij je werkte, maar ik zocht er eigenlijk niets achter.'
'Was ze alleen?'
'Dat weet ik niet. Ze liet me niet binnen. Sian, ze zei alleen dat je me niet wilde spreken. Je was niet lekker, je was moe, allemaal ten gevolge van je zwangerschap. En trouwens, je zou morgen, vandaag dus, een paar dagen met Graham naar je ouders gaan.'
Mijn mond krulde bitter. 'Dat kan niet, Mac. Mijn moeder is overleden toen ik twintig was. Mijn vader woont met zijn nieuwe vrouw in Australië.'
'Sorry Sian, dat ik haar geloofde. Maar hoe kon ik weten dat ze zo'n doortrapte leugenaarster is?'
Ik realiseerde me dat hij nog niet wist dat Sally dood was. Ik legde mijn hand op zijn knie en slikte een brok in mijn keel weg

toen hij de zijne erop legde. 'Was het maar zo eenvoudig, Mac,' antwoordde ik zachtjes. 'Je weet nog niet half wat ze allemaal heeft gedaan.'

# ACHTENVIJFTIG

Mac drong niet aan toen ik weigerde erover te praten. Ik gebruikte al mijn overredingskracht om hem ertoe te bewegen me naar mijn huis te brengen. Hij gaf alleen toe onder de voorwaarde dat hij me geen moment uit het oog zou verliezen. Zijn bezorgdheid was hartverwarmend. Ik keek naar zijn profiel, naar zijn gefronste wenkbrauwen en ik wilde hem zeggen dat ik van hem hield. Door alle emoties leek het er echter niet het juiste moment voor.

De auto van Graham stond midden op de oprit. Een van de achterportieren stond open en hij kwam net naar buiten lopen met een paar in plastic gepakte kostuums over zijn arm.

'Parkeer hier, blokkeer de oprit,' zei ik snel. 'Graham mag niet de kans krijgen ervandoor te gaan!'

Mac gehoorzaamde instinctief, maar ik voelde het ongeloof in zijn blik. Waarschijnlijk vroeg hij zich af in welk wespennest hij zich had gestoken. Zonder iets te zeggen gluurde ik langs hem heen. Graham hing zijn kostuums keurig aan een daarvoor bestemd haakje in zijn auto en bleef er toen stram en onbehaaglijk naast staan, verstoord kijkend naar de auto van Mac, die hij natuurlijk niet herkende.

'Kom mee,' zei ik bevelend en zonder op zijn reactie te wachten stapte ik snel uit, zodat hij weinig anders kon doen dan me volgen. Dat deed hij onzeker en met duidelijke tegenzin.

Ik kon me niet bedwingen. 'Graham!' riep ik luid en uitdagend.

Met een gevoel van triomf zag ik zijn schouders verstrakken, zijn hele lichaam bevroor.

Op hetzelfde moment verscheen er in de deuropening een vrouw

die ik amper herkende omdat ze sinds de vorige dag een enorme gedaantewisseling had ondergaan. Ze was niet langer de slonzige, ineengedoken zielenpiet die ik op de tv had gezien, slachtoffer van alles en iedereen. Evenmin leek ze op de vrouw die me de vorige dag zo gemakkelijk had overmeesterd. Met haar prachtig gevormde lichaam, verpakt in een chique lavendelkleurige broek en een doorschijnende witte bloes over een bh van witte kant, aan haar voeten een paar witte schoenen met ongelooflijk hoge hakken, leek ze op iemand die net had meegedaan aan een van de tv-programma's waarin mensen een metamorfose hadden ondergaan. Ze had niet alleen haar haren gewassen, maar er ook een kleurspoeling in gedaan die beter bij haar huid paste. Het grauwe bruin had plaatsgemaakt voor hetzelfde zonnige blond dat ik op foto's had gezien. Het was strak naar achteren gekamd en vastgemaakt met een glanzende gouden klip. In haar oren bungelden enorme hoepels van wit plastic, maar op de een of andere manier deden ze niet goedkoop aan. Haar aarzeling was zo kort dat ik het me gemakkelijk verbeeld kon hebben. In haar ene hand droeg ze een beautycase die ik zonder spoor van verbazing herkende als de mijne. Hij was een deel van de kofferset die Graham me cadeau had gedaan voor onze laatste vakantie. Het zuiden van Spanje. Zon, zee, wijn en paella, liefde en zwoele nachten. De herinnering was onwerkelijk, het was bijna niet te geloven dat dat allemaal onherroepelijk voorbij was.
Haastig schudde ik de herinneringen van me af. 'Graham!' riep ik nog eens, me gesteund wetend door Mac, die als bij stilzwijgende afspraak zijn hand om mijn bovenarm had geschroefd alsof hij bang was dat ik ervandoor zou gaan. Of dat ik me in de armen

van Graham te werpen.
'Sian!' Toen Graham zich naar ons omdraaide was zijn gezicht lijkbleek. Zijn ogen waren hol en donker van schrik en ongeloof, zijn lippen bloedeloos. Onmiddellijk wist ik dat ik me omtrent zijn schuld geen enkele illusie meer hoefde te koesteren: zijn reactie bewees dat hij wel degelijk had geweten wat Sally met me van plan was geweest. Daaruit trok ik onmiddellijk de conclusie dat hij geen enkele poging had gedaan zich tegen haar plannen te verzetten, laat staan me te hulp te komen en me uit dat huis te bevrijden. Niet alleen was hij mij niet te hulp gekomen, maar ook ons kind niet. Dat zou ik hem nooit vergeven.
'Grae! Grijp haar!' De krijs van Clarissa doorkliefde de stilte van de ochtend. Ik zag niets, maar ik meende de nieuwsgierige ogen in de omringende huizen achter de ramen te voelen.
Terwijl ze de waarschuwing naar hem schreeuwde, begon ze met een razende uitdrukking op haar gezicht op mij af te rennen. Een van de coniferen had Mac kennelijk aan haar gezicht onttrokken, want toen ze hem aan mijn zijde ontdekte, bleef ze abrupt staan, in een oogopslag beseffend dat Graham, als het erop aankwam, geen partij voor hem zou zijn.
'Sian, wat heeft dit te betekenen?' hoorde ik Mac vragen. Ik keek naar hem op en lachte vreugdeloos, wetend dat het beter was geweest dat ik hem alles had verteld voordat we hierheen waren gekomen. Nu leek hij zich af te vragen of ik wel helemaal bij mijn volle verstand was. Ik kon het hem niet eens kwalijk nemen.
'Sian,' begon Graham en zijn stem klonk ineens zo moedeloos dat ik bijna medelijden met hem kreeg. Met verwondering keek ik naar zijn gezicht dat ik zo vaak in mijn handen had gehouden,

dat ik had gekust en waarvan ik had gehouden. Plotseling werd ik weer overvallen door een lome, verlammende vermoeidheid. Mijn benen en armen voelden loodzwaar en ik had het gevoel dat ik geen stap meer kon verzetten. Ik schudde mijn hoofd. Ik had genoeg gezien, ik wist wat ik had willen weten: Graham had duidelijk voor zijn oude liefde, voor Clarissa gekozen. Zelfs mijn zwangerschap kon daar geen verandering in brengen.
Ik realiseerde me opeens dat ik tot op dat moment niet zeker had geweten of ik de politie wel zou vertellen dat Graham ook in het gruwelijke complot van Sally en Clarissa had gezeten. Misschien had ik alleen maar niet willen geloven dat hij er al die tijd bij betrokken was geweest. Tot op dat moment was ik onbewust aan hem blijven denken als een medeslachtoffer van Clarissa en Sally. Diep in mijn hart had ik medelijden met hem gehad en wist ik dat ik hem de kans had willen geven het land uit te vluchten. Zijn passieve rol bij de plannen van de twee vrouwen maakte echter dat ik hem niet langer kon zien als een slachtoffer. Dat en de diepe afkeer in de ogen van Clarissa brachten me tot bezinning. Het overtuigde me ervan dat ik het recht niet in eigen hand mocht nemen.
Clarissa haatte me. Ruim twee jaar had ze, verborgen in een nieuwe identiteit, wachtend op het juiste moment om weer tevoorschijn te komen, met lede ogen moeten aanzien dat ik haar plaats aan de zijde van Graham had ingenomen. Haar machteloosheid en frustratie moesten in de loop der tijd uitgegroeid zijn tot een diepe, alles verterende haat die voor haar maar een einddoel had gehad: mij te vernietigen. Zelfs als ik haar nu samen met Graham liet gaan, zou ik me nooit helemaal veilig kunnen voelen voor

haar haat en jaloezie.
Zonder mijn blik af te halen van het tweetal op de oprijlaan van het huis dat ik twee jaar lang mijn thuis had mogen noemen, zei ik op gedempte toon: 'Mac? Wil je nu alsjeblieft de politie bellen? Vraag maar naar inspecteur Miller.'
Graham had me gehoord. Zijn stem sloeg over toen hij zich tot Clarissa wendde en mijn woorden bijna letterlijk herhaalde.
'Ze kunnen ons niets maken!' riep Clarissa met overslaande stem. Ze rende op hem af en begon fanatiek aan zijn arm te rukken. 'Kom op, Grae, het vliegtuig wacht niet op ons.'
Met iets moedeloos in de stand van zijn schouders gebaarde Graham in onze richting. 'Hij heeft zijn auto voor de oprit geparkeerd!'
Ze keek langs hem heen en beet hem toe: 'Als hij die auto heel wil houden, kan hij hem beter weghalen!'
Ik keek op naar Mac, me afvragend hoe zijn reactie daarop was. De kleine landrover was niet van hem; in de haast om bij mij te komen had hij hem geleend van een buurman omdat de zijne te ver weg op het parkeerterrein buiten St.Ives stond. Hij had geen tijd willen verliezen.
Hij sprak nu kalm en duidelijk in zijn mobiele telefoon. Hij had het alarmnummer gebeld en als een rechtschapen burger verontschuldigde hij zich en legde hij uit dat het niet om een noodsituatie ging. Hij wilde de politie spreken, dringend, maar hij wist het nummer niet.
Clarissa moest zich gerealiseerd hebben dat zijn aandacht was verslapt. De mijne ook. Volkomen onverwacht kwam ze op ons afrennen, mijn beautycase zwaaiend aan haar arm. Haar ogen

fonkelden fanatiek en haar mooie gezicht was vertrokken tot een waanzinnige grimas die me heel even aan Lucie deed denken. Eerst was haar razernij op mij gericht, maar toen zag ze kennelijk in dat ze haar aandacht beter op Mac kon richten. Ik veronderstelde dat ze dacht dat ik nog maar een zacht eitje voor haar zou zijn wanneer ze Mac in een verrassingsaanval onschadelijk had gemaakt.

Gelukkig verkeerde Graham, net als ik, in de veronderstelling dat ze zich op mij ging storten. 'Clara! Nee, wacht!'

Ze was zo razend dat Graham kennelijk mijn zijde koos dat ze niet voor rede vatbaar was. Als een ervaren kogelslingeraar, zelfs de uiterst geconcentreerde uitdrukking ontbrak niet, zwaaide ze de beautycase boven haar hoofd in het rond. Haar blik was op haar doel gericht: het hoofd van Mac. Het was het moment dat ik wist dat hij gelijk had gehad, toen hij had voorgesteld dat we zo gauw mogelijk naar de politie moesten gaan. Nu ik echter begreep dat Graham en Clarissa op het punt stonden het land te verlaten, wist ik ook dat we geen kostbare tijd hadden kunnen verspillen op het politiebureau.

Mac was zo geconcentreerd op zijn gesprek met de alarmcentrale dat hij de aanval niet zag aankomen. Wel voelde hij me verstijven maar zijn reactie kwam te laat. De beautycase zwaaide boven onze hoofden en in een flits zag ik de waanzinnige, kwaadaardig grijns op Clarissa's gezicht. Ik reageerde volkomen instinctief. Ik gaf Mac een duw opzij en tegelijkertijd gaf ik Clarissa een venijnige trap tegen haar scheenbeen. Haar schreeuw van schrik en pijn doorkliefde de gezapige rust van onze straat. In haar vaart belandde ze precies tussen Mac en mij op straat. Ik wilde opnieuw naar haar uithalen, maar Mac stak zijn arm naar me uit. Door mijn duw was hij uit zijn evenwicht geraakt en nu zat hij op zijn knieën op straat, zich ervan bewust dat hij niet direct in de positie was mij tegen de woede van Clarissa te beschermen. Mijn beautycase had ons allebei niet geraakt. Hij was op straat open gevallen en idioot genoeg gaf het me een enorme schok toen ik zag dat ze niet eens de moeite had genomen mijn spulletjes eruit te halen. Het maakte me eens te meer duidelijk dat ze mij volledig had gezien als iemand die alleen maar tijdelijk haar plaats had ingenomen. Ik was de tweederangs actrice geweest die even de hoofdrol mocht overnemen omdat de hoofdrolspeelster ziek was geworden. Ik was alleen maar door haar geduld omdat ik geen direct gevaar had opgeleverd.

Mac herstelde zich het snelst. Graham stond nog steeds als een bevroren standbeeld halverwege de oprit, Clarissa zat op haar knieën aan onze voeten te kreunen en ik voelde mijn aandacht ongecontroleerd van de een naar de ander schieten. Mac duwde me zijn mobieltje in de handen en bijna in dezelfde beweging bukte hij zich en trok hij Clarissa's ene arm op haar rug. Ze kreunde in een geschokt, luid protest toen ze met haar borst en gezicht op het asfalt terecht kwam. Mac trok zich er echter niets van aan. Met een onbewogen gezicht trok hij ook haar andere arm op haar rug en met zijn grote hand omklemde hij haar polsen. Zijn gezicht was bleek en strak, zijn mond een dunne, verbeten streep. Hij toonde geen greintje emotie toen ze haar gezicht optilde en naar hem vloekte. Uit haar neus kwam een straaltje bloed.

In een vertraagde opname kwam Graham achter haar aan. 'Wat heb je met haar gedaan?' riep hij met overslaande stem. Zijn

kracht lag in het verbale. Fysiek was hij een zwakkeling en daarvan was hij zich maar al te goed bewust. Op enige afstand, buiten direct bereik van Mac, bleef hij onzeker staan. Zijn inmenging veroorzaakte bij Clarissa aanvankelijk de wil om door te vechten. In de veronderstelling dat hij het voor haar zou opnemen, begon ze zich wild in allerlei bochten te wringen.
Ik besefte dat er een gerede kans was dat ze zich zou kunnen bevrijden, zeker wanneer Graham zijn angst en onzekerheden kon overwinnen. Mac was sterk, maar hij was niet opgewassen tegen Graham en Clarissa samen. Hij had al de grootste moeite om de verbeten vechtende Clarissa in bedwang te houden. Wanneer ze enigszins tot bezinning zou komen en ze zich zou beroepen op gemene, vrouwelijke trucjes, zou ze een goede kans maken vrij te komen. Ze had niets te verliezen, alles te winnen.
Graham stond met een glazige blik naar haar te kijken, alsof hij haar nu pas voor het eerst zag. Misschien had hij nooit helemaal beseft waartoe ze in staat was. Voor het moment leek hij gereduceerd tot een zwakkeling, maar ik wist dat dat elk moment kon veranderen. Zodra Clarissa op de een of andere manier grip op hem kon krijgen, zou hij haar toch te hulp komen.
'Graham, geef me je riem!' zei ik, hard en bazig.
'Hè?' Hij knipperde verward met zijn ogen.
'Je riem!'
De klank in mijn stem overbluften hem. Ik had nog nooit op zo'n bevelende toon tegen hem gesproken. Waarschijnlijk was het daarom dat hij blindelings reageerde. Zonder zich af te vragen waarom ik zijn riem wilde hebben, zonder zich te realiseren dat hij Clarissa te hulp had willen komen, deed hij het tegenoverge-

stelde van wat ze van hem verwachtte. Toen hij de riem uit de lussen van zijn broek los had gemaakt en hij hem in mijn uitgestoken hand legde, schreeuwde Clarissa hem toe: 'Sukkel! Begrijp je dan helemaal niets?'

Hij schrompelde ineen. Zijn bleekblauwe ogen hechtten zich als om hulp zoekend aan de mijne, alsof hij dwaas hoopte dat ik Clarissa zou tegenspreken.

Mac grinnikte luid, wat haar woede alleen maar aanwakkerde. Met zijn lange armen hield hij haar in bedwang terwijl ik volgens zijn instructies de riem van Graham om haar polsen bond. Geen eenvoudige opgave, omdat ze zich, anders dan Graham, bleef verzetten.

Er waren een paar buren op het tumult afgekomen. Op veilige afstand keken ze met grote ogen naar Clarissa. Ongetwijfeld hadden ze het verhaal van haar dramatische terugkeer op de televisie gezien en in de kranten gelezen. Uit hun gezichten kon ik niet opmaken aan wiens kant ze stonden. Onbegrip om de hele situatie werd in hun ogen weerspiegeld.

Niemand legde ons ook maar een strobreed in de weg toen Mac Clarissa voor zich uit begon te duwen, naar ons huis. Ik aarzelde, wilde volgen, maar bukte toen naar mijn beautycase. Met trillende handen begon ik mijn spulletjes bijeen te grabbelen.

'Sian? Is alles in orde met je?' vroeg Graham stamelend. Ik keek op, aangedaan door de zwakte en onzekerheid in zijn ogen. Heel even kreeg mijn medelijden met hem de overhand. Ik wilde mijn hand naar hem uitstrekken en hem verzekeren dat alles goed zou komen. Wat ik ermee bedoelde, wist ik zelf niet.

Hij herhaalde zijn woorden maar deze keer gingen ze grotendeels

verloren in het geloei van een naderende sirene. Ik zag zijn mond bewegen en ik begreep opeens dat hij doelde op mijn zwangerschap. Zijn ogen zwierven even naar beneden en bleven rusten op mijn buik. Toen keek hij me aan met een blik die boekdelen sprak. Abrupt bleef ik staan. Hoe was het mogelijk dat hij er op dit moment nog in kon geloven dat hij en ik ooit nog een gezinnetje zouden vormen?
De politiewagen was gestopt. Twee agenten snelden naar ons toe, bleven ergens tussen ons in staan. Onzeker en vol achterdochtig keken ze naar Graham en mij, vervolgens naar Mac en Clarissa. Ze draaide haar hoofd om en haar gedachten, haar kansberekeningen wisselden zich razendsnel op haar gezicht af. Als ze nu flitsend zou lachen naar de agent die het dichtst bij haar stond, zou ze misschien nog een kans hebben gehad, dacht ik met een steek van afgunst. Maar ze had alle voorzichtigheid uit het oog verloren. Ze begon te krijsen en te schelden. Nieuwsgierige omstanders mompelden elkaar opmerkingen toe en een enkele begon zachtjes spottend te lachen. Voor de twee agenten werd het meteen duidelijk dat ze niet voor niets geboeid was. Ze overlegden op gedempte toon en uit voorzorg verving een van hen de riem van Graham voor de handboeien die hij van een haakje aan zijn riem losmaakte.
Clarissa vocht en krijste. Ze schreeuwde dat ze onschuldig was, dat ze haar onmiddellijk moesten bevrijden, dat er een complot tegen haar werd gesmeed. Ik luisterde met opengezakte mond, desondanks bewondering voelend voor de manier waarop ze tot het bittere einde bleef vechten. Ze begreep dat Mac en ik niet langer haar enige tegenstanders waren en ze begon de agent, die

daar niet op verdacht was, te schoppen. Hij vloekte en zijn collega begon onmiddellijk in een microfoontje om versterking te vragen.
'Ik heb naar inspecteur Miller gevraagd,' zei Mac tegen niemand in het bijzonder. Zijn opmerking werd in het microfoontje herhaald.
'Zullen we naar binnen gaan?' stelde ik voor, duidend op het groeiende aantal nieuwsgierige omstanders.
Alsof ze om de hoek van de straat op een teken van hun collega's hadden staan wachten, kwam er een tweede politieauto aan. Ook met een sirene. Een oudere agente en een piepjonge collega stapten uit. Met bewonderenswaardige arrogantie die waarschijnlijk werd gesteund door het feit dat ze een uniform droegen, keken ze om zich heen. Er werd kort met de collega's overlegd, waarna de nieuw aangekomenen zich ontfermden over Clarissa. Die had inmiddels wel ingezien dat ze weinig kansen had en ze liet zich, nog halfslachtig tegenstribbelend, op de achterbank van de tweede politiewagen duwen. Ze kraamde van alles uit. Als ik er de rust voor had gehad, had ik op dat moment misschien haar volledige verklaring kunnen horen.
Graham gebaarde naar ons huis alsof hij de gastheer was van een uit de hand gelopen feestje. Miller kwam. Deze keer droeg hij een antracietgrijs overhemd onder zijn zwarte pak. Hij luisterde aandachtig naar de agenten, keek naar de omstanders en nam het heft in handen. Hij stuurde de auto met Clarissa naar het bureau, zich niets aantrekkend van haar zielige gesnik onderbroken door gevloek en kwaadaardige verwensingen. Ik zag haar verwrongen gezicht voor het raampje en toen haar ogen heel even de mijne

ontmoetten, kon ik me er een voorstelling van maken hoe ze zich moest voelen: na alle jaren dat ze zich had opgeofferd om op de achtergrond van Grahams leven te blijven, moest dit een enorme desillusie voor haar zijn. Ik kreeg bijna medelijden met haar.
De twee agenten van het eerste uur volgden ons naar binnen. Graham leidde ons naar de woonkamer. Miller keek verwachtingsvol van de een naar de ander en een van de agenten opende een notitieboekje en stak de achterkant van zijn pen in zijn mond. Miller wilde iets zeggen, maar ik was hem voor. 'Zal ik eerst de ketel opzetten, inspecteur? Koffie of thee?'
Hij aarzelde. 'Goed idee.'
Mac stond ergens in het midden van de kamer, van slag door de veranderde houding van Graham, die zich plotseling weer gedroeg alsof hij de heer des huizes was en hij niets met Clarissa te maken wilde hebben. Ik kende hem goed genoeg om te weten dat hij zich heel goed realiseerde aan welke zijde hij zich het beste kon scharen. Alsof het de gewoonste zaak van de wereld was, ging hij in zijn eigen stoel zitten.
Miller richtte zich tot mij. 'Misschien is het goed dat u mij vertelt wat er precies aan de hand is?'
Graham opende zijn mond, maar ik keek hem ijskoud aan en vertelde hem kortaf dat hij beter zijn mond kon houden. Ik wist nog niet helemaal precies wat zijn rol in het geheel was geweest, maar ik wilde hem niet de kans geven zich er met zijn handige praatjes uit te draaien.
Miller drong aan toen ik zweeg. 'Mevrouw Lewis?'
Er knapte iets in me. 'Rowe,' zei ik scherper dan ik bedoelde. 'Mijn naam is Rowe. Dat is mijn meisjesnaam.' Ik produceerde

een zwak glimlachje. 'Ik weet niet hoe het er nu officieel voor staat met mijn huwelijk, maar ik wil de naam Lewis nooit meer gebruiken!'

# NEGENENVIJFTIG

Mac bracht me naar het ziekenhuis omdat ik er op stond Hayley te bezoeken. Hij ging niet met mij mee haar kamer binnen, maar bleef op de gang wachten. Ik ging op de stoel naast haar bed zitten en met een waterig lachje legde ik mijn hand op de hare. Ze keek me onderzoekend aan en zag onmiddellijk dat ik niet mezelf was. 'Sian! Wat is er gebeurd?'

'Hayley, ik denk niet dat je al in staat bent om ...'

'Iedereen doet alsof ik ziek ben, Sian,' viel ze me klaaglijk in de rede. 'Het enige wat er mis is met me, is dat ik twee gebroken benen heb, een beschadigde arm en letsel aan mijn nek. Ik word vol gespoten met pijnbestrijders en ik voel me prima. Ik zou alleen willen dat ik op kon staan en naar huis kon gaan.'

Door mijn tranen heen lachte ik naar haar, wat haar er alleen maar meer van overtuigde dat ik alles moest vertellen. Ik deed haar een summier verslag van het gebeurde.

'Je bent dus zwanger? Van Graham?' vroeg Hayley, de lange stilte na mijn woorden onderbrekend.

'Ja.' Onbewust legde ik mijn hand op mijn buik.

'Wat ga je nu doen? Blijf je bij hem?'

'Natuurlijk niet!'

'Ga je het kind dan in je eentje opvoeden?'

Ik schudde mijn hoofd. Nog steeds kon ik haar niet vertellen hoe het tussen Mac en mij zat. Ik wilde haar vriendschap niet verliezen. Ze was echter al zo lang mijn vriendin dat ze aanvoelde wat er in mij omging.

'Sian? Wil je me eerlijk antwoord geven op een vraag die me al

een hele poos dwars zit?'
'Natuurlijk.'
'Beloof je dat je eerlijk zult zijn.'
Ik trapte argeloos in haar val. 'Ik beloof het.'
'Toen je ... die avond dat je bij me was toen Mac bij me op bezoek kwam ...'
Onrustig begon ik heen en weer te schuiven.
'... toen werd je verliefd op hem, hè Sian?'
Ik had haar een belofte gedaan. Ze had recht op de waarheid. Ik wist dat ik haar vriendschap zeker zou verspelen wanneer ik nu met ontwijkende antwoorden zou komen.
Ik ontweek haar blik. 'Ik kon er niets aan doen, Hayley. Ik voelde me afschuwelijk, maar ... ja, ik werd verliefd op hem.'
'En hij op jou.' Het was een constatering, geen vraag.
'Ja.'
Tussen het verband door maakte ze een beweging met haar vingers en ik legde voorzichtig mijn hand op de hare. 'Het spijt me zo, Hayley.'
Er schitterde een traan in haar ooghoek en ze knipperde met haar ooglid omdat ze haar arm niet kon bewegen. Ik veegde hem weg met de top van een vinger.
'Ik ben blij voor je,' zei ze schor. 'Mac is een geweldige vent. Nee, laat me uitspreken, Sian. Toen ik jullie aan elkaar voorstelde, dacht ik dat jullie een perfect paar zouden zijn. Maar ik was zelf zo gek op hem.'
'Hayley ...'
'Ik wens jullie alle geluk van de wereld,' zei ze en ik zag dat ze naar me glimlachte, dapper en warm. 'Er is hier een ontzettende

leuke verpleger. Hij komt na zijn dienst bij me zitten en leest de krant voor.'

Ik glimlachte verheugd. Optimistische, vrolijke, licht ontvlambare Hayley, zo kende ik haar weer.

'Ik heb hem verteld over mijn fobie,' zei ze verlegen. 'En hij heeft me beloofd dat hij me zal helpen, zodat ik in de toekomst alleen over die brug durf te rijden.' Ze maakte een grimas met haar mond. 'Ik zal wel moeten, want hij woont precies aan de andere kant van die brug. En jou durf ik 's nachts niet meer te bellen.'

## ZESTIG

De nasleep van alles duurde veel langer dan ik had verwacht. Boeken en films eindigden meestal met het vangen van de dader. Lezers en kijkers nemen dan maar voetstoots aan dat er een proces komt waarbij al bij voorbaat vaststaat en dat er een veroordeling tot een gevangenisstraf volgt. Niets was minder waar.

Inspecteur Miller en zijn team hadden enkele maanden nodig om voldoende bewijslast te verzamelen om een proces voor te bereiden dat een ruime kans had op succes. Een enkele keer zocht hij me thuis op, maar meestal liet hij me naar zijn kale kamertje op het politiebureau komen. Soms wilde hij me uithoren over een enkel onduidelijk punt in het geheel, andere keren bestookte hij me met een eindeloze reeks vragen die hij tijdens een eerder gesprek had bedacht en waarover hij steeds maar had lopen piekeren. Zo vertelde hij het me tenminste. Ik vond het niet erg. De keerzijde was dat ik elke keer bij hem vandaan ging met nieuwe stukjes informatie en het gevoel dat de korte gesprekjes met hem een therapeutische werking hadden.

Stukje bij beetje werd duidelijk welke rollen Clarissa en Sally op de achtergrond van mijn huwelijk met Graham hadden gespeeld. Het hele verhaal, met zoveel aspecten waarvan ik totaal geen benul had gehad, kwam naar de oppervlakte alsof het een film was die ik al tientallen keren had gezien maar waarvan de scènes nog in de juiste volgorde moesten worden gezet.

Het was allemaal begonnen met een uit de hand gelopen speculatie. Clarissa en Graham hadden gedacht een grote slag te kunnen slaan en in één klap heel veel geld te verdienen, maar het liep he-

lemaal mis. In plaats van een enorme winst te incasseren, stonden ze opeens aan de rand van faillissement. Het was Clarissa die een manier bedacht om tijdelijk, onopgemerkt, geld te lenen van het bedrijf waar ze allebei als accountant werkten. Door een doolhof van rekeningen die ze in diverse landen openden verduisterden ze stelselmatig en op een uiterst geraffineerde manier geld van de klanten van het accountantskantoor. Het was de bedoeling te stoppen zodra ze hun schulden hadden afbetaald en weer een klein buffer hadden opgebouwd. De spanning en het succes stegen Clarissa echter naar het hoofd: ze wilde ermee doorgaan tot ze voldoende hadden om van hun geld te gaan genieten. Graham had minder lef. Hij zag wel in dat hun geluk niet eeuwig zou duren en hij wilde ermee stoppen voordat alles uitkwam. Tegen de overtuigingskracht van zijn vrouw had hij echter geen schijn van kans. Hoe hij ook redeneerde, Clarissa bleef vastbesloten om door te gaan. Waarschijnlijk was het door de tegenstand van Graham dat ze steeds meer risico's begon te nemen. Ze genoot van haar succes en lachte om zijn angst. Maar toen de effectenbeurzen wereldwijd in elkaar klapten, kwam Clarissa, te laat, met beide benen op de grond. Van de weeromstuit beschuldigde ze Graham ervan dat die haar niet tot meer voorzichtigheid had gemaand.
Kort daarvoor had Clarissa een televisieprogramma gezien over vermiste personen. Ze was vooral geïntrigeerd door het verhaal van een man die nietsvermoedend naar de televisie had zitten kijken toen hij opeens een oproep zag van een man die hij tot zijn grote verbijstering herkende als de vader die hij vijf jaar eerder dacht te hebben begraven. Clarissa's inventieve brein werd daardoor op een idee gebracht en ze ontvouwde Graham haar

plan op een manier die duidelijk maakte dat ze alles al tot in de puntjes had uitgedacht. Het was hun enige kans. Graham was niet enthousiast over het plan, maar tegen haar doorzettingsvermogen en argumenten kon hij niet op. Toen ze daarbij haar levensverzekering ter sprake bracht en hij begreep hoeveel hij na haar dood uitgekeerd zou krijgen, stemde hij uiteindelijk toch met het absurde, gewaagde plan in.

Het zorgvuldig geënsceneerde ongeluk tijdens het surfen verliep geheel volgens plan. Clarissa ging op bezoek bij haar voormalige buurmeisje Lucie, van wie ze wist dat die maar een half woord nodig had om mee te gaan surfen. Terwijl Lucie, die over minder ervaring en vooral over minder lef beschikte, net achter de branding bleef, zocht Clarissa de betere surfgolven, verder in zee, op. Ze liet zich zo ver wegdrijven dat ze om de rotspunt heen kon gaan, waar ze in de baai ernaast het strand op ging. Haar surfplank sloeg ze kapot op de scherpte rotspunten en vervolgens klom ze tegen de heuvel op. Graham had een gehuurde auto voor haar achtergelaten en ze was al mijlen ver weg voordat Lucie goed en wel alarm had kunnen slaan. Terwijl Lucie zo diep getraumatiseerd was geraakt dat de huisarts weinig anders kon dan haar met kalmeringsmiddelen inspuiten, werd er met man en macht vergeefs naar Clarissa gezocht. Die had zich toen al onder een andere naam ingeschreven in een klein hotelletje in het Lake District. De bedoeling was dat ze daar zou blijven, maar ze kreeg heimwee naar de kust en bovendien misten Graham en zij elkaar te veel. In het begin hadden ze Sally niet in vertrouwen genomen, maar die was pienter genoeg om de zaak al gauw door te hebben. Ze schaarde zich achter hen en ze hielp Clarissa aan een onderduikadres dat veel dichter bij huis was. In feite was het een gedurfd plan om bijna in het hol van de leeuw te kruipen, maar Clarissa hield wel van risico's.

Tregwarra was een gehucht dat zelfs niet op de landkaart stond. Feitelijk was het niet meer dan een verzameling oude mijnwerkershuisjes waarvan het merendeel in de loop van de tijd al aan de mijn was opgeofferd. Er was een voormalige schuur die was omgebouwd tot een kroeg waar zelfgestookte whisky werd geschonken. De bewoners waren afstammelingen van zigeuners. Ze vormden een hechte clan, beschermden elkaar tegen de buitenwereld en waren onvoorwaardelijke trouw aan elkaar. In het algemeen waren ze nors en onvriendelijk tegen iedereen die van buiten kwam. Alles bij elkaar was het een perfecte plaats voor iemand die een poosje wilde onderduiken. Sally was er geboren en getogen, reden waarom de andere bewoners Clarissa volledig accepteerden. Als er al iemand was in Tregwarra die verdenkingen koesterde of die haar in verband bracht met de verdronken surfster, dan werd er nooit over gesproken.

Intussen speelde Graham zijn rol van de treurende weduwnaar met veel overtuiging. Hij werd daarbij gesteund door Sally, die bij hem bleef werken en die als verbindingspersoon tussen Clarissa en hem fungeerde. Met het vooruitzicht van het geld dat door de levensverzekering van Clarissa werd uitgekeerd, slaagde Graham erin de dreigende financiële problemen af te wenden. Intussen breidde hij, gesteund door Clarissa die hem vanachter de schermen instrueerde, hun omvangrijke web van fraude en verraad gestaag uit. Deze keer ging hij echter voorzichtiger te werk. Hij legde de meest risicovolle adviezen van zijn vrouw naast zich

neer en belegde het verduisterde geld op een manier die veiliger was dan de speculaties van Clarissa.
Alles zou waarschijnlijk geheel volgens plan zijn verlopen als Graham mij niet had ontmoet. Hij durfde Clarissa niet vaker dan eens per week te bezoeken en zij kon niet voldoende in zijn seksuele behoeften voorzien. Hij voelde zich ongelukkig en eenzaam en waarschijnlijk was het onvermijdelijk dat hij weer verliefd werd. Op mij. Uiteraard was Clarissa het niet met ons huwelijk eens, maar deze keer slaagde Graham erin voet bij stuk te houden. Hij overtuigde haar ervan dat zijn nieuwe huwelijk alle eventueel nog aanwezige verdenkingen jegens haar verdwijning zouden ontzenuwen. Clarissa werd gesust door Sally, die haar moest beloven dat ze ons met argusogen in de gaten zou houden en dat ze elk detail van ons leven aan haar zou overbrengen.
Toen gebeurde er iets waarmee ze geen van drieën rekening hadden gehouden. Allereerst nam het bedrijf waar Graham nog steeds werkte, een nieuwe jonge accountant in dienst: Jeremy Parker. Niet lang na zijn aanstelling werd de precieze, enthousiaste Jeremy het slachtoffer van zijn eigen slimheid. Hij ontdekte dat er iets niet pluis was met de boekhouding van enkele van de klanten. Omdat Graham zijn directe baas was, ging hij met zijn verdenkingen naar hem toe, zonder te beseffen dat die wel de laatste persoon was met wie hij zijn verdenkingen kon delen. De ontdekking van Jeremy noopte Graham tot snelle en drastische maatregelen. Samen met Clarissa werkte hij een plan uit dat de verdenkingen op de jonge man zelf richtte en het gevolg was dat Jeremy op staande voet werd ontslagen. Graham was opeens de grote held, de redder van het bedrijf. Het gevaar uit die hoek was

daarmee wel geweken, maar Graham begreep dat hij in de toekomst nog voorzichtiger te werk moest gaan, zo hij niet helemaal moest stoppen.
Clarissa was er altijd van uitgegaan haar eigen toekomst volledig zelf in handen te houden en dat ze naar de bewoonde wereld, naar haar oude leven als echtgenote van Graham kon terugkeren wanneer ze dat maar wilde. Het plan voor haar dramatische terugkeer was al gemaakt en wachtte nog op de puntjes op de i. Er was nog geen definitieve datum voor haar terugkeer afgesproken toen Sally Clarissa deelgenoot maakte van haar vermoedens dat ik zwanger was. Ik had Graham nog niets willen vertellen totdat ik volledige zekerheid had omtrent mijn toekomst. Toen Clarissa hem er op de man af naar vroeg, ontkende hij aanvankelijk, hetgeen haar sterkte in haar overtuiging dat ik hun grootse plannen wel eens behoorlijk zou kunnen dwarsbomen. Ze ging als een dolle te keer en tierde dat ze mij eigenhandig om zeep zou brengen. Beter dan Sally, die alles probeerde te sussen, begreep ze dat Graham zo opgetogen was over het nieuws van mijn zwangerschap, dat hij niet bij mij vandaan zou gaan wanneer Clarissa volgens plan zou terugkeren naar de bewoonde wereld.
Sally was volledig toegewijd aan Clarissa en om die reden haatte ze mij. Toen Clarissa aankondigde dat de enige oplossing van het probleem was dat ik uit de weg moest worden geruimd, was Sally het daar onmiddellijk roerend mee eens. Het eerste plan van de twee vrouwen was bedoeld om Jeremy uit de weg te ruimen, mij de schuld in de schoenen te schuiven en tegelijkertijd Graham in onzekerheid brengen omtrent het vaderschap van mijn baby. Sally had gehoord dat ik een afspraak met Jeremy maakte en ze

was bereid te verklaren dat ze sterk vermoedde dat ik een verhouding met hem had.
Haar zoon Brendan was iemand van wie je kon zeggen dat hij over meer spierkracht dan verstand beschikte. Hij was volledig toegewijd aan zijn moeder en hij vertrouwde erop dat elke beslissing die ze nam de juiste was. Toen ze hem naar de flat van Jeremy's zus stuurde om hem het zwijgen op te leggen, uitte hij geen woord van protest. Hij voerde simpelweg een opdracht uit. Hij sloeg Jeremy met de glazen asbak neer en liet een envelop met geld bij Jeremy achter wat als de ultieme bevestiging van zijn schuld opgevat moest worden. Het feit dat ik eerder naar Jeremy was gegaan dan afgesproken, was een behoorlijke streep door de rekening geweest. Brendan was in paniek geraakt toen hij me hoorde binnenkomen en hij gaf mij ook een klap, die gelukkig minder hard was aangekomen dan bij Jeremy. Een andere tegenvaller was dat de politie de envelop met geld niet in Jeremy's bezit vond. Clarissa en Sally begrepen er niets van totdat ze op de gedachte kwamen dat ik degene geweest moest zijn die het geld had meegenomen. Sally begon het huis systematisch te doorzoeken, maar als in een hilarische klucht verstopte ik het op plekken waar zij al had gezocht.
Tot mijn verbijstering vernam ik dat het niet bij de aanslag op mij, in de flat van Jeremy's zus, was gebleven. Mijn bijna-ongeluk en mijn redding net voor de bus, waren een geraffineerd staaltje afleidingstechniek. Sally had Brendan opdracht gegeven me te volgen en mij de stuipen op het lijf te jagen. De bedoeling was dat ik zogenaamd in een vlaag van paniek en verstandsverbijstering voor de bus zou springen. Er waren echter opeens teveel

omstanders gekomen en Sally durfde het risico niet te nemen. Uit wraakzucht deed ze iets wat ik mij van spelletjes uit mijn kindertijd herinnerde: achter mijn rug om gaf ze me aan de ene kant een duw terwijl ze me aan mijn andere arm terugtrok.
De volgende poging was gedaan toen Sally giftige paddestoelen had verwerkt in de ovenschotel die ik per ongeluk had laten verbranden. Het verbaasde me niet eens meer toen inspecteur Miller vertelde dat het ook Sally was geweest die achter het ongeluk van Hayley zat. Toen ik dat hoorde, speet het me bijna dat ze al dood was. Ik had haar graag met mijn eigen handen de nek omgedraaid, ongeacht wat de gevolgen voor mij zouden zijn geweest. Een aanslag plegen op mij was tot daar aan toe, maar dat het ongeluk de volkomen onschuldige Hayley bijna fataal was geworden, kon ik gewoonweg niet verkroppen.
Die laatste poging om mij zogenaamd te laten verongelukken, liep mis omdat Sally het plannetje in een impuls had bedacht. Brendan had de snelle instructies van zijn moeder niet goed kunnen onthouden: 'Volg die auto en duw hem ergens van de weg.' Voor Brendan stond het zo ongeveer gelijk aan een van de computer spelletjes waar hij zo verzot op was. Hij vroeg zich niet af wat precies de bedoeling was, maar hij voerde de opdracht uit zonder zich af te vragen of het van belang was dat Hayley achter het stuur was gaan zitten en niet ik.
Clarissa raakte zo gefrustreerd dat ze mij ervan beschuldigde dat ik de aanstichtster van alles was. Tot op zekere hoogte had ze gelijk. De voortdurende opmerkingen van Sally over haar vermoedens dat ik zwanger zou zijn, brachten haar tot het uiterste. Grahams blijdschap nadat ik de test had gedaan, was de laatste

druppel geweest. Clarissa werd bang omdat de tijd begon te dringen. Ze vreesde dat Graham mij niet zou willen verlaten en dat hij vanwege de baby toch zou willen proberen een succes te maken van ons huwelijk. Ze raakte in paniek en in een noodsprong vervroegde ze de plannen voor haar terugkeer. Ze weigerde naar de waarschuwingen en kalmerende woorden van Graham en Sally te luisteren. Ingegeven door wat ze destijds op de tv had gezien, was het altijd de bedoeling geweest dat ze het ook op die manier zou spelen, maar vanwege haar haast werd het gebrek aan een gedegen voorbereiding haar fataal. Binnen een paar uur na haar verschijning op de televisie, was ze al door de mand gevallen.
Als klap op de vuurpijl liet Lucie weten dat ze al die tijd had geweten dat Clarissa niet dood was. Bovendien kwam ze naar buiten met het verhaal dat Graham elke week zogenaamd naar John ging om zijn last te verlichten, maar dat hij dan in werkelijkheid de nacht bij Clarissa doorbracht. Het voor niets vergoten verdriet om de dood van Clarissa maakte Lucie uitzinnig van woede en ze dreigde het aan iedereen te vertellen. Intussen raakte Sally er steeds meer van overtuigd dat Lucie en ik, al dan niet samen, de grootse plannen van haar lievelingetje wel eens definitief zouden kunnen dwarsbomen. Daarom besloot ze tot een laatste poging die volgens haar eenvoudigweg niet kon mislukken. Clarissa had Sally geholpen Lucie te overmeesteren, maar volgens haar verklaring had ze zich niet afgevraagd wat er daarna met ons moest gebeuren. Ik geloofde stellig dat het Clarissa op dat moment niet meer uitmaakte wat er met ons gebeurde. Toen Sally de opdracht gaf dat de verlaten woning waarin wij gevangen zaten met de grond gelijk moest worden gemaakt, waren Clarissa en Graham

al bezig hun vlucht naar het buitenland voor te bereiden. Ik vermoedde dat Sally zich waarschijnlijk nooit had gerealiseerd dat ze toen al niet meer in de plannen van Clarissa voorkwam.
Ik had medelijden met Brendan, maar ik begreep pas ten volle hoe groot zijn verdriet was, hoe onverdraaglijk het voor hem was om te weten wat hij had gedaan, toen ik hem herkende als de man van de bulldozer. Inspecteur Miller vertelde me dat hij niet langer aanspreekbaar was en dat zijn verklaringen onbruikbaar waren. Verdriet en schuldgevoelens streden zo hard om de overhand dat zijn verklaringen elkaar voortdurend tegenspraken. Het gevolg was dat de politie hem voor onderzoek naar een psychiatrische inrichting zond waar hij labiel en ontoerekeningsvatbaar werd verklaard.
Ik maakte kennis met John, de vader van Lucie. Hij vertelde me deemoedig hoe het hem speet dat ik van Graham de indruk had gekregen dat die regelmatig bij hen thuis was gekomen. Ik begreep nu pas ten volle waarom Graham zo zijn best had gedaan haar toestand erger voor te schotelen dan die in werkelijkheid was geweest en haar mij bij vandaan te houden. Lucie was soms lastig, gaf John toe, maar zo erg als Graham het mij voorgespiegeld had, was het nooit geweest. Hij vertelde me ook hoe schuldig hij zich voelde. Lucie had ontdekt dat Clarissa helemaal niet was verdronken. Ze was dolblij geweest, maar niemand, ook John niet, had enig geloof gehecht aan haar soms verwarde beweringen.
Hij zocht me regelmatig op en dan had hij maar één wens: over Lucie praten. Hij was niet te stuiten en ik deed er ook geen poging toe. Ik was blij met zijn verhalen over Lucie want ze gaven

mij een helder beeld van hoe ze was geweest, wat ze voor hem had betekend, hoe groot zijn gemis was. Het speet me dat ik haar niet eerder had ontmoet en haar niet beter had leren kennen. En dat ik haar niet op tijd uit het huis had kunnen krijgen.
Ik had ook ontzettend te doen met Ella. Ze was inmiddels van het ziekenhuis overgebracht naar een verzorgingshuis, waar ze geestelijk volledig de weg kwijt was geraakt. Ook zij was het slachtoffer geworden van de kille praktijken en de ongevoeligheden van haar dochter. Het was wreed en gevoelloos dat Clarissa haar al die tijd in de waan had gelaten dat ze dood was. Helemaal voor niets had ze Ella om haar laten rouwen. Zo nu en dan was ze 's nachts naar ons huis gekomen om ons te bespioneren. Zodoende had Ella, die problemen had met slapen, haar wel eens gezien. Desondanks was de plotselinge verschijning van Clarissa op tv voor Ella een enorme schok geweest waarvan ze niet meer herstelde. Wanneer ik haar in het verzorgingshuis bezocht, sprak ze soms verward over het wonder dat haar dochter was teruggekeerd van de dood maar meestal waande ze zich in huis bij haar ouders, veilig terug in haar jeugd. Ik hoopte bijna dat haar toestand op den duur zo zou verslechteren dat ze haar dochter helemaal zou vergeten.
Ironisch genoeg konden Graham en Clarissa niets doen met ons huis. In verband met het mogelijke faillissement had Clarissa destijds het huis op naam van haar moeder laten zetten en vanwege haar zogenaamde verdwijning had ze dat nooit terug kunnen draaien. De ironie ervan was dat ze dat nu ook niet kon doen zonder de handtekening van Ella. Ze probeerde het wel, maar omdat ze was gearresteerd en haar een gevangenisstraf boven het

hoofd hing, was het niet aannemelijk dat ze de 'voogdij' over haar moeder zou krijgen. Ik bedacht dat het maar gelukkig was dat Ella er allemaal geen besef meer van had.
Zelfs na afloop van het proces wist ik nog steeds niet helemaal zeker in hoeverre Graham aan dit alles medeplichtig was. Ik geloofde graag dat hij alleen wat betreft het verduisteren van geld Clarissa's marionet was geweest, maar dat hij niets te maken had gehad met de dood van Jeremy, het ongeluk van Hayley en de aanslagen op mij. Hij ontkende ten stelligste en ik wilde eenvoudigweg niet geloven dat ik twee jaar getrouwd was geweest met een potentiële medeplichtige aan zoveel misdaad.

# EENENZESTIG

Graham was nog maar een schaduw van de man die ik had gekend. Inspecteur Miller had voor me geregeld dat ik hem na het proces kon zien. Ondanks alles had ik met hem te doen en ik schrok van zijn bleke, moedeloze uiterlijk. Ik werd bij hem gelaten in een onpersoonlijke ruimte met glanzende gele tegels tegen de wanden, een kale vloer en als enig meubilair een matras op een betonnen verhoging.

Sinds zijn arrestatie had Graham me diverse keren laten weten dat hij me wilde zien, dat hij met me moest praten, maar ik had steeds geweigerd.

Het feit dat Clarissa en Graham allebei waren veroordeeld tot ruim zes jaar gevangenisstraf, was een zodanige geruststelling voor me dat ik er uiteindelijk mee instemde hem nog een keer te bezoeken. Bovendien drong Miller erop aan. Hij was van mening dat het goed voor me zou zijn Graham nog een keer te ontmoeten. Het zou goed zijn voor het verwerkingsproces.

Toen ik eenmaal verzoend was geraakt met het vooruitzicht, keek ik met vals, kinderlijk plezier uit naar het moment dat ik Graham mijn plannen voor een toekomst zonder hem zou ontvouwen.

Zoals ik wel had verwacht, betrof zijn eerste vraag de baby. Zijn blik ging onmiddellijk in de richting van mijn buik, maar met opzet had ik een ruimvallende bloes aangetrokken die hem niet veel wijzer kon maken. ‘Sian, is alles goed met je? En met de baby?’

Zijn blik was zo smartelijk dat ik bijna medelijden met hem kreeg en opeens speet het me dat ik Millers raad had opgevolgd. Ik was gedeeltelijk gekomen om wraak te nemen op Graham, maar nu

puntje bij paaltje kwam, kon ik het bijna niet.
'De baby?' Ik keek hem lang en koel aan. Toen haalde ik diep adem en herhaalde ik de woorden die ik zo goed had gerepeteerd: 'Ik heb het weg laten halen.'
'Maar Sian, hoe kon je ...?'
'Ik wilde geen kind van een leugenaar en een oplichter.'
Hij schrompelde zo mogelijk nog meer in elkaar. Zijn bleke gezicht werd asgrauw en zijn sombere ogen vulden zich met tranen. Ik was echter het punt van medelijden gepasseerd. Opeens realiseerde ik me dat hij nog nooit tegen me gezegd had hoezeer alles hem speet.
Ik keek hem aan en wist dat inspecteur Miller gelijk had gehad toen hij erop had aangedrongen dat ik naar Graham toe zou gaan. Het enige dat ik nog voor hem voelde was afkeer en minachting. Hij had er altijd zijn best voor gedaan mij het gevoel te geven dat ik zijn mindere was. In werkelijkheid was hij een zwakkeling geweest die zich de wet had laten voorschrijven door Clarissa, en zelfs door Sally. Hij had toegelaten dat zij de regie over mijn leven hadden overgenomen.
Ik kuchte. 'Graham, ik ben gekomen om je te vertellen dat ik ben verhuisd. Mocht het in de toekomst nog nodig zijn dat we contact hebben, dan kan dat via mijn advocaat. Ik zal je zijn adres nog laten weten.'
Hij was er niet bij met zijn gedachten. 'Maar Sian, hoe heb je het kunnen doen?'
Ik wist dat hij op de abortus doelde, maar ik besloot er niet op in te gaan. 'Dat is precies wat ik jou ook nog wilde vragen, Graham. Hoe je het allemaal hebt kunnen doen?'

Onze gedachten bewogen zich in twee verschillende richtingen.
'Heb je het echt weg laten halen, Sian?'
'Ja, Graham, ik heb een abortus laten plegen.'
'Waarom?' Stille tranen stroomden over zijn bleke wangen. Onder zijn huid zag ik kleine rode adertjes. 'Waarom Sian? Ik dacht dat je ook blij was.'
'Ik wilde geen kind van jou,' zei ik koel. 'Ik wil niets meer met jou te maken hebben, Graham.'
'Je woont zeker bij die vent?'
'Welke vent?'
'Die toen bij ons was. Mac, geloof ik.'
'Nee.' Ik vertelde hem niet dat ik, nu Clarissa en hij naar de gevangenis zouden gaan, voorlopig naar de woning van Hayley was verhuisd. Ik hoopte iets anders gevonden te hebben wanneer ze voldoende was gerevalideerd om weer voor zichzelf te kunnen zorgen.
'Je hoeft niet tegen me te liegen, Sian. Ik zag heus wel dat er iets tussen jou en die vent gaande was.'
'Ik lieg niet. Ik woon momenteel alleen.'
Het was niet zo dat Mac niet had geprobeerd mij over te halen bij hem in te trekken. Ik had lang geaarzeld, maar uiteindelijk besloten dat het beter was voorlopig alleen te gaan wonen. Er was te veel gebeurd om me meteen al weer in een relatie met iemand anders te storten.
'Ik kan je niet verbieden met hem te gaan samenwonen, Sian.' Het klonk zielig.
'Dat klopt.' Ik weigerde medelijden met hem te krijgen. 'Ik heb niets meegenomen uit het huis. Alleen wat kleren en spullen die

ik al had voordat ik jou leerde kennen.'

'O. Goed.' Het leek hem niet te interesseren. Hij was gereduceerd tot een schaduw van zichzelf. Het was bijna onmogelijk me voor te stellen dat er een tijd was geweest dat ik van die man had gehouden. Het was evenmin in te denken dat ik zijn orders had uitgevoerd, dat ik zelfs een beetje bang was geweest voor zijn arrogantie. Daar was nu helemaal niets meer van over.

'Ik heb alleen het geld,' ging ik verder en ik wachtte geduldig op zijn onvermijdelijke vraag. Aan zijn gezicht was te zien dat het hem langzaam begon te dagen.

'Het geld dat ik in jouw auto vond,' zei ik rustig. Ik gaf hem geen nadere uitleg. Ik had hem nooit verteld dat ik het was geweest die de bewuste nacht in zijn auto had gereden, dat ik de auto had bestuurd toen die was geflitst wegens te snel rijden. Ook nu verzweeg ik dat. Hij was altijd iemand geweest voor de puntjes op de i en het deed me stilletjes genoegen dat het iets zou zijn dat altijd aan hem zou blijven knagen.

Ik ging gevoelloos verder. 'Het geld dat zijn moordenaar bij Jeremy achterliet, heb ik teruggestuurd naar de zaak.'

'Jeremy ... ik had niets met zijn dood te maken, Sian.'

'Direct misschien niet. Maar als Clarissa en jij niet al die gemene plannetjes hadden gemaakt, was Jeremy nu ook niet dood geweest.'

Hij kromp in elkaar. 'Het was een ongeluk.'

Ik maakte het hem niet gemakkelijk. 'Misschien wil jij dat graag zo zien, Graham, maar Sally stuurde haar zoon naar Jeremy toe met de duidelijke boodschap hem onschadelijk te maken.'

'Ik geloof nooit dat het de bedoeling was ... '

Ik viel hem in de rede. 'Robert zal het geld aan Jeremy's moeder geven, plus de officiële mededeling dat hij van alle blaam is gezuiverd. Schrale troost voor zijn familie.'

Hij had tenminste het fatsoen beschaamd naar beneden te kijken.

Ik ging verder. 'Dat andere geld houd ik. Ik heb het er met Robert over gehad. Ik heb het gevonden en niemand heeft het ooit als verloren opgegeven. Volgens de wet mag de eerlijke vinder het houden zodra er een jaar verstreken is.'

Hij mompelde iets dat ik niet verstond. Het maakte me niet meer uit. Hij was een gebroken man en instinctief wist ik dat hij nooit meer de oude zou worden. Over een paar jaar zouden Clarissa en hij weer vrij komen. Misschien zou hij daarna terugkeren in de maatschappij, maar hij zou nooit meer verder komen dan de onderste tree van de ladder. Van Clarissa was ik niet zo zeker.

'Ik ga het geld gebruiken om een nieuw leven te beginnen,' zei ik, terwijl ik overeind kwam.

Hij knikte zonder me aan te kijken. Opnieuw mompelde hij iets en ik maakte er uit op dat hij me geluk wenste, en succes.

Ik liep naar de deur. 'Dag Graham.'

Hij begon te huilen. Nog steeds had hij de gedachte aan onze baby niet losgelaten. 'Sian! Sian, hoe kon je? Hoe kon je het doen?' Hij riep me na, zijn schorre stem echode tegen de gele tegels.

Inspecteur Miller stond met zijn handen op zijn rug op me te wachten. Zijn hoofd hing naar beneden alsof hij iets kleins had laten vallen en ernaar zocht. Met een ruk keek hij op toen ik zei dat ik het gebouw zo snel mogelijk wilde verlaten.

Deze keer droeg hij geen zwart overhemd, maar een wit. Eerder

had ik hem in een zenuwachtige en overmoedige bui gevraagd of hij ook andere kleding had dan alleen zwarte. Nu vroeg ik me opeens af hoeveel vrouwen met dezelfde gedachte hadden gespeeld en ik betreurde mijn impulsieve, dwaze opmerking.
Zijn mond krulde en hij trok komisch een wenkbrauw op, terwijl hij een gebaar wilde maken alsof hij mijn arm wilde pakken. 'Alles goed gegaan met Graham?'
'Ja.' Ik wist niet of hij iets van mijn gesprek met Graham had kunnen horen, maar voorlopig had ik geen behoefte er met wie dan ook over te praten.
Hij wees naar de buitendeur. 'Zullen we dan maar gaan?'